El anillo mágico
y otros cuentos

A.N. AFANÁSIEV

El anillo mágico
y otros cuentos

CUENTOS POPULARES RUSOS II

Traducción:
Isabel Vicente

Ilustraciones:
Nicolai Troshinsky

*La presente obra es traducción directa de la sexta edición
completa de los* Cuentos populares rusos de A.N. Afanásiev
en tres volúmenes, Moscú, 1957.

© De las ilustraciones: Nicolai Troshinsky, 2007
© De esta edición: Grupo Anaya, S.A., 2007
Juan Ignacio Luca de Tena, 15. 28027 Madrid
www.anayainfantilyjuvenil.com
e-mail: anayainfantilyjuvenil@anaya.es

1.ª edición, octubre 2007

ISBN: 978-84-667-6498-8
Depósito legal: M. 39.637/2007
Impreso en MELSA
Ctra. de Fuenlabrada a Pinto, km 21,800
28320 Pinto (Madrid)
Impreso en España - Printed in Spain

Las normas ortográficas seguidas en este libro son las
establecidas por la Real Academia Española en su última
edición de la *Ortografía*, del año 1999.

Índice

Nadzei, el nieto del pope*

En cierto reino, en cierto país, vivía un pope que estaba viudo y tenía una hija. No puedes imaginarte, hermanito, cómo la mimaba. A cualquier sitio de su parroquia que fuera, siempre le traía alguna chuchería: porque los feligreses sabían que el pope tenía una hija y había que ofrecerle algo para ella.

Un día fue a la parroquia de una aldea, distante unas doce verstas*, a darle la comunión a un hombre que quería comulgar. Allí le acogieron y le agasajaron muy bien. Pero esta vez se le olvidó que le dieran alguna chuchería para su hija cuando se levantó de la mesa, y se marchó.

Cabalgaba por el camino cuando vio una cabeza humana que había ardido toda y solo quedaban las cenizas. Iba a pasar de largo, pero luego pensó: «¿Cómo voy a pasar así? Es una cabeza humana la que ha ardido. Lo mejor será que recoja las cenizas en el pañuelo, las lleve a casa y las entierre». Así lo hizo. Se echó las cenizas al bolsillo, volvió a montar a caballo y marchó a su casa. Llegó a su casa, y la hija le salió al encuentro ayudándole a bajar del caballo. Al pope se le había levantado dolor de cabeza, quizá del viento, y la hija hizo que se acostara. Luego pensó: «¡Seguro que mi padre me ha traído algo!». Miró en su bolsillo: las cenizas se habían convertido en una arqueta.

---

* La definición de las palabras marcadas con asterisco se encuentra en el vocabulario de la página 261.

«¡Ay, una arqueta! Sí, pero no sé cómo se abre». La cogió, la lamió con la lengua y se quedó embarazada. Lo que son semanas de embarazo para otras mujeres fueron para ella horas. Llegó el momento del parto y dio a luz un niño, que en seguida fue bautizado con el nombre de Nadzei, nieto del pope.

Empezó a crecer el niño, y lo que otros crecían en años, él lo crecía en horas. Había cumplido seis semanas cuando salió a la calle a jugar a la pelota con los otros chicos. Él le pegaba a la pelota, y la pelota volaba desgarrando los aires y llevándose por delante lo que encontraba en su camino: una pierna si encontraba una pierna, un brazo si pegaba en un brazo o una cabeza si daba en una cabeza. Conque los padres de estos niños fueron a ver al sacerdote y le dijeron:

—¡Padre! No deje salir a su nieto a jugar con los chicos en la calle, porque está causando muchos percances.

Uno dice que a su hijo le ha arrancado la cabeza, otro que al suyo le ha arrancado un brazo. En una palabra, que no le dejaran salir.

El pope logró retenerle en casa hasta el verano; pero entre tanto había crecido bastante, y dijo:

—Querido abuelo, ¿qué trabajo podría yo hacer?

Su abuelo se alegró mucho y dijo:

—Querida hija mía: demos gracias al cielo. ¡Mira qué heredero nos ha mandado Dios! ¡Alabado sea! ¡Y qué laborioso! ¿Qué podría hacer de él? Bueno, vamos a trabajar. Vamos a cortar leña, muchacho —le dijo al nieto.

—Vamos, abuelito.

Fueron al pantano, eligieron un buen sitio, y el abuelo se puso a talar un abeto. El nieto dijo:

—Antes de empezar, abuelo, dame tu bendición.

—Bueno, pues que Dios te bendiga, nietecito.

El nieto puso en seguida manos a la obra con tanto empeño que el bosque se estremecía. Al primer hachazo que pegaba por un lado, el árbol se abatía por el otro. Antes del mediodía había abatido una *desiatina** y media de bosque.

—Hay que cortar las ramas menudas y quemarlas —dijo el pope.

—Los podemos amontonar así, abuelo —contestó el nieto.

En tres días, aquel terreno quedó listo para sembrarlo. Lo sembraron entre el abuelo y el nieto y, al poco tiempo, había crecido la avena que daba gusto verla. Pero un oso tomó la costumbre de meterse en aquel campo. Un día que fue el pope a verlo, se encontró con que habían comido mucha avena. Cuando volvió a su casa, le preguntó el nieto:

—¿Cómo has encontrado nuestro campo, abuelo?

—Muy bien. Pero algún caballo salvaje ha cogido la costumbre de meterse por allí y ha comido mucho grano; lo malo es que ha estropeado más.

—Con todo lo que yo he trabajado, ¿lo va a echar a perder ese mal bicho? Iré a montar la guardia. Tú tráeme todo el cáñamo que encuentres.

Se puso a hacer una brida de cáñamo, comió y se marchó al bosque. Llegó al campo, y el muchacho se quedó todo sorprendido.

—¡Dios mío! ¡Cuánto estrago ha hecho! Da pena verlo.

Se sentó en un tocón en medio del campo hasta que el oso salió del bosque, se fue derechito a la avena y empezó a aplastarla toda. El muchacho estaba asombrado:

—¡Qué cosa tan rara! Yo nunca he visto caballos así. ¿Por qué se le ocurrirá pisotear así la avena?

Entre tanto, el oso iba aproximándose a él hasta llegar muy cerca del tocón, porque no se imaginaba que allí hubiera un hombre. Pero cuando estuvo ya al lado, Nadzei saltó sobre él, le agarró de las orejas y lo aplastó contra la tierra. Cuando el oso quiso resistirse, era ya tarde. Nadzei no se lo permitió, sino que le puso la brida y se lo llevó a casa. Por el camino, árbol al que se agarraba el oso, árbol que arrancaba de cuajo. Conque llegó a casa, lo ató a un poste en medio del corral y entró en la isba*.

—¡Señores! —dijo—. ¡Lo que habrá comido este caballo! Estoy rendido de haberle traído a casa.

El abuelo salió al patio y se espantó:

—Mira, hija mía querida, lo que tu hijo y nieto mío ha hecho.

Los dos se quedaron mudos de sorpresa, hasta que dijo Nadzei:

—En vez de asombraros tanto, mejor será que me digáis lo que vamos a hacer con este caballo y en qué trabajo vamos a emplear la fuerza que tiene.

—Empléalo para acarrear leña —dijo el abuelo.

Nadzei agarró al oso, lo enganchó al carro y empezó a acarrear leña en él. Y en tres días acarreó tanta, que llenó toda la aldea, y la gente no tenía por dónde pasar. Entonces los feligreses fueron a ver al sacerdote y le dijeron:

—Mandadlo adonde queráis, pero que no siga aquí. ¿Dónde se ha visto que en tres días haya llenado la aldea de leña hasta el punto de que no se pueda entrar ni salir?

—¿Qué hacer, hija? —preguntó el abuelo—. Es muy duro separarnos tú de tu hijo y yo de mi nieto, pero no queda otro remedio: dejemos que se marche adonde quiera —luego llamó al nieto y le dijo—: Querido nieto mío, los feligreses han venido a pedirme que te marches. Mucho lo siento por ti, pero hay que hacerlo: vete adonde quieras, a la buena de Dios.

—Abuelo querido: podías habérmelo dicho hace mucho tiempo, y me habría marchado inmediatamente. Madre mía querida, cuéceme una hogaza.

La madre le coció una hogaza y la metió en un zurrón.

Por la mañana se levantó temprano, se lavó, y con el zurrón al hombro fue a despedirse:

—Madre mía amada, querido abuelo, dadme vuestra bendición para el camino.

Hizo sus oraciones y echó a andar hasta que llegó al campo abierto. No buscó caminos ni senderos, sino que se metió por bosques frondosos y pantanos fangosos y anduvo siete días menos media jornada, con la boca abierta y la lengua colgando, hasta llegar a los confines de la tierra, al último de los reinos, donde había un vasto campo al pie de unas montañas muy altas. Allí estaba el *bogatir** Gorinia, gigante de las montañas, removiéndolas con el pie. Nadzei, el nieto del pope, se le acercó y le dijo:

—¡Dios te ayude, *bogatir* Gorinia! ¿De dónde te viene esa fuerza tan grande para jugar con las montañas como quien juega con una pelota?

—No te maravilles de mi fuerza, apuesto muchacho —contestó Gorinia—. En los confines de la tierra, en el último de los reinos, hay un cierto Nadzei, nieto de un pope, que ese sí tiene fuerza. Trajo un oso del bosque, y con ese oso acarreó leña para todo el pueblo. No hay cuervo que traiga sus huesos, ni caballo que soporte su peso.

—Hermano Gorinia —dijo entonces Nadzei—: ningún cuervo ha traído mis huesos, sino que he venido yo en persona.

—¡Conque eres tú, hermano! ¡Nadzei, el nieto del pope! Acéptame como hermano menor tuyo.

Nadzei le aceptó como hermano menor, y juntos recorrieron muchas tierras, vencieron a muchos *bogatires* y conquistaron muchas ciudades. Luego encontraron esposa y vivieron en la abundancia.

El barco volador

Éranse un viejo y una vieja que tenían tres hijos: dos listos y el otro tonto. A los listos, la mujer los quería y cuidaba de su atuendo, mientras que el otro iba siempre mal vestido con una camisa negra. Oyeron hablar de un edicto del zar* donde se decía: «A quien construya un barco capaz de volar, se le dará la *zarevna** por esposa».

Los hermanos mayores decidieron probar fortuna, y les pidieron su bendición a los padres. La madre les equipó para el camino, les dio hogazas de trigo, conservas de carne y una cantimplora de *gorelka**, y los despidió. En vista de ello, también el tonto empezó a pedir que le dejaran marchar. La madre intentó disuadirle:

—¿Adónde vas a ir tú, tonto? Te comerán los lobos.

Pero el tonto seguía insistiendo. Viendo que no podía hacer carrera de él, la madre le dio unos panes de centeno y una cantimplora de agua y lo dejó marchar.

El tonto fue caminando, caminando, hasta que se encontró con un viejecito. Se saludaron. El viejecito le preguntó al tonto:

—¿Adónde vas?

—El zar ha prometido dar a su hija en matrimonio a quien fabrique un barco volador.

—¿Y tú puedes hacerlo?

—No, no podría.

—Entonces, ¿por qué vas?

12

—Dios sabrá por qué.

—Siendo así —dijo el viejo—, siéntate aquí y descansaremos juntos. Saca lo que traigas en el zurrón.

—Lo que traigo es tan poca cosa que hasta vergüenza da.

—No importa. Sácalo. Lo que haya mandado Dios, eso comeremos.

El tonto desató su zurrón, y no podía dar crédito a sus ojos: en lugar de las hogazas negras, había bollos de harina de trigo y toda clase de fiambres. Le ofreció de todo al viejo.

—¿Ves cómo ampara Dios a los tontos? —dijo el viejo—. Aunque tu propia madre no te quiera, tampoco tú puedes quejarte... Vamos a tomar primero un trago de *gorelka*.

Porque, en lugar de agua, encontraron *gorelka* en la cantimplora. Bebieron un trago, comieron un bocado y le dijo el viejo al tonto:

—Escucha lo que voy a decirte: ve al bosque, acércate al primer árbol que encuentres, santíguate tres veces, pégale al árbol con el hacha, tírate luego de bruces en el suelo y espera a que te despierten. Entonces verás delante de ti un barco. Súbete a él y vuela adonde te haga falta. ¡Ah! Y por el camino recoge a todo el que te encuentres.

El tonto le dio las gracias al viejo, se despidió de él y fue al bosque. Se acercó al primer árbol e hizo todo como le había dicho el viejo: se santiguó tres veces, pegó en el árbol con el hacha, se dejó caer de bruces en el suelo y se quedó dormido. Al cabo de algún tiempo, notó que le despertaban. Abrió los ojos y se encontró ante un barco. Sin pensarlo poco ni mucho se montó en él, y el barco echó a volar.

Iba volando, cuando vio abajo, en el camino, a un hombre que tenía un oído pegado a la tierra.

—¡Hola, buen hombre!

—Hola, hombre del cielo.

—¿Qué estás haciendo?

—Estoy escuchando lo que ocurre en el otro mundo.

—Ven conmigo en el barco.

El hombre subió al barco sin hacerse de rogar, y siguieron volando. Al cabo de algún tiempo, vieron a un hombre que caminaba con una sola pierna y llevaba la otra atada a la oreja.

—¡Hola, buen hombre! ¿Por qué caminas con una sola pierna?

—Es que, si desatara la otra, en un instante habría recorrido el mundo entero.

—Ven con nosotros.

El hombre subió al barco y siguieron volando. Al cabo de algún tiempo, vieron a un hombre que estaba apuntando con una escopeta, aunque no se veía a qué.

13

—¡Hola, buen hombre! ¿A qué estás apuntando? No se ve ni un ave.

—Es que yo no disparo a nada que esté cerca. De disparar, es para darle a un animal o un ave que esté a mil verstas de aquí. Eso sí merece la pena.

—Ven con nosotros.

También subió este al barco, y siguieron volando, hasta que vieron a un hombre que llevaba a la espalda un odre lleno de pan.

—¡Hola, buen hombre! ¿Adónde vas?

—Voy a buscar pan para el almuerzo.

—¡Pero si llevas un saco lleno a la espalda!

—¡Esto no es nada! Con esto yo sólo tengo para un bocado.

—Ven con nosotros.

Comilón subió al barco y siguieron volando, hasta que vieron a un hombre que daba vueltas alrededor de un lago.

—¡Hola, buen hombre! ¿Qué buscas?

—Pues busco un poco de agua, porque tengo sed.

—¡Pero si tienes delante un lago entero! ¿Por qué no bebes?

—¡Anda! Con esta agua yo sólo tengo para un sorbo.

—Ven con nosotros.

El hombre subió al barco y siguieron volando, hasta que vieron a un hombre que iba hacia el bosque con un haz de leña sobre los hombros.

—¡Hola, buen hombre! ¿Para qué llevas leña al bosque?

—Es que esta leña es especial.

—¿Y qué clase de leña es?

—Es una leña que, si se la esparce, aparece de pronto en su lugar todo un ejército.

—Ven con nosotros.

Subió al barco y siguieron volando, hasta que vieron a un hombre que llevaba un fardo de paja.

—¡Hola, buen hombre! ¿Adónde llevas esa paja?

—A la aldea.

—¿Es que hay poca paja en la aldea?

—No. Pero esta es una paja especial. Por muy caluroso que sea el verano, cuando se la esparce empieza a hacer frío, con nieve y hielo.

—Ven con nosotros.

—Bueno.

Este fue el último encuentro que tuvieron. Al poco tiempo, llegaron volando al palacio del zar.

El zar estaba entonces almorzando. Se sorprendió mucho al ver el barco volador, y mandó a un servidor a preguntar quién había lle-

gado en aquel barco. El servidor se aproximó al barco, vio que todos eran hombres del pueblo y, sin preguntar nada, volvió a informar al zar de que en aquel barco no había ni un solo caballero, sino plebeyos. El zar se dijo que no tenía sentido entregar a su hija a un simple campesino, y se puso a cavilar, buscando la manera de librarse de aquel yerno. Hasta que se le ocurrió: «Voy a darle tareas difíciles de cumplir». En seguida hizo llegar al tonto la orden de que le consiguiera, antes de que concluyera su comida, el agua de la vida y de la salud.

Mientras el zar daba esta orden a su servidor, el primer hombre, el que estaba escuchando lo que ocurría en el otro mundo, oyó lo que decía y se lo comunicó al tonto.

—¿Y qué hago yo ahora? Es posible que no encuentre esa agua en un año o, quizá, en toda mi vida.

—No te preocupes —le dijo el andarín—: yo lo haré por ti.

Llegó el servidor con la orden del zar.

—Dile que la traeré —dijo el tonto.

Su compañero se desató la pierna, echó a andar y, al instante, encontró el agua de la vida y de la salud. Pero entonces pensó: «Tengo tiempo de sobra para volver». Se sentó al pie de un molino a descansar, y se quedó dormido.

La comida del zar tocaba a su fin, y el hombre no volvía. Todos estaban inquietos en el barco. Entonces el primero pegó el oído a la tierra, escuchó, y dijo:

—¡Pero si está dormido al pie de un molino!

El tirador agarró su escopeta, disparó contra el molino y así despertó al andarín. El andarín se puso en marcha y, un minuto después, llegó con el agua. El zar no se había levantado todavía de la mesa cuando ya estaba cumplida su orden con toda exactitud.

No quedaba más recurso que darle otra tarea. El zar mandó decirle al tonto:

—Ya que eres tan astuto, demuestra lo que vales comiéndote de una sentada, con tus compañeros, doce bueyes asados y doce sacos de pan.

El primer compañero lo oyó y se lo contó al tonto.

—¡Pero si yo no soy capaz de comerme ni un pan de una sentada! —exclamó el tonto asustado.

—No temas —intervino Comilón—, que para mí será incluso poco.

Llegó el servidor a comunicar la orden del zar.

—Está bien —dijo el tonto—. Nos los comeremos.

Trajeron los doce bueyes asados y los doce sacos de pan. Comilón se lo comió todo, y aún dijo:

—Esto no es mucho. Si trajeran un poco más...

El zar ordenó decirle al tonto que debían beberse cuarenta barriles de vino de cuarenta cubos* cada uno. El primer compañero oyó lo que decía el zar y, como antes, se lo contó al tonto. Este se asustó:

—¡Pero si yo no soy capaz de beberme ni un cubo de una vez!

—No temas —dijo Bebedor—. Yo beberé por todos vosotros, y todavía será poco.

Llenaron cuarenta barriles de vino, llegó Bebedor y los apuró todos sin tomar aliento. Luego dijo:

—No es gran cosa. Yo bebería algo más.

Después de todo esto, el zar ordenó que, antes de desposarse, el tonto fuera al baño*. Y como el baño era de hierro, ordenó que lo calentaran mucho para que el tonto se asfixiase en un instante. Cuando lo hubieron calentado al rojo, fue el tonto a bañarse y tras él entró el hombre del fardo de paja, como si fuera para extenderla sobre el suelo. Se encerraron los dos en el baño, el hombre esparció la paja, y empezó a hacer tanto frío que apenas había tenido tiempo el tonto de lavarse, cuando el agua de los calderos empezó a congelarse. Luego se subió al rellano de la estufa* y allí se pasó la noche. Cuando abrieron el baño por la mañana, el tonto estaba tan campante, tumbado en el rellano de la estufa y cantando.

Informado el zar, se llevó un disgusto. Ya no sabía cómo deshacerse del tonto. Después de mucho cavilar, le ordenó que se presentara con un regimiento entero de tropas, pensando para sus adentros:

—¿De dónde va a sacar tropas un simple campesino? Eso sí que no podrá hacerlo.

Al enterarse el tonto, se asustó y dijo:

—Ahora estoy bien perdido. De muchos apuros me habéis sacado, compañeros; pero se ve que esta vez no hay nada que hacer.

—¡Pero hombre! —intervino el del haz de leña—. ¿Te has olvidado de mí? Recuerda que en eso yo soy un maestro, y no temas.

Llegó un servidor y le comunicó al tonto la orden del zar:

—Si quieres casarte con la *zarevna*, debes presentar mañana todo un regimiento de tropas.

—Está bien. Lo haré. Pero si el zar sigue buscando más pretextos, le combatiré en todo su reino y me llevaré a la *zarevna* por la fuerza.

Por la noche, el compañero del tonto salió al campo con su haz de leña y fue esparciéndola por todas partes, haciendo surgir inmediatamente un ejército innumerable de infantería, caballería y artillería. Cuando el zar vio todo aquello por la mañana, le tocó a él asustarse. En seguida hizo llegar al tonto costosos trajes y aderezos, con la invitación de ir a palacio para casarse con la *zarevna*. Vestido con aquellas prendas, el tonto tenía un aire de lo más apuesto.

Se presentó al zar, se casó con la *zarevna*, y demostró ser inteligente e ingenioso. El zar y su esposa le cogieron afecto. En cuanto a la *zarevna*, estaba loca por él.

Los siete Simeones

Éranse una vez un viejo y una vieja que vivían en medio de los campos. Llegada su hora, el hombre entregó su alma a Dios. Al poco tiempo, la mujer trajo al mundo a siete gemelos, y a los siete les puso el nombre de Simeón. Fueron creciendo y creciendo, todos iguales de cara y de porte. Los siete salían cada mañana a trabajar al campo.

Acertó a pasar un día el zar por aquel sitio. Le pareció, desde el camino, que allá lejos estaban arando unos siervos —¡eran muchos para que se tratara de la parcela de un campesino!—, y él sabía a ciencia cierta que por allí no había tierras señoriales. Conque envió a su mozo de cuadras a enterarse de qué gente era aquella que estaba arando: de dónde eran, cómo se llamaban, si pertenecían al zar o a un terrateniente, si eran aldeanos siervos o braceros. Llegó el mozo hasta ellos y les preguntó:

—¿Quiénes sois y de dónde? ¿Cómo os llamáis?

—Somos los siete Simeones gemelos. Nuestra madre nos parió de una vez. Nacimos aquí y estamos arando la tierra que fue de nuestro padre y de nuestro abuelo.

El mozo volvió donde el zar y le refirió todo, tal y como lo había oído.

—¡Nunca había escuchado una cosa tan asombrosa! —exclamó el zar, y en seguida mandó recado a los siete Simeones gemelos de que los esperaba en palacio para el servicio y los mandados.

19

Los siete se pusieron en camino, hasta que llegaron a los reales aposentos.

—Ahora vais a explicarme —dijo el zar cuando estuvieron en fila delante de él— cuáles son vuestras habilidades y qué oficio tiene cada uno.

—Yo —dijo el mayor adelantándose— puedo forjar una columna de hierro de veinte *sazhenas** de altura.

—Yo —dijo el segundo— puedo plantarla en la tierra.

—Yo —dijo el tercero— puedo trepar por ella y, desde arriba, mirar alrededor hasta muy lejos y ver lo que ocurre en el mundo.

—Yo —dijo el cuarto— puedo construir un barco que lo mismo ande por el agua que por la tierra.

—Yo —dijo el quinto— puedo comerciar con toda clase de mercaderes por tierras extrañas.

—Yo —dijo el sexto— puedo sumergirme en el mar con el barco, la gente y las mercaderías, navegar bajo el agua y volver a salir a flote donde sea preciso.

—Yo —dijo el séptimo— soy ladrón. Puedo robar lo que me acomode o me guste.

—Ese es un oficio que no permito en mi reino —contestó muy enfadado el zar al séptimo de los Simeones—. Conque te doy tres días de plazo para que abandones mis dominios y te marches a donde quieras. En cuanto a los demás Simeones, se quedarán aquí.

El séptimo Simeón se puso muy triste al escuchar las palabras del zar, sin saber qué hacer ni a dónde ir.

Pero, precisamente por entonces, se había enamorado el zar de una linda *zarevna* que habitaba más allá de las montañas grises y de los mares azules, y no lograba conquistarla para casarse con ella. Entonces, los nobles y los generales pensaron que un ladrón podría venirles bien para raptar a la linda *zarevna* y le rogaron al zar que, de momento, dejara allí a Simeón el ladrón. Después de reflexionar un poco, el zar ordenó que se quedara.

Al día siguiente, el zar reunió a los nobles, a los generales y al pueblo entero, y ordenó a los siete Simeones que hicieran una demostración de sus habilidades. Sin pérdida de tiempo, el mayor de los Simeones forjó una columna de hierro de veinte *sazhenas*. El zar ordenó a sus gentes que la plantaran en tierra, pero por mucho que se esforzaron, no lo consiguieron. Entonces, le dijo lo mismo al segundo de los Simeones. Al instante, el segundo Simeón levantó la columna y la plantó en tierra. El tercer Simeón trepó entonces por ella y, desde lo alto, se puso a contemplar hasta muy lejos lo que pasaba por el mundo. Vio mares azules, con muchos barcos como pun-

titos, vio pueblos, ciudades, multitudes de gente..., pero no descubrió a la linda *zarevna* de la que estaba enamorado su soberano. Miró otra vez con más cuidado a todas partes, y de pronto descubrió, sentada junto a la ventana de un lejano palacio, a la linda *zarevna*, toda sonrosada y con la piel blanca, tan fina que hasta se veía correr la médula por todos los huesos.

—¿La ves? —gritó el zar desde abajo.

—Sí.

—Bueno, pues baja en seguida y tráemela. Arréglatelas como puedas, pero he de tenerla a toda costa.

Se juntaron los siete Simeones, construyeron el barco, lo cargaron de toda clase de mercaderías y, juntos, se hicieron a la mar para traer a la *zarevna* desde más allá de las montañas grises, desde más allá de los mares azules. Hicieron su ruta, entre el cielo y la tierra, hasta que abordaron en una isla desconocida. El menor de los Simeones cogió a un gato siberiano amaestrado que había traído. Era un animalito que sabía hacer equilibrios sobre una cadena, traer las cosas que le pedían y otros muchos trucos graciosos. Conque Simeón el ladrón bajó a tierra con su gato siberiano y echó a andar por la isla, después de advertirles a los demás que no bajasen mientras él no volviera. Andando por la isla llegó a una ciudad y, delante de la ventana de la *zarevna*, se puso a jugar en la plaza con su gato siberiano amaestrado: le mandaba traer las cosas que le señalaba, saltar por encima de una fusta... En fin, toda clase de monerías.

La *zarevna*, que estaba asomada a su ventana, vio entonces a aquel animalito que no existía ni había existido nunca en la isla. Inmediatamente envió a una de sus criadas a enterarse de qué animalito era aquel, y si lo vendían. Simeón escuchó el recado que le traía la joven y linda criada de la *zarevna*, y contestó:

—Este animalito mío es un gato siberiano. Venderlo, no lo vendería a ningún precio. Pero si a alguien le gusta mucho de verdad, puedo regalárselo.

La criada se lo contó todo a la *zarevna*, y esta la mandó de nuevo a decirle a Simeón el ladrón que aquel animalito le gustaba mucho. Simeón entró en los aposentos de la *zarevna* para regalarle su gato siberiano. Solo pidió a cambio vivir allí tres días y probar el pan y la sal* de palacio. Aún añadió:

—Si lo deseas, linda *zarevna*, te enseñaré a jugar y distraerte con este animalito desconocido, con mi gato siberiano.

La *zarevna* aceptó, y Simeón el ladrón se quedó en palacio.

Al poco, empezó a correr la voz por los demás aposentos de que la *zarevna* había adquirido un maravilloso animalito desconocido.

Todo el mundo —el zar y su esposa, sus hijos y sus hijas, los nobles y los generales— acudieron a contemplar, admirados, al gato amaestrado, a aquel animalillo tan gracioso. Todos hubieran querido uno igual, se lo pedían a la *zarevna*, pero ella no les hacía el menor caso ni le cedía a nadie su gato siberiano. Se pasaba el día y la noche acariciando su piel sedosa y jugando con él. En cuanto a Simeón, dio orden de que se le agasajara con lo mejor para que se encontrara a gusto. Simeón dio las gracias por el pan y la sal, por la buena acogida y todas las atenciones y, al tercer día, rogó a la *zarevna* que fuera a visitar su barco para ver cómo estaba acondicionado y contemplar todos los animales vistos y no vistos, conocidos y no conocidos, que había traído.

La *zarevna* pidió permiso a su padre y, por la tarde, acompañada por sus sirvientas y sus ayas, fue a visitar el barco de Simeón y a contemplar los animales vistos y no vistos, conocidos y no conocidos. Cuando llegó, el Simeón menor estaba esperándola en tierra. Le rogó humildemente que no tomara a mal el ruego de dejar allí a sus criadas y sus ayas, y subir ella sola al barco.

—Ahí tengo muchos animales diferentes y hermosos. El que te guste, será para ti. Lo que no puedo hacer es regalarle otro a cada una de las personas que te acompañan.

La *zarevna* se avino a sus razones, ordenó a las criadas y las ayas que la aguardasen en tierra, y fue ella sola con Simeón a contemplar aquellos animales extraordinarios y maravillosos. Apenas pisó la cubierta, el barco zarpó y empezó a bogar por el mar azul.

El zar esperaba ya impaciente a su hija cuando llegaron las criadas y las ayas contándole la desgracia que había ocurrido. Todo furioso, ordenó que salieran inmediatamente detrás de ellos. Se aparejó una nave, se la llenó de gente, y allá fue la nave real detrás de la *zarevna*. A lo lejos se divisaba apenas el barco de los Simeones, totalmente ajenos a que los perseguía una nave real, tan rauda como si tuviera alas. ¡Ya estaba cerca! Cuando los Simeones advirtieron al fin que estaban a punto de darles alcance, se sumergieron con la nave y la *zarevna*. Navegaron mucho tiempo bajo el agua, y solo volvieron a flote cuando estuvieron cerca de su tierra. En cuanto al barco que los perseguía, anduvo tres días y tres noches surcando las aguas, y tuvo que volver como había salido.

Los siete Simeones llegaron a su tierra con la bella *zarevna*. La orilla estaba totalmente cubierta por una multitud de gente. El propio zar esperaba en el muelle a los viajeros de ultramar, a los siete Simeones y la *zarevna*, y los acogió con gran alegría. En cuanto bajaron a tierra, la gente empezó a gritar y alborotar. El zar besó los dulces labios de la *zarevna*, la condujo a unos aposentos de mármol blanco, donde esperaban mesas de roble con manteles bordados, le ofreció toda clase de bebidas de miel y platos dulces. Al poco tiempo, se casó con la encantadora *zarevna*, y hubo fiestas y un gran banquete para todo el mundo.

En cuanto a los siete Simeones, les dio venia para vivir a su albedrío en todo el reino que gobernaba, comerciar sin pagar tasa y ser dueños de tierras que regaló a todos por igual. Después de despedirse de ellos con gran cariño, les permitió volver a su casa con dinero suficiente para toda su vida.

Nikita Curtidor

Cerca de Kiev apareció un culebrón que gravó a los habitantes con una tasa terrible: de cada casa debían entregarle una joven doncella, que él devoraba. Le llegó el turno de ser entregada a la hija del zar. El culebrón agarró a la *zarevna* y se la llevó a su guarida, pero no la devoró: como era muy linda, la tomó por esposa. Cuando salía de caza, el culebrón cegaba la entrada de la guarida con troncos para que la *zarevna* no pudiera escapar. Pero la *zarevna* tenía una perrita que la había seguido desde palacio. De vez en cuando, la *zarevna* escribía una notita para sus padres y se la ataba al cuello de la perrita, que iba corriendo a llevarla y, además, traía la respuesta. Conque, un día, el zar y su esposa le escribieron a la *zarevna* que se enterase de si había alguien más fuerte que el culebrón. La *zarevna* se mostró más amena con el culebrón y le preguntó si existía alguien más fuerte que él. Aunque se resistió mucho, por fin se le escapó que en la ciudad de Kiev vivía un tal Nikita Curtidor, y que ese era más fuerte que él.

Inmediatamente, la *zarevna* le escribió a su padre que buscara a Nikita Curtidor, en la ciudad de Kiev, y que le mandara a salvarla.

Nada más recibir aquella noticia, el zar dio con Nikita Curtidor, y fue personalmente a rogarle que librara su tierra del feroz culebrón y salvara a la *zarevna*. Nikita estaba ablandando unas pieles en aquel momento y tenía doce pieles entre las manos. Al comprender lo que había venido a pedirle el zar en persona, se puso a temblar y desgarró las doce pieles de un golpe. Y por mucho que el zar y su esposa rogaron a Nikita, él no consintió enfrentarse con el culebrón. Entonces se les ocurrió juntar a cinco mil niños pequeños para que fueran a suplicar a Nikita, con la esperanza de que sus lágrimas le ablandarían. Llegaron los niños a casa de Nikita y se pusieron a rogarle que fuera contra el culebrón. Viéndolos llorar, también a Nikita se le saltaron las lágrimas. Agarró trescientos *puds** de cáñamo, los embreó, se los enrolló alrededor del cuerpo para que el culebrón no pudiera devorarle, y marchó contra él.

Llegó Nikita hasta la guarida del culebrón, pero este se había encerrado en ella y no quería salir a enfrentarse con Nikita.

—Mejor será que salgas a campo abierto si no quieres que te aplaste en tu guarida —dijo Nikita, y empezó a echar abajo la puerta.

Viendo que no le quedaba otro remedio, salió el culebrón a enfrentarse con él en campo abierto. Nikita Curtidor estuvo peleando con el culebrón, no sé si mucho tiempo o poco tiempo, hasta que por fin lo derribó. Entonces suplicó el culebrón:

—No me remates, Nikita Curtidor. Más fuerte que tú y yo, no hay nadie en el mundo. Vamos a dividir la tierra en dos partes iguales: tú mandarás en una mitad, y yo en la otra.

—Está bien —dijo Nikita—. Pero hay que trazar una linde.

Nikita hizo un arado de trescientos *puds*, enganchó a él al culebrón, y empezó a trazar una linde desde Kiev. Así llegaron al mar Caspio.

—Bueno —dijo el culebrón—, ya hemos dividido toda la tierra.

—Cierto —replicó Nikita—. Hemos dividido la tierra. Conque vamos a dividir ahora el mar, no vayas a decir luego que toda el agua es tuya.

El culebrón se metió hasta la mitad del mar, y entonces Nikita Curtidor lo mató y lo tiró al fondo.

Esa linde puede verse todavía hoy. Tiene dos *sazhenas* de altura. La gente ara alrededor, pero sin tocar la linde. Y quienes ignoran de qué proviene esa linde, la llaman promontorio.

Nikita Curtidor no cobró nada por hacer esta buena obra, y volvió a sus pieles.

El culebrón y el gitano*

En tiempos antiguos, había una aldea que era devastada por un culebrón que llegaba volando y devoraba a sus habitantes. Sólo quedaba ya un campesino, porque a los demás se los había comido, cuando un día, ya al atardecer, llegó por allí un gitano. Llamó a varias casas, pero todas estaban desiertas. Llegó por fin a la última y allí encontró, todo atribulado, al único habitante que quedaba.

—Hola, buen hombre.

—¿A qué has venido aquí, gitano? ¿Estás harto de la vida?

—¿Por qué lo dices?

—Pues porque hay un culebrón que ha tomado la costumbre de venir aquí a devorar a la gente. A todos se los ha comido, y sólo me ha dejado a mí hasta mañana. Pero mañana vendrá a devorarme. Y tampoco te escaparás tú. Nos comerá a los dos.

—A lo mejor se atraganta. Mira, voy a quedarme aquí a dormir, y mañana veré qué culebrón es ese.

Los dos pasaron allí la noche. A la mañana siguiente, se levantó de pronto una fuerte tempestad que sacudió la isba. Era el culebrón, que llegaba volando.

—¡Vaya! —exclamó—. Esto me gusta: dejé a un hombre, y me encuentro con dos. ¡Buen desayuno voy a tener!

—¿De verdad nos piensas devorar? —preguntó el gitano.

—¡Claro que sí!

—Eso ni lo sueñes, bicho del demonio. Te ibas a atragantar.

—¿Por qué dices eso? ¿Te crees más fuerte que yo?

—¡Naturalmente! Demasiado sabes tú que tengo yo más fuerza.

—Pues vamos a probarlo.

—Venga.

—Mira, gitano —dijo el culebrón agarrando una piedra de moler—: esta piedra la trituro yo con una mano.

—Vamos a verlo.

El culebrón apretó el puño con tanta fuerza que la piedra empezó a echar chispas y se convirtió en arena.

—¡Valiente cosa! —exclamó el gitano—. ¿Pero a que no eres capaz de estrujar una piedra hasta que rezume agua? Mira cómo lo hago yo.

Encima de la mesa había una pella de requesón envuelta en un trapo. El gitano la agarró, apretó, y chorreó el agua al suelo.

—¿Has visto? ¿Quién tiene más fuerza, di?

—Cierto que tienes tú la mano más fuerte que yo. Pero ¿y silbar? ¿Cuál de los dos silba más fuerte?

—Empieza tú y lo veremos.

El culebrón silbó con tanta fuerza que se deshojaron los árboles.

—No lo haces mal, hermano —concedió el gitano—. Pero tampoco lo haces mejor que yo. Véndate los ojos, anda, no vaya a ser que se te salten cuando silbe yo.

El culebrón se lo creyó y se vendó los ojos con un pañuelo.

—¡Silba ya!

El gitano agarró una estaca, y le atizó tal golpe en la cabeza que el culebrón gritó a voz en cuello:

—¡Basta, basta, gitano! No silbes más, porque a la primera vez han estado a punto de saltárseme los ojos.

—Como quieras. Aunque yo estoy dispuesto a silbar un par de veces más.

—Deja, deja. No quiero discutir más. Mejor será que nos hermanemos. Acéptame como hermano tuyo menor.

—De acuerdo.

—Entonces, hermano —dijo el culebrón—, ve ahí a la estepa, donde está paciendo un rebaño de bueyes, elige el más gordo y tráelo por el rabo para que hagamos el almuerzo.

Al gitano no le quedó más remedio que ir a la estepa. En efecto, vio un gran rebaño de bueyes. Se puso a juntarlos para atarlos a todos rabo con rabo. El culebrón se cansó de esperarle y fue a ver lo que pasaba.

—¿Qué haces, que tardas tanto?

—Espera, hombre, deja que ate unos cincuenta para llevármelos de una vez y tengamos por los menos para un mes.

—¡Cuidado que eres!... ¿Te has creído que vamos a pasarnos aquí la vida? Con uno basta por ahora.

Conque el culebrón agarró al buey más gordo por el rabo, lo desolló, se echó la carne al hombro y volvió a la casa.

—Pero, hermano, ¿vamos a dejar aquí a todos los que he estado atando?

—Sí, hombre, déjalos.

Llegaron a la isba y llenaron dos calderos de carne. Pero no había agua.

—Coge la pelleja del buey —le dijo el culebrón al gitano— y tráela llena de agua para hacer la comida.

El gitano agarró la pelleja, y apenas si pudo arrastrarla, vacía, hasta el pozo. Conque, ¿cómo iba a llevarla llena? Entonces se puso a cavar alrededor del pozo. Esta vez también se cansó el culebrón de esperar, y fue a ver lo que pasaba.

—¿Pero qué haces, hermano?

—Estoy haciendo una zanja alrededor del pozo para llevármelo entero a la isba. Así no tendremos que venir a buscar agua.

—¡Cuidado que eres! Siempre estás buscando complicaciones. Para hacer eso se necesita mucho tiempo.

El culebrón bajó la pelleja del buey al pozo, la llenó de agua, la sacó y se marchó con ella a casa.

—Y tú, hermano —le dijo al gitano—, ve mientras tanto al bosque, elige un roble seco, arráncalo y tráelo, que ya es hora de hacer lumbre.

El gitano fue al bosque y se puso a arrancar tiras de corteza con las que empezó a trenzar cuerdas. Hizo una larguísima y se puso a envolver con ellas los robles. El culebrón estuvo esperando, hasta que no aguantó más y fue también al bosque.

—¿Cómo tardas tanto?

—Es que quiero abarcar unos veinte robles de una vez con la cuerda, y llevármelos con raíz y todo, para que tengamos leña bastante tiempo.

—¡Cuidado que eres! ¡Siempre has de hacer las cosas a tu manera! —dijo el culebrón, y arrancando de cuajo el roble más grueso, se lo llevó a la casa.

El gitano fingió un gran enojo y se sentó en un rincón, en silencio y todo enfurruñado. El culebrón coció la carne y lo invitó a que se sentara a la mesa, pero el gitano contestó de mala manera:

—¡No quiero!

El culebrón se zampó el buey entero, se bebió toda el agua que contenía la pelleja y le preguntó al gitano:

—¿Por qué estás tan enfadado, hermano?

—Pues porque todo lo que yo hago te parece mal, y a todo tienes que ponerle peros.

—Bueno, déjalo ya: vamos a hacer las paces.

—Si quieres hacer las paces conmigo, vente a mi casa.

—¡Claro que sí! Encantado, hermano.

En seguida preparó un carro, enganchó los tres mejores caballos y partieron los dos hacia el campamento gitano. Cuando iban llegando, los gitanillos vieron a su padre y corrieron a su encuentro, en cueros vivos y gritando a voz en grito:

—¡Ahí viene padre! ¡Nos trae un culebrón!

—¿Quiénes son esos? —preguntó el culebrón asustado.

—Mis hijos. Se conoce que tienen hambre. Cuidado no empiecen contigo.

El culebrón se tiró del carro y echó a correr. El gitano vendió el carro y los tres caballos y vivió en la abundancia.

El jornalero

Érase un campesino que tenía tres hijos. El mayor se marchó a buscar trabajo. Llegó a la ciudad y se empleó de jornalero en casa de un comerciante. Pero este comerciante era de lo más avaro y despiadado. Solo sabía repetir una cosa: en cuanto cante el gallo, arriba y a trabajar. Tan agobiante le pareció aquello al muchacho que, al cabo de una semana, regresó a su casa.

Luego fue el segundo de los hijos. Estuvo trabajando para el comerciante cosa de una semana, pero no pudo aguantar más y se despidió.

—*Bátiushka**—pidió entonces el menor a su padre—: deja que vaya yo a trabajar para el comerciante.

—¿Y dónde vas tú, tonto? Tú sólo sirves para estar tumbado en el rellano de la estufa. Otros mejores han ido y han tenido que volver.

—Bueno, tú dirás lo que quieras, pero yo me voy.

Efectivamente, se presentó al comerciante.

—¡Hola, muchacho! ¿Qué dices de bueno?

—Quisiera que me emplearas como jornalero.

—De acuerdo. Pero ten en cuenta que aquí, en cuanto canta el gallo, hay que ponerse a trabajar para todo el día.

—Eso es cosa sabida: el que se mete a jornalero ya no es dueño de sí mismo.

—¿Y qué jornal quieres?

31

—¿Qué voy a pedirte? Cuando haya trabajado un año, me basta con pegarte un papirotazo a ti y un pellizco a tu mujer.

—Está bien, muchacho —contestó el comerciante, mientras pensaba para sus adentros: «¡Menuda suerte! ¡Esto sí que es pagar poco!».

Por la noche, el jornalero se las ingenió para agarrar el gallo y meterle la cabeza bajo el ala. Luego se acostó. Muy pasada la medianoche, cuando ya estaba cerca el amanecer y había que despertar al jornalero, el gallo seguía sin chistar. Salió el sol, y el jornalero se despertó él solo.

—Venga el desayuno, mi amo, que ya es hora de ponerse a trabajar.

Desayunó y estuvo trabajando todo el día. Al anochecer volvió a cazar al gallo, le metió la cabeza debajo del ala y se acostó a dormir hasta por la mañana. A la tercera noche hizo lo mismo. El comerciante estaba muy extrañado, preguntándose qué podía haberle ocurrido al gallo para dejar de cantar. «Iré a la aldea a buscar otro», se dijo. En efecto, se marchó a buscar otro gallo, y se hizo acompañar por el jornalero.

Iban por el camino cuando se encontraron con cuatro campesinos que conducían a un toro; pero un toro tremendo de grande y de bravo. Como que apenas podían retenerle por la cuerda entre los cuatro.

—¿Adónde vais, hermanos? —preguntó el jornalero.

—A llevar este toro al matadero.

—¿Y tenéis que llevarle entre cuatro cuando con uno sobra y basta?

Se acercó al toro, le pegó un papirotazo en la testuz y le dejó tieso. Luego agarró un pellizco del pellejo, tiró y lo desolló. Viendo qué clase de papirotazos y de pellizcos eran los de su jornalero, el comerciante se preocupó tanto que se olvidó del gallo, y volvió a su casa para meditar con su mujer en el modo de evitar aquella suerte.

—Lo que podemos hacer —propuso la mujer— es mandarle de noche al bosque, diciendo que se ha descarriado una vaca del rebaño. ¡Que le devoren los animales feroces!

Llegó la noche, cenaron, la mujer salió al corral, estuvo un rato en el porche y volvió a la isba, diciendo al jornalero:

—¿Cómo no has metido las vacas en el establo? Falta una.

—A mí me pareció que estaban todas...

—¡Qué van a estar! Ve ahora mismo al bosque y busca bien.

El jornalero se vistió, agarró una estaca y se adentró en el bosque; pero por mucho que anduvo, no vio ni una vaca. Se puso a observar con más atención y descubrió a un oso en su guarida. El jornalero pensó que era la vaca.

—¡Conque estás ahí, maldita! ¡Y yo buscándote toda la noche!

Empezó a pegarle estacazos al oso. El animal quiso escapar, pero él lo agarró por el cuello, lo llevó a rastras hasta la casa y, gritando «¡Ahí va eso!», lo encerró en el establo con las vacas. El oso empezó inmediatamente a degollarlas y hacerlas pedazos. Durante la noche acabó con todas. A la mañana siguiente, dijo el jornalero a sus amos:

—Anoche traje por fin la vaca.

—Veamos, mujer, qué vaca nos ha traído del bosque.

Fueron al establo, abrieron la puerta y encontraron a todas las vacas muertas y al oso en un rincón.

—¿Pero qué has hecho, imbécil? ¿Para qué metiste a un oso en el establo? ¡Nos ha matado todas las vacas!

—Espera —dijo el jornalero—: eso lo va a pagar él con la vida.

Corrió al establo, le pegó un papirotazo al oso y lo dejó seco.

«Mala cosa —pensó el comerciante—: hasta los animales feroces le tienen sin cuidado. Me parece que únicamente el diablo podrá con él».

Y entonces le dijo al jornalero:

—Vas a ir al molino del diablo, y hazme el gran favor de cobrarles a esos demonios un dinero que me deben y que no acaban de pagarme.

—¡Claro que sí! ¿Por qué no iba a hacerte ese pequeño favor?

Conque enganchó el caballo al carro y se fue al molino del diablo. Cuando llegó, se sentó en el muro de la presa a trenzar una cuerda. De pronto, saltó un diablo fuera del agua.

—Oye, ¿qué haces?

—¿No lo ves? Una cuerda.

—¿Y para qué la quieres?

—Para amarraros a todos, malditos demonios, y poneros al sol a que os sequéis. Porque me parece que estáis demasiado mojados.

—¡Pero, hombre! Nosotros no te hemos hecho nada malo.

—¿Y por qué no le pagáis a mi amo lo que le debéis? Bien que supisteis pedírselo, ¿verdad?

—Aguarda un poco, que voy a consultar con nuestro jefe —dijo el diablo, y se zambulló en el agua.

El jornalero agarró en seguida una pala, cavó un hoyo muy profundo, lo tapó con ramiza y en el centro colocó su gorro boca arriba, después de haberle hecho un agujero en el fondo.

Salió el diablo y le dijo al jornalero:

—Nuestro jefe pregunta cómo vas a sacarnos de aquí. Las hoyas donde nosotros vivimos son insondables.

—¡Valiente cosa! Para eso tengo una cuerda que por mucho que la midas, nunca terminas.

—Déjame verla.

El bracero ató los dos extremos de la cuerda y se la dio. El diablo estuvo venga a medirla, venga a medirla, sin poder terminar.

—¿Y es mucho lo que debemos pagar?

—Lo que quepa en este gorro de monedas de plata.

El diablo se zambulló en el agua, se lo contó a su jefe, que, por mucho que le doliera, no tuvo más remedio que rascarse el bolsillo. El jornalero cargó una carretada entera de monedas de oro y se las llevó al comerciante.

—¡Ave María! —exclamó este al verle—. ¡Ni los demonios pueden con él!

Conque el comerciante y su mujer se pusieron de acuerdo para escapar de casa. La mujer estuvo cociendo pastelillos y panes, con los que llenó dos sacos, y se acostó a descansar a fin de reponer fuerzas para cuando se escaparan del jornalero por la noche. Pero el jornalero vació los sacos, y en lugar de los pastelillos y los panes, metió una piedra de moler en uno y él se metió en el otro. Luego se quedó muy quieto, muy quieto, sin respirar apenas. Por la noche, el comerciante despertó a su mujer, cargaron cada uno con un saco y escaparon de casa. Entonces gritó el jornalero desde su saco:

—¡Eh, mis amos! ¡Esperadme! ¡Llevadme con vosotros!

—¡El maldito se ha enterado y viene detrás de nosotros! —le dijo el comerciante a su mujer, y corrieron más aprisa todavía.

Iban ya rendidos. Al rato vio el comerciante un lago, se detuvo, tiró el saco al suelo y dijo:

—Descansemos, aunque solo sea un poco.

En esto, oyó el jornalero:

—¡Cuidado, mi amo! ¡Me vas a romper todas las costillas!

—¡Ah! ¿Pero estás aquí?

—Aquí estoy.

Bueno, pues decidieron pasar la noche junto al lago y se acostaron uno al lado del otro.

—Escucha, mujer —dijo el comerciante—: en cuanto se duerma el jornalero, le tiramos al lago.

Pero el jornalero no se dormía, y no hacía más que dar vueltas y rebullir. Hasta que, finalmente, fueron el comerciante y su mujer quienes se durmieron. El jornalero se quitó en seguida la pelliza y el gorro, se los puso a la mujer, y él se puso el abrigo de ella. Luego despertó a su amo:

—¡Eh! Despierta. Vamos a echar al jornalero al agua.

El comerciante se levantó, agarraron entre los dos a la mujer dormida y la arrojaron al agua.

—¿Qué haces, mi amo? —gritó el jornalero—. ¿Por qué has ahogado a tu mujer?

Al comerciante no le quedó más remedio que volverse a casa con el jornalero. Este estuvo trabajando para él un año entero, luego le pegó un papirotazo en la frente, ¡y adiós comerciante! El jornalero se quedó con sus bienes y vivió tan campante, gozando de lo bueno y evitando lo malo.

Ivanko de la Osera

En cierta aldea vivían un rico campesino y su esposa. Una vez, la mujer fue al bosque a recoger setas, se extravió y fue a parar a una osera. El oso que la habitaba se quedó con ella, y al cabo de un tiempo —no sé si mucho o poco—, la mujer tuvo un hijo que era una persona de cintura para arriba y un oso de cintura para abajo. La madre le puso por nombre Ivanko de la Osera. Fueron pasando años y más años. Ivanko creció, y él y su madre sintieron el deseo de volver a la aldea, con las personas.

Un día que el oso había ido al colmenar, aprovecharon la ocasión y se escaparon. Mucho corrieron, pero al fin llegaron al pueblo.

El campesino se llevó una gran alegría al ver a su mujer, pues había perdido ya las esperanzas de que regresara algún día. Luego miró al hijo que traía y preguntó:

—¿Y este bicho qué es?

La mujer le refirió entonces todo lo ocurrido: que se extravió, que luego vivió con un oso en su guarida y con él había tenido un hijo, mitad persona y mitad oso.

—Bueno, Ivanko —dijo el campesino—, ve al corral y mata una oveja para haceros una buena comida.

—¿Cuál mato?

—Cualquiera. La que se vuelva a mirarte.

Ivanko de la Osera agarró un cuchillo, fue al corral, y en cuanto les pegó un grito a las ovejas, todas como una se volvieron a mirarle. Ivanko las degolló inmediatamente a todas, las desolló y fue a preguntar dónde tenía que guardar la carne y las pieles.

—¿Qué dices? —rugió el hombre—. Yo te mandé matar una oveja, y no todas.

—¡No, padre! Me mandaste matar a la que se volviera a mirarme. Y cuando fui al corral, todas a una se volvieron a mirarme. Podían muy bien no haberlo hecho...

—¡Pero qué listo! Vete, anda, mete toda la carne y las pieles en el cobertizo y vigila esta noche la puerta, no vaya a ser que se cuelen los ladrones o se coman algo los perros.

—Está bien. La vigilaré.

Como si fuera a propósito, aquella noche estalló una tormenta y se puso a llover a cántaros. Ivanko de la Osera arrancó la puerta del cobertizo, se la llevó al edificio del baño y allí se quedó a dormir. La noche era oscura, el cobertizo estaba abierto, nadie vigilaba... No era posible ponerles mejor las cosas a los ladrones para que se llevaran lo que quisieran.

El campesino se despertó por la mañana, fue a ver si todo estaba en orden, y se encontró con que no quedaba nada: parte se la habían comido los perros y otra parte se la habían llevado los ladrones. Se puso a buscar al vigilante, le encontró en el baño, y empezó a regañarle todavía más que la víspera.

—¡Pero padre! —protestó Ivanko—. ¿Qué culpa tengo yo? Tú mismo me mandaste vigilar la puerta, y eso he hecho: mírala ahí. Ni la han robado los ladrones ni se la han comido los perros.

«¿Quién le pide cuentas a un tonto? —pensó el campesino—. Pero, si continúa así, me arruina en un par de meses. ¿Cómo me lo quitaría de encima?».

Y se le ocurrió una idea. Al día siguiente, sin esperar a más, envió a Ivanko de la Osera a trenzar cuerdas de arena junto a un lago donde habitaban muchos espíritus malignos. Porque, ¿y si le arrastraban los demonios a alguna hoya...?

Ivanko fue al lago, se sentó en la orilla y empezó a trenzar cuerdas de arena. De pronto, salió un diablillo del agua.

—¿Qué estás haciendo, Ivanko?

—¿Quién? ¿Yo? Pues estoy trenzando cuerdas. Quiero remover el lago y haceros brincar bien a vosotros, para que aprendáis a pagar tributo si queréis vivir aquí.

—¡Aguarda un poco, Ivanko! Deja que vaya a consultar con mi abuelo en un instante.

Al decir estas palabras, se zambulló en el agua. Cinco minutos después, volvió a salir.

—Dice mi abuelo que si me ganas a correr, pagará el tributo. Pero si no me ganas, me ha ordenado que te arrastre al fondo.

—¿Ganarme a mí? ¡Tú estás soñando! Mira: tengo yo un nieto que ha nacido ayer mismo y que también es capaz de ganarte.

—¿Qué nieto es ese?

—Al pie de aquellas matas está, mírale —dijo Ivanko de la Osera, y le gritó a una liebre que había allí—: ¡Eh! ¡Abre el ojo!

La liebre salió disparada a campo traviesa y desapareció en un instante. El diablillo hizo intención de correr detrás, pero se había quedado a la zaga lo menos media versta.

—Y ahora, si quieres, podemos correr tú y yo. Pero con una condición, amigo: si te quedas rezagado, te pego una paliza que te mato.

—¡Quia, hombre! —exclamó el diablillo, y se zambulló en el agua.

Poco después volvió a emerger, llevando en la mano el báculo de hierro de su abuelo.

—Dice mi abuelo que si lanzas este báculo más alto que yo, pagará el tributo.

Ivanko de la Osera adelantó la mano hacia el báculo, y no pudo ni moverlo.

—Aguarda un poco. Dentro de nada estará aquí aquella nube y yo arrojaré el báculo por encima de ella.

—¡Quia, hombre! ¿Cómo se las iba a arreglar mi abuelo sin báculo? —protestó el diablillo, y agarrando el báculo del viejo demonio, se zambulló en el agua a toda velocidad.

Poco después salió de nuevo.

—Dice mi abuelo que si eres capaz de llevar este caballo a cuestas alrededor del lago al menos una vez más que yo, pagará el tributo. De lo contrario, irás tú a parar al fondo.

—¡Valiente cosa! Empieza tú, anda.

El diablillo se cargó el caballo a la espalda y empezó a correr alrededor del lago, dio lo menos diez vueltas y el maldito se quedó derrengado. El sudor le caía a chorros de los hocicos.

—Ahora me toca a mí —dijo Ivanko de la Osera.

Se montó en el caballo y estuvo dando vueltas al lago hasta que se desplomó el caballo.

—¿Qué tal, amigo? —preguntó luego.

—Lo has llevado tú más tiempo que yo —reconoció el diablillo—. Además, ¡de qué manera! ¡Entre las piernas! Así, yo no habría sido capaz de llevarlo ni una vuelta. ¿Qué tributo tenemos que pagar?

—Mira: me basta con que me llenes el gorro de monedas de oro y me sirvas de bracero un año.

El diablillo se zambulló para recoger el dinero. Ivanko de la Ose-ra, mientras tanto, le recortó el fondo al gorro y lo colocó vuelto hacia arriba, sobre un hoyo muy profundo. El diablillo empezó a subir monedas del fondo del lago y a echarlas en el gorro. Así se pasó el día entero, y únicamente a la caída de la tarde logró ver el gorro lleno.

Ivanko buscó entonces un carro, lo cargó con las monedas, y enganchó al diablillo entre las varas para transportarlo a su casa.

—Aquí te traigo esto, padre, y que te aproveche: un bracero y un carro de monedas de oro.

El soldado que salvó a la zarevna

Un soldado que estuvo sirviendo en las fronteras lejanas cumplió su plazo, y con la licencia absoluta emprendió el regreso a su pueblo. Cruzó muchas tierras y muchos países, hasta que llegó a una capital, donde se hospedó en casa de una pobre viejecita.

—¿Qué tal por aquí, abuela? ¿Marcha todo bien en el país?

—¡Qué va, soldadito! Nuestro zar tiene una hija preciosa, la *zarevna* Marfa. Un príncipe extranjero pidió su mano, y como la *zarevna* no quiso casarse con él, ha hecho que entre en ella un espíritu malo. Hace más de dos años que padece. El espíritu malo no la deja descansar por las noches: la pobrecita se debate y grita sin poderlo remediar... ¡Qué no habrá intentado el zar! Ha hecho venir a hechiceros, curanderos... Como si nada.

Después de escuchar, el soldado se dijo: «¿Y si probara yo fortuna? Quizá la salve y el zar me regale algo para proseguir el camino». Cogió el capote, sacó brillo a los botones, se lo puso y marchó a palacio. Los servidores de la corte le vieron, y enterados de lo que pretendía, le agarraron por los brazos y le condujeron en presencia del zar.

—¡Hola, soldado! ¿Qué dices de bueno?

—¡Salud tenga vuestra majestad! He oído decir que la *zarevna* Marfa está enferma, y yo podría curarla.

—Bien, muchacho. Si llegas a curarla, te cubriré de oro desde los pies hasta la cabeza.

41

—Ordene vuestra majestad que me suministren todo lo que yo pida.

—Di lo que necesitas.

—Dadme una medida de balas de plomo, una medida de nueces y dos barajas de naipes, mandad hacer una fusta de hierro, un rastrillo de hierro de cinco dientes y una figura de hierro, con muelles, que parezca una persona.

—Está bien. Mañana lo tendrás todo.

Conque prepararon todo lo que había pedido. El soldado cerró herméticamente todas las ventanas y las puertas del palacio, trazando sobre cada una el signo de la cruz ortodoxa. Solamente dejó una puerta abierta, y allí se puso a montar la guardia. Encendió velas para iluminar la estancia, colocó los naipes encima de la mesa y se echó en los bolsillos las balas de plomo y las nueces. Terminados todos los preparativos, se dispuso a esperar. A la medianoche en punto, llegó volando el espíritu malo, pero no encontró puerta ni ventana por donde entrar. Después de volar varias veces en torno al palacio, descubrió al fin una puerta abierta. Tomó forma humana y quiso entrar.

—¿Quién va? —gritó el soldado.

—Déjame pasar, soldadito. Soy un lacayo de palacio.

—¿Y dónde has estado rondando hasta ahora, pedazo de sinvergüenza?

—Donde estuve, ya no estoy. Oye, dame algunas nueces, hombre.

—¡Quia! Con la cantidad de sinvergüenzas que os habéis juntado aquí, si empiezo a repartiros nueces a todos me voy a quedar sin nada.

—Haz el favor, hombre.

—Bueno, toma —y le dio una bala.

El demonio se metió la bala en la boca y estuvo apretándola con los dientes hasta que la dejó chafada, pero sin lograr partirla. Mientras él estaba dándole vueltas a la bala de plomo, el soldado partió y se comió unas veinte nueces.

—¡Oye, soldado! —dijo el demonio—. ¡Vaya si tienes buenos dientes!

—En cambio, tú no vales gran cosa —replicó el soldado—. Yo me he pasado veinticinco años sirviendo al zar, y ya tengo los dientes mellados de tanto roer *sujari**. Pero, si me hubieras conocido de joven...

—Oye, soldado, ¿jugamos a las cartas?

—¿Y qué nos vamos a jugar?

—El dinero, claro.

—¡Serás sinvergüenza! ¿Qué dinero puede tener un soldado? Cobra tres céntimos al día, y de ahí tiene que pagar el jabón, el betún, la tiza y la cola, sin contar el baño. Si quieres, jugaremos a los papirotazos.

—Venga.

Se pusieron a jugar apostándose papirotazos. El diablo le ganó tres al soldado.

—Pon la frente, que me los voy a cobrar.

—Espera a juntar diez por lo menos, y entonces te los cobras. Para tres, no merece la pena ensuciarse las manos.

—De acuerdo.

Volvieron a jugar, y el soldado ganó una partida que le daba derecho a pegarle diez papirotazos al diablo.

—¡Hala! Trae aquí la frente y verás lo que es apostarse papirotazos con un hombre de armas. Te los voy a dar a conciencia. Como un buen soldado.

El diablo le pidió y le suplicó entonces que no le pegara demasiado fuerte.

—¿Estás viendo? En cuanto tiene uno que ver algo con vosotros, acaba arrepintiéndose, porque, a la hora de hacer cuentas, ya estáis escurriendo el bulto. Pero yo no puedo de ninguna manera perdonarte la deuda. Soy un soldado, y he prestado juramento de que nunca faltaré al honor ni a la fe.

—Te lo pagaré en dinero, ¿quieres?

—¿Y qué falta me hace a mí el dinero? La apuesta era en papirotazos, conque papirotazos debes pagar. Lo único que puedo hacer por ti es llevarte donde está mi hermano pequeño y que te pegue él los papirotazos. Al fin y al cabo, no te pegará con tanta fuerza como yo. Pero, si no quieres, vamos a empezar.

—No, no. Prefiero que sea tu hermano.

El soldado condujo al diablo donde estaba la figura de hierro, tocó un resorte, y el diablo recibió tal papirotazo en la frente que fue a parar a la pared de enfrente. Pero el soldado le agarró por un brazo y dijo:

—Espera, que aún faltan nueve.

Tocó otra vez el resorte, y la figura le pegó tan fuerte que salió pegando tumbos y por poco atraviesa la pared. A la tercera, el diablo pasó disparado a través de la ventana llevándose el marco por delante. En cuanto se vio fuera, escapó de allí a toda velocidad.

—Y recuerda, maldito demonio, que tienes una deuda de siete papirotazos —le gritó el soldado.

Pero el diablo corría tan asustado que se pegaba con los talones en el trasero.

Por la mañana, el zar le preguntó a su hija:

—¿Cómo has pasado la noche?

—Muy tranquila, padre y señor.

A la noche siguiente, Satanás envió a otro diablo al palacio. Porque resulta que se turnaban para ir a asustar y atormentar a la *zarevna*. También a él le dio el soldado su merecido. Al cabo de trece noches, eran trece los diablos que habían tenido que vérselas con el soldado, y todos lo pasaron muy mal. Ninguno quería probar suerte otra vez.

—Bueno, pues iré yo ahora —les dijo el abuelo Satanás a sus nietos.

Llegó Satanás al palacio y se puso a charlar con el soldado de esto, de lo otro, de lo de más allá... Luego empezaron a jugar a las cartas. Ganó el soldado. Condujo a Satanás hasta lo que él llamaba su hermano menor para que le diera los papirotazos. Apretó otro resorte, y la figura estrechó a Satanás entre sus brazos de hierro con tanta fuerza que no podía hacer el menor movimiento. El soldado empuñó entonces la fusta de hierro, y se puso a descargarla sobre Satanás al mismo tiempo que repetía:

—¡Esto es por jugar a las cartas! ¡Esto es por atormentar a la *zarevna* Marfa!

Cuando se le desgastó la fusta de hierro de tanto pegarle, agarró el rastrillo, y ¡venga a pasárselo al demonio por los lomos! Satanás rugía con todas sus fuerzas, pero el soldado continuaba rastrillándole de tal manera que, cuando por fin se vio libre, escapó de allí sin volver la cabeza. Llegó a su pantano, gimiendo:

—¡Ay, nietecitos! El soldado ha estado a punto de matarme.

—¿Ves tú, abuelo? ¿Ves lo retorcido que es? A mí todavía me zumba la cabeza de los papirotazos, y eso que estuve en palacio hace ya dos semanas. ¡Y menos mal que me los pegó el hermano menor y no él!

Los demonios se pusieron a cavilar, buscando la manera de hacer que el soldado abandonara el palacio. Después de mucho pensar, decidieron ofrecerle oro. Corrieron todos en tropel a hacerle la propuesta. Asustado al verlos venir a todos, el soldado gritó:

—¡Hermano! Ven acá a pegar los papirotazos, que ahí llegan tus acreedores.

—¡Espera, soldado, espera! Hemos venido a hablar de negocios. Pide todo el oro que quieras, y te lo daremos con tal de que te marches de palacio.

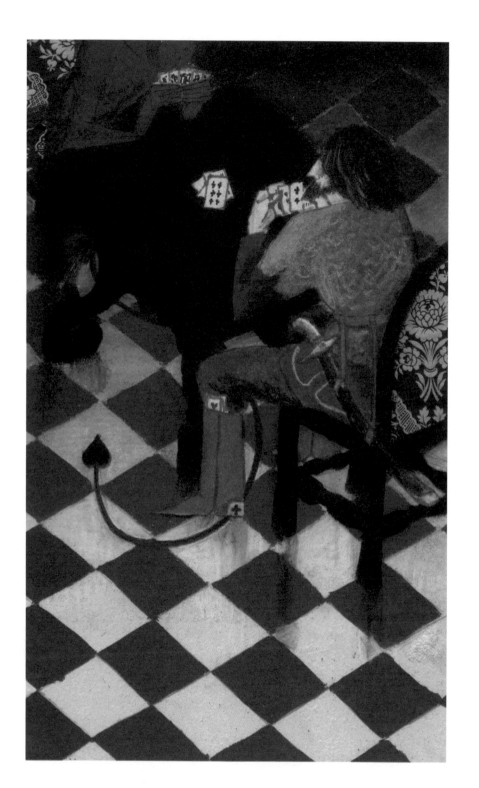

—¡No! ¿Para qué quiero yo el oro? Pero si queréis hacer algo que sea de mi agrado, meteos todos dentro de mi mochila. He oído decir que sois muy astutos y podéis colaros incluso por una rendija. Bueno, pues si me lo demostráis, estoy dispuesto a marcharme de palacio. ¡Palabra!

—Pues abre la mochila, soldado —dijeron los demonios encantados.

El soldado abrió la mochila, los diablos se metieron dentro y Satanás encima de todos.

—Apretaos bien para que pueda abrochar todas las hebillas.

—Tú abróchalas y no te preocupes de nada más.

—Eso es lo que os conviene. Porque si no consigo abrocharlas —advirtió el soldado—, mal que os pese no saldré del palacio.

El soldado abrochó las hebillas de la mochila, hizo el signo de la cruz encima, se la echó a la espalda y fue a ver al zar.

—Majestad —le dijo—. Ordenad que fabriquen treinta martillos de tres *puds* cada uno.

El zar dio la orden, y en seguida estuvieron listos los treinta martillos. El soldado llevó su mochila a la forja, colocó la mochila encima del yunque y dijo a los herreros que pegaran con todas sus fuerzas. Los demonios lo pasaron muy mal, pero no pudieron salirse. ¡Bien les hizo pagar sus fechorías el soldado! Cuando le pareció conveniente, dijo:

—¡Basta ya!

Se echó la mochila a la espalda y fue a informar al zar:

—Mi servicio ha terminado, majestad. Los demonios no molestarán más a la *zarevna*.

—¡Bravo, soldado! —contestó el zar, agradecido—. Ahora, festeja cuanto quieras. Pide lo que gustes en cualquier taberna o mesón: no hay tasa para ti.

Y designó a dos escribientes para que le acompañaran a todas partes y cargaran a la cuenta del Tesoro todo el gasto que hiciera. Se pasó un mes entero festejando así, y luego se presentó nuevamente al zar.

—¿Qué tal, soldado? ¿Has festejado ya bastante?

—En efecto, majestad. Ahora quisiera irme a mi casa.

—¡Pero hombre! Quédate con nosotros, y haré de ti el personaje más importante del reino.

—Gracias, majestad, pero tengo ganas de ver a mi familia.

—Bueno, pues ve con Dios —accedió el zar, y le dio un carruaje, caballos y dinero más que suficiente para toda su vida.

El soldado partió hacia su tierra. Por el camino hizo un alto en una aldea, y se encontró con un soldado conocido por haber servido juntos en el mismo regimiento.

—¡Hola, hermano!

—¡Hola!

—¿Qué tal te va?

—Como siempre.

—Pues a mí me ha favorecido Dios: ahora soy rico. Habría que celebrar nuestro encuentro. ¿Por qué no te acercas a comprar un cubo de vino?

—Lo haría encantado, pero ya ves que aún debo recoger el ganado. Ve tú mientras tanto. Mira: ahí al lado está la taberna.

—De acuerdo. Pero toma mi mochila, déjala en tu casa y advierte a las mujeres que no la toquen.

Nuestro soldado fue a comprar el vino, y su viejo compañero llevó la mochila a casa, advirtiendo a las mujeres que no la tocasen. Pero mientras él se ocupaba del ganado, las mujeres estaban muertas de curiosidad.

—¿Y si mirásemos a ver lo que hay dentro de la mochila? —se dijeron.

En cuanto empezaron a soltar las hebillas, los demonios salieron con gran estrépito y escaparon haciendo saltar las puertas y llevándoselas por delante. Iban huyendo, cuando se cruzaron con el soldado que traía el cubo de vino.

—¡Malditos demonios! —exclamó—. ¿Quién os ha dejado escapar?

Horrorizados, los demonios se tiraron de cabeza a la represa del molino, y allí se quedaron para siempre. El soldado entró en la casa, regañó a las mujeres, y luego estuvo celebrando el encuentro con su viejo compañero. Finalmente, llegó a su tierra, y allí vivió feliz y holgadamente.

El soldado prófugo y el diablo

Un soldado solicitó un permiso, y cuando se lo otorgaron, partió hacia su pueblo. Anduvo bastante sin encontrar una fuente donde remojar unos *sujari* y echarse algo al estómago, que tenía vacío desde hacía mucho tiempo. Siguió, pues, caminando hasta que descubrió de pronto un arroyuelo. Se acercó a la orilla, tomó tres *sujari* de la mochila y los metió en el agua.

El soldado tenía, además, un violín con el que tocaba diversas canciones en sus ratos libres. De pronto, apareció a su lado el diablo, que había tomado la figura de un viejecillo, con un libro entre las manos.

—Hola, señor soldado.

—Hola, buen hombre.

El diablo no pudo reprimir una mueca cuando se oyó llamar «buen hombre».

—Escucha, amigo, ¿por qué no hacemos un cambio? Yo te doy mi libro, y tú me das el violín, ¿eh?

—¿Y para qué quiero yo tu libro, viejo? Aunque me he pasado diez años sirviendo a nuestro soberano, nunca he sabido leer y escribir. Y si antes no aprendí, ahora ya es tarde.

—No te preocupes por eso, soldado. Este libro mío es capaz de leerlo todo aquel que lo mire.

—Trae, a ver que pruebe.

El soldado abrió el libro y se puso a leer como si hubiera sabido desde siempre. Muy contento, cambió en seguida el violín por el libro. El diablo agarró el violín, empezó a pasar el arco por las cuerdas; pero, de música, nada.

—Oye, hermano —le dijo al soldado—, quédate aquí un par de días o tres para enseñarme a tocar el violín. Yo sabré agradecértelo.

—No, viejo —contestó el soldado—. Quiero ir a mi tierra, y en tres días habré hecho mucho camino.

—Hazme ese favor, soldado. Si te quedas y me enseñas a tocar el violín, yo te llevo hasta tu pueblo en un día: en una troika* de postas.

Mientras el soldado reflexionaba en si quedarse o no, sacó los *sujari* del agua para comer algo.

—Mala comida tienes, amigo soldado —observó el diablo—. Prueba la mía, anda.

Abrió un hatillo y de él extrajo pan blanco, carne asada, vodka* y toda clase de manjares. ¡Allí sí que había para hartarse!

El soldado comió y bebió cuanto quiso, y accedió a quedarse en casa de aquel viejecillo desconocido para enseñarle a tocar el violín. A los tres días, le dijo que se marchaba a su casa. El diablo salió con él hasta el porche, delante del cual esperaba un carruaje tirado por tres recios caballos.

—Sube, soldado, y te conduciré en un instante.

El soldado subió al lado del diablo, los caballos emprendieron la carrera y galoparon tan raudos que los postes de las verstas pasaban como relámpagos. En un abrir y cerrar de ojos llegaron a un lugar donde el demonio preguntó:

—¿Conoces esta aldea, soldado?

—¿Cómo no voy a conocerla si he nacido y me he criado aquí?

—Bueno, pues te dejo.

El soldado se apeó, fue a casa de sus parientes, y después de saludarles, se puso a contar lo que había sido de él en aquellos años, cuándo le habían concedido el permiso y por cuánto tiempo. Él tenía la impresión de haber pasado solamente tres días en casa del diablo, pero en realidad habían sido tres años. El plazo de su permiso había concluido hacía muchísimo tiempo, y en el regimiento le tenían seguramente por prófugo.

Perplejo, el soldado no sabía qué hacer. Ni siquiera lograba distraerle la fiesta organizada por sus parientes para celebrar su llegada. Salió a la calle y echó a andar hasta el extremo del pueblo.

—¿Qué hago yo ahora? —se preguntaba—. Si vuelvo al regimiento, me van a deslomar a baquetazos. ¡Buena faena me has hecho, demonio!

Apenas había pronunciado estas palabras, se le apareció el diablo.

—¡No te apures, soldado! Quédate conmigo. ¿Qué vida os dan en el regimiento? Os alimentan con *sujari*, os dan de baquetazos... Yo, en cambio, puedo concederte lo que quieras. ¿Quieres que te haga mercader?

—Eso no me parece mal. Los mercaderes se dan buena vida. Me gustaría probar.

El diablo le hizo mercader, proporcionándole en la capital un local espacioso lleno de las más variadas y caras mercaderías.

—Ahora te dejo, hermano. Me voy a los confines de la tierra, al más lejano de los países, cuyo rey tiene una hija preciosa, la princesa María. Voy a dedicarme a atormentarla por todos los medios.

Vivía nuestro mercader tan a gusto: la buena fortuna se le entraba sola por las puertas, la marcha de sus negocios no dejaba nada que desear... Los otros mercaderes comenzaron a envidiarle.

—Habría que preguntarle quién es, de dónde viene y si tiene licencia para comerciar —dijeron—. Porque, ¡maldita sea!, es que nos ha quitado toda la parroquia.

De manera que fueron a verle y empezaron a hacerle preguntas.

—Amigos míos —contestó el soldado—, en este momento estoy atareadísimo y no tengo tiempo para charlar con vosotros. Venid mañana, y todo os lo explicaré.

Los mercaderes volvieron a sus casas y el soldado se quedó pensando en lo que debía hacer y en cómo contestar. Después de mucho cavilar, decidió abandonar su comercio y marcharse de la ciudad por la noche. Juntó todo el dinero que tenía y partió hacia los confines de la tierra, al más lejano de los países.

Al cabo de mucho caminar, llegó a la barrera de una ciudad.

—¿Quién eres? —le preguntó un centinela.

—Soy médico —contestó—. He venido a este reino porque la hija de vuestro rey está enferma y quiero curarla.

El centinela informó a los servidores de la corte, estos se lo comunicaron al rey y el rey hizo comparecer al soldado.

—Si curas a mi hija, te la daré por esposa —dijo.

—Majestad, ordenad que me proporcionen tres barajas de naipes, tres botellas de vino dulce, tres botellas de aguardiente del más fuerte, tres libras de nueces, tres libras de balas de plomo y tres manojos de velas de cera virgen.

—Todo lo tendrás.

El soldado esperó a que se hiciera de noche, compró un violín y fue a los aposentos de la princesa. Iluminó las estancias con las velas y empezó a beber mientras tocaba el violín.

Llegada la medianoche, apareció el diablo, y al ver al soldado corrió hacia él:

—¡Hola, hombre!

—Hola.

—¿Qué estás bebiendo?

—Un refresco.

—Dame a mí también.

—Con mucho gusto —contestó el soldado, y le presentó un vaso lleno de aguardiente. El diablo se lo bebió y se quedó casi sin respiración.

—¿Sabes que está un poco fuerte? ¿No tienes nada para comer después?

—Toma unas nueces —ofreció el soldado, y le presentó un puñado de balas de plomo. El diablo intentó partirlas, pero sólo consiguió romperse los dientes. Luego se pusieron a jugar a las cartas. Entre unas cosas y otras fue pasando el tiempo, cantaron los gallos y el diablo desapareció.

—¿Cómo has pasado la noche, hija mía? —preguntó el rey a la princesa.

—Tranquila, a Dios gracias.

La noche siguiente transcurrió de la misma manera. Para la tercera, el soldado le pidió al rey:

—Majestad: ordenad que forjen unas tenazas de cincuenta *puds*, tres varillas de cobre, tres de hierro y tres de estaño.

—Todo lo tendrás.

A medianoche apareció el diablo.

—¡Hola, soldado! He venido otra vez a estar de tertulia contigo.

—¡Hola! Un compañero ameno siempre es bienvenido.

Estaban entretenidos tomando unas copas, cuando el diablo vio las tenazas.

—¿Y qué es esto?

—Verás: el rey me ha tomado a su servicio para enseñar a tocar el violín a unos músicos; pero todos tienen los dedos ganchudos, así como los tuyos aproximadamente, y necesito estas tenazas para enderezárselos.

—Oye, ¿y no podrías enderezar los míos también? Porque todavía no he aprendido a tocar el violín.

—¿Por qué no voy a poder? Mete aquí los dedos.

El diablo metió las dos manos en las tenazas, el soldado las cerró, apretó un tornillo, luego agarró una varilla y empezó a atizarle al diablo, repitiendo:

—Esto es por la mercadería.

—¡Suéltame, por favor! —rogaba y suplicaba el diablo—. Te aseguro que no voy a aproximarme al palacio a menos de treinta verstas.

Pero el soldado continuaba fustigándole. Cuando el diablo logró soltarse, a fuerza de brincar y retorcerse, le dijo al soldado:

—Aunque te cases con la princesa, no escaparás de mis garras. En cuanto te alejes treinta verstas de la ciudad, me apoderaré de ti.

Después de estas palabras, desapareció.

El soldado se casó con la princesa, y vivieron en amor y buena armonía. Al cabo de algunos años falleció el rey, y pasó él a gobernar todo el reino. Una vez, estaba el nuevo rey paseando por el jardín con su esposa y dijo:

—¡Qué jardín tan bello!

—Esto no es nada comparado con otro que tenemos fuera de la ciudad, a unas treinta verstas de aquí. ¡Ese sí que tiene cosas admirables!

El rey lo dispuso todo y marchó a ver aquel jardín con la reina. Pero no hizo más que apearse de la carroza, cuando le salió al encuentro el diablo.

—¿Por qué has venido? ¿Has olvidado lo que te dije? Bueno, pues tú te lo has buscado: ahora no te escaparás de mis garras.

—¿Qué se le va a hacer? Se conoce que tal es mi destino. Permite, por lo menos, que me despida de mi joven esposa.

—Bueno, despídete, pero date prisa...

Los dos Ivanes, hijos de un soldado

En cierto reino, en cierto país, vivía un campesino. Llegó un día en que le enrolaron como soldado. Al despedirse de su mujer, que estaba embarazada, le dijo:

—Mujer, procura vivir con decencia, sin dar qué decir a la gente, gobierna con buen tino nuestra casita y espérame: si Dios quiere, volveré cuando me den la licencia absoluta. Aquí tienes cincuenta rublos. Tanto si es una hija como si es un hijo lo que nazca, guarda este dinero hasta que crezca. Si es una hija, podrás dotarla cuando se vaya a casar; si es un varón lo que Dios nos concede, también le será de gran ayuda este dinero cuando sea mayor.

El campesino se despidió de su mujer y partió hacia el lugar donde debía presentarse. Al cabo de unos tres meses, su mujer dio a luz dos niños gemelos y les puso por nombre Iván: los dos Ivanes, hijos de un soldado.

Los niños empezaron a crecer lo mismo que sube la masa con buena levadura. Cuando cumplieron diez años, la madre los puso a estudiar. Progresaron rápidamente, dejando atrás a los hijos de los boyardos* y de los mercaderes, ninguno de los cuales sabía leer, escribir ni contestar mejor que ellos. Envidiosos, no dejaban pasar día sin pegar o pellizcar a los mellizos. Hasta que uno de los hermanos le dijo al otro:

—¿Van a estar mucho tiempo pegándonos y pellizcándonos? Nuestra madre no para de hacernos ropa y comprarnos gorros, porque todo lo que nos ponemos nos lo hacen trizas nuestros compañeros. Vamos a ajustarles las cuentas a nuestra manera.

Y decidieron defenderse el uno al otro y estar siempre juntos. Al día siguiente, los hijos de los boyardos y de los mercaderes empezaron a meterse con ellos, como siempre; pero los gemelos, hartos de aguantar, se pusieron a devolver los golpes, y allá fueron: a uno le saltaron un ojo, a otro le partieron un brazo, al tercero le rompieron la cabeza... A todos los dejaron maltrechos. En seguida acudieron los guardias, maniataron a los bravos muchachos y los metieron en la cárcel. El suceso llegó a oídos del zar: hizo comparecer a los gemelos, les preguntó cómo había ocurrido todo y luego ordenó que los pusieran en libertad.

—Ellos no son culpables —dijo—. Dios ha castigado a los que les provocaron.

Crecidos ya, los dos Ivanes hijos de un soldado le pidieron a su madre:

—¿No dejó algún dinero nuestro padre, *mátushka**? Porque, si algo dejó, podrías dárnoslo para ir a la ciudad y comprarnos un buen caballo cada uno.

La madre les dio los cincuenta rublos —veinticinco a cada uno— y les hizo esta recomendación:

—Escuchad, hijos míos: cuando vayáis camino de la ciudad, saludad a todas las personas con quienes os crucéis.

—Está bien, madre querida.

Conque partieron los hermanos para la ciudad y fueron al mercado de caballerías; pero aunque había muchos caballos, ninguno a tenor de unos mozos tan garridos.

—Vamos a aquel otro extremo de la plaza —dijo uno de los hermanos—: fíjate qué gentío tan tremendo se ha juntado allí.

Cruzaron la plaza y, después de abrirse paso entre la muchedumbre, vieron dos potros sujetos a unos postes de roble, el uno con seis cadenas y el otro con doce. Los animales tiraban de las cadenas, tascaban el freno y escarbaban la tierra con los cascos. Nadie se atrevía a aproximarse a ellos.

—¿Qué pides por tus potros? —le preguntó al dueño uno de los Ivanes hijos de un soldado.

—Mejor será que no metas las narices, hermano. Los vendo; pero si no están al alcance de tu bolsillo, ¿a qué preguntar?

—¿Por qué hablas de lo que no sabes? Quizá los compremos. Pero necesitamos verles la dentadura primero.

—Prueba, si tan poco apego le tienes a la vida —replicó el amo de los animales con sorna.

En seguida, uno de los hermanos se aproximó al caballo que estaba sujeto por seis cadenas y el otro al que estaba sujeto por doce cadenas. Intentaron mirarles los dientes. ¡Imposible! Los potros se alzaron sobre las patas traseras resoplando con furia. Los hermanos les pegaron entonces un rodillazo a cada uno en el pecho: saltaron las cadenas y los potros salieron disparados, patas arriba, a cinco *sazhenas* de distancia.

—¿Y presumías tú de potros? Pues nosotros, ni de balde querríamos semejantes jamelgos...

La gente se hacía cruces, maravillada ante aquellos *bogatires*. En cuanto al amo de los caballos, poco le faltaba para llorar: los animales habían escapado al galope de la ciudad y ahora corrían por los campos como desbocados, sin que nadie se atreviera a acercarse ni supiera cómo capturarlos. Hasta que los Ivanes hijos de un soldado se compadecieron del hombre, salieron también al campo y llamaron a los caballos con voz potente y un silbido* atronador. Los potros acudieron inmediatamente y se inmovilizaron delante de ellos. Los muchachos les pusieron entonces las cadenas y los condujeron hasta los postes de hierro, donde los dejaron bien amarrados. Hecho lo cual, emprendieron el regreso a su casa.

Iban caminando, cuando se cruzaron con un viejo de pelo canoso. En ese momento no se acordaron de lo que les había recomendado su madre, y pasaron de largo sin saludarle. Pero, al poco, uno de ellos cayó en la cuenta:

—¿Qué hemos hecho, hermano? No hemos saludado al viejo. Vamos a darle alcance para subsanar nuestra falta.

Conque dieron alcance al viejo, se quitaron los gorros y le saludaron con una profunda inclinación diciendo:

—Perdona que hayamos pasado sin saludarte, abuelo. Nuestra madre nos ha recomendado muy expresamente que rindamos honor a todas las personas con quienes nos crucemos.

—Gracias, muchachos. ¿Y dónde habéis estado?

—Hemos estado en la ciudad. Queríamos comprar un buen caballo cada uno, pero no hemos encontrado nada que nos conviniera.

—¿Cómo os vais a arreglar ahora? ¿Y si os lo regalara yo?

—Si haces eso, abuelo, nuestras oraciones te acompañarán eternamente.

—Vamos, pues.

El anciano los condujo hasta una gran montaña, donde abrió una puerta de hierro, haciendo salir a dos recios caballos.

—Aquí tenéis los caballos, bravos muchachos. Que Dios os acompañe, y haced uso de ellos con salud.

Los hermanos le dieron las gracias, montaron en los caballos y galoparon hacia su casa. Cuando llegaron, ataron los caballos a un poste en el corral y entraron en la isba.

—¿Habéis comprado los caballos, hijos míos? —preguntó la madre.

—No los hemos comprado, sino que nos los han regalado.

—¿Y dónde los habéis dejado?

—Delante de la isba.

—Tened cuidado, hijos, no vaya a llevárselos alguien.

—No, *mátushka*. A esos caballos no hay quien se los lleve; ni siquiera quien se acerque a ellos.

La madre salió a la calle, vio los recios caballos y rompió a llorar:

—¡Ay, hijos míos! Ya veo que no estáis hechos para permanecer a mi lado.

Al día siguiente, los muchachos rogaron a la madre:

—Permite que vayamos a la ciudad a comprarnos un sable cada uno.

—Está bien, hijos queridos.

Montaron a caballo, fueron a una herrería y le dijeron al herrero:

—Haznos un sable a cada uno.

—No necesito hacerlo. Aquí tenéis de sobra donde elegir.

—¡Quia, hombre! Nosotros necesitamos sables que pesen treinta *puds*.

—¡Vaya ocurrencia! ¿Quién iba a manejar semejante mole? Además, que no hay en el mundo fragua donde poderlos forjar.

¿Qué podían hacer? Volvían a su casa, cabizbajos, cuando se encontraron con el mismo viejo por el camino.

—¡Hola, muchachos!

—Hola, abuelo.

—¿De dónde venís?

—De la ciudad. Hemos ido a una herrería para comprar un sable cada uno, pero no hay ninguno que encaje en nuestra mano.

—Mal asunto. ¿Y si os lo regalara yo?

—Si haces eso, abuelo, nuestras oraciones te acompañarán eternamente.

El anciano los condujo hasta una gran montaña, abrió una puerta de hierro y sacó dos sables gigantescos. Ellos los empuñaron, dieron las gracias al anciano y al instante salieron alegres y felices. Cuando volvieron a su casa, la madre les preguntó:

—¿Habéis comprado los sables, hijos míos?

—No los hemos comprado, sino que nos los han regalado.

—¿Y dónde están?

—Los hemos dejado fuera.

—Tened cuidado, hijos míos, no vaya a llevárselos alguien.

—No, *mátushka*. Esos sables no hay quien se los lleve, ni siquiera en un carro.

La madre se asomó al corral y vio, recostados contra la pared, los dos sables gigantescos cuyo peso apenas podía sostener la casita. Rompió a llorar diciendo:

—¡Ay, hijos míos! Ya veo que no estáis hechos para permanecer a mi lado.

A la mañana siguiente, los dos Ivanes hijos de un soldado ensillaron sus recios caballos, empuñaron sus sables gigantescos y entraron en la isba para hacer sus oraciones y despedirse de su madre.

—Danos tu bendición, *mátushka*, antes de emprender el largo camino que nos espera.

—Que mi bendición maternal sea con vosotros en todo momento, hijos míos. Id con Dios. Daos a conocer y que la gente os conozca. No ofendáis a nadie sin razón, pero tampoco dejéis sin castigo a los malvados.

—No temas, *mátushka*. Nuestro lema es: camino sin agraviar; si me agravian, no perdono.

Luego montaron a caballo y partieron.

No sé si llegaron lejos o no, si anduvieron mucho o poco, porque las cosas se cuentan pronto pero tardan en hacerse... El caso es que se encontraron en una encrucijada donde había dos postes, cada uno con un cartel. Uno decía: «Quien vaya a diestra, a zar llegará». El otro decía: «Quien vaya a siniestra, la muerte hallará». Se detuvieron los hermanos, leyeron las inscripciones y se quedaron cavilando hacia dónde debía marchar cada uno. Si tomaban los dos el camino de la derecha, era hacer poco honor a su fuerza y su arrojo. En cuanto a tomar el camino de la izquierda, ninguno tenía ganas de morir. Pero debían decidirse, y entonces dijo el uno:

—Mira, hermano, como yo soy más fuerte que tú, tomaré el camino de la izquierda y ya veré lo que debe ocasionarme la muerte. En cuanto a ti, marcha hacia la derecha, y quizá quiera Dios que llegues a ser zar.

Al despedirse, intercambiaron sus pañuelos y convinieron en que cada uno seguiría su camino marcándolo con postes, donde irían dejando razón de lo que sucediera. Además, cada mañana se enjugarían el rostro con el pañuelo del otro, ya que, si en el pañuelo aparecía sangre, sería señal de que el hermano había hallado la muerte. En caso de suceder tamaña desgracia, el que quedase vivo iría en su busca.

Los jóvenes partieron en direcciones opuestas. El que guio su cabalgadura hacia la derecha llegó hasta un reino floreciente, cuyos soberanos tenían una hija: la *zarevna* Nastasia la Hermosa. El zar vio a Iván, hijo de un soldado, le cobró cariño por su bizarría, y sin pensarlo poco ni mucho, le dio a su hija por esposa y le nombró el zarevich* Iván, ordenándole que gobernara todo el reino. El zarevich Iván vivía feliz y contento, gozando del amor de su esposa, gobernando con buen tino y divirtiéndose con las cacerías.

Una vez que se disponía a salir de caza encontró en su silla de montar, cuando se la colocaba al caballo, dos pomos que contenían agua de la salud el uno y agua de la vida el otro. Después de contemplarlos, volvió a dejarlos donde estaban, pensando: «Los guardaré. ¿Quién sabe si no los necesitaré un día?».

En cuanto a su hermano, el Iván, hijo de un soldado, que tomó el camino de la izquierda, fue galopando día y noche infatigablemente. Transcurrió un mes, luego otro, después un tercero, y entonces llegó a un país desconocido. Justo a la capital. En aquel país reinaba una gran aflicción: las casas tenían colgaduras negras y la gente andaba tambaleándose, como si estuviera dormida. Pidió hospedaje a una pobre vieja en la peor casa que encontró, y empezó a hacerle preguntas:

—¿Podrías decirme, abuela, por qué anda la gente tan triste en vuestro país y por qué tienen todas las casas colgaduras negras?

—¡Ay, buen mozo! Estamos padeciendo una gran desgracia. Todos los días sale del mar azul, por detrás de una roca gris, un culebrón de doce cabezas que se come a una persona de un bocado. Ahora le ha tocado el turno al palacio del zar... Tiene tres *zarevnas* preciosas, y justamente ahora acaban de llevar a la mayor de ellas a la orilla del mar para que la devore el culebrón.

Iván, hijo de un soldado, montó en su caballo y partió al galope hacia el mar azul y la roca gris. Cuando llegó a la orilla, vio a la preciosa *zarevna* encadenada.

—Márchate de aquí, bravo caballero —le dijo la *zarevna* al descubrir su presencia—. Pronto aparecerá el culebrón de las doce cabezas. A mí me matará, pero tú correrás la misma suerte: ese bicho feroz te devorará.

—No temas, hermosa doncella. Quizá conmigo se atragante.

Iván, hijo de un soldado, se aproximó luego a ella, empuñó la cadena con su mano de gigante y la hizo pedazos como si se tratara de una cuerda podrida. Luego se recostó en las rodillas de la hermosa doncella, diciendo:

—Búscame un poco en la cabeza. Pero no estés tan atenta a rebuscarme entre el pelo como a vigilar: despiértame en cuanto se acerque una nube, empiece a soplar el viento y se agite el agua.

La hermosa doncella obedeció y, más que rebuscar entre el cabello de Iván, estuvo atenta a lo que ocurría sobre el mar.

De pronto, fue acercándose una nube, sopló el viento, se agitó el mar y de las aguas azules salió el culebrón, que empezó a trepar tierra adentro. La *zarevna* despertó a Iván, hijo de un soldado. El joven se incorporó, y apenas había tenido tiempo de montar en su caballo cuando ya llegaba el culebrón a toda velocidad.

—¿Qué has venido a buscar aquí, Iván? Este sitio me pertenece. Despídete ahora del mundo y métete tú mismo en mis fauces. Así sufrirás menos.

—¡Estás equivocado, maldito culebrón! Tú a mí no me engulles —replicó el *bogatir*.

Desenvainó su afilado sable, lo enarboló y, al dejarlo caer, tajó las doce cabezas del culebrón. Luego levantó la roca gris, metió las cabezas debajo, arrojó el cuerpo al mar y regresó a la casa de la viejecita. Allí comió, bebió, se acostó y estuvo durmiendo tres días y tres noches.

Entre tanto, el zar hizo venir a un aguador y le dijo:

—Llégate a la orilla del mar y recoge por lo menos los huesos de la *zarevna*.

El aguador fue a la orilla del mar azul, vio a la *zarevna* sana y salva, la hizo subir a su carro y la condujo a lo más profundo de un bosque oscuro. Una vez allí, se puso a afilar un cuchillo.

—¿Qué vas a hacer? —preguntó la *zarevna*.

—Te voy a degollar. Para eso estoy afilando el cuchillo.

—No me degüelles —rogó la *zarevna* llorando—. Yo no te he hecho ningún daño.

—Si le dices a tu padre que te he librado yo del culebrón, te perdonaré la vida.

La *zarevna* no tuvo más remedio que acceder. Volvieron al palacio, y el rey se alegró tanto de ver a su hija que nombró coronel al aguador.

Cuando Iván, hijo de un soldado, se despertó, llamó a la vieja en cuya casa se hospedaba y le dijo:

—Acércate al mercado, abuela, compra lo que necesites y escucha lo que dice la gente, por si hay alguna novedad.

La vieja fue al mercado, hizo algunas compras, escuchó las noticias que contaba la gente y volvió diciendo:

—Cuenta la gente que nuestro zar ha dado un gran festín, que han asistido príncipes, embajadores, boyardos y grandes personajes. Entonces penetró por una ventana una flecha de hierro templado y se clavó en el centro de la mesa. La flecha traía sujeta una carta de otro culebrón de doce cabezas diciendo que si no le llevan a la *zarevna* mediana, arrasará el reino entero con fuego y aventará las cenizas. De manera que hoy conducirán a la pobrecita a la orilla del mar, donde está la roca gris.

Iván, hijo de un soldado, ensilló inmediatamente su recio caballo, montó en él y partió al galope hacia el mar azul.

—¿A qué vienes aquí, valeroso joven? —preguntó la *zarevna* al verle—. Hoy me toca a mí morir y verter mi sangre. Pero tú, ¿qué necesidad tienes de exponerte?

—No temas, hermosa doncella. Confiemos en Dios.

Apenas había pronunciado estas palabras, el culebrón se abalanzó sobre él, escupiendo fuego, para matarle. El *bogatir* asestó un golpe con su afilado sable y le cortó las doce cabezas. Luego metió las cabezas debajo de la roca, arrojó el cuerpo al mar y volvió a su casa, donde comió, bebió y de nuevo se acostó a dormir tres días y tres noches.

Otra vez fue el aguador a la orilla del mar, encontró a la *zarevna* sana y salva, la hizo subir a su carro, la condujo a un bosque oscuro y se puso a afilar su cuchillo.

—¿Por qué afilas el cuchillo? —preguntó la *zarevna*.

—Para degollarte. Pero te perdonaré la vida si juras decirle a tu padre lo que yo te mande.

Juró la *zarevna*, y él la condujo al palacio. El zar se alegró tanto al verla que nombró general al aguador.

Iván, hijo de un soldado, se despertó al cuarto día y le pidió a la viejecita que fuera al mercado a enterarse de las noticias. Ella fue al mercado y volvió diciendo:

—Ha aparecido otro culebrón y también le ha mandado al zar una carta exigiendo que le entregue a la menor de las *zarevnas* para devorarla.

Iván, hijo de un soldado, ensilló su recio caballo, montó en él y fue galopando hacia el mar azul. Allí estaba la hermosa *zarevna*, encadenada. El *bogatir* agarró la cadena, pegó un tirón y la rompió como si fuera una cuerda podrida. Luego se recostó sobre las rodillas de la hermosa doncella y le dijo:

—Búscame en la cabeza. Pero no estés tan atenta a rebuscarme entre el cabello como a vigilar: despiértame en cuanto se acerque una nube, empiece a soplar el viento y se agite el agua.

La hermosa doncella así lo hizo... De pronto apareció una nube, sopló el viento, se agitó el mar, y de las aguas azules salió un culebrón que empezó a trepar tierra adentro. La *zarevna* se puso a despertar a Iván, hijo de un soldado, pero sin conseguirlo, por mucho que le sacudía. Entonces rompió a llorar, y una de sus lágrimas ardientes le cayó en una mejilla al *bogatir*, que despertó a su contacto y corrió hacia su caballo. El recio corcel había cavado ya medio *arshin** de tierra con los cascos. El culebrón de las doce cabezas llegaba volando y escupiendo fuego. Al ver al *bogatir*, exclamó:

—Muy apuesto eres y muy agradable, bravo muchacho: pero perderás la vida. Yo te devoraré con huesos y todo.

—Estás equivocado, maldito culebrón. Te atragantarás.

Iniciaron una pelea a muerte. Iván, hijo de un soldado, manejaba su sable con tanta rapidez y tanta fuerza, que se calentó al rojo vivo y no era posible sostenerlo entre las manos.

—¡Ayúdame, hermosa doncella! —rogó—. Despréndete de tu precioso pañuelo, mójalo en el mar azul y dámelo para envolver la empuñadura del sable.

La *zarevna* corrió a humedecer su precioso pañuelo y se lo entregó al valeroso muchacho. Él lo enrolló alrededor de la empuñadura de su sable, que descargó sobre el culebrón hasta cortarle las doce cabezas. Luego metió las cabezas debajo de la roca gris, arrojó el cuerpo al mar y volvió galopando a su casa, donde comió, bebió y se acostó a dormir tres días y tres noches.

El zar envió otra vez al aguador a la orilla del mar. El aguador condujo a la *zarevna* hasta un bosque oscuro, sacó su cuchillo y se puso a afilarlo.

—¿Qué haces? —preguntó la *zarevna*.

—Estoy afilando el cuchillo para degollarte. Pero te perdonaré la vida si le dices a tu padre que yo vencí al culebrón.

Atemorizada, la hermosa doncella juró decir lo que él quería. Aquella hija, la menor, era la preferida del zar. Cuando la vio viva, sin el menor rasguño, su alegría fue aún mayor, y no sabiendo ya cómo recompensar al aguador, decidió dársela por esposa.

La noticia cundió por todo el país. Enterado Iván, hijo de un soldado, de que el zar preparaba la boda de su hija menor, se presentó en el palacio. Se estaba celebrando un festín. Los invitados comían, bebían, se solazaban con toda clase de juegos... La menor de las *zarevnas* miró a Iván, hijo de un soldado, vio su precioso pañuelo atado a la empuñadura del sable y se levantó presurosa de la mesa para conducirle de la mano hasta su padre diciendo:

—Padre y señor mío: este es quien nos libró de la muerte horrible que quería darnos el feroz culebrón. El aguador, lo único que hizo fue afilar su cuchillo diciendo que era para degollarnos.

Indignado, el zar ordenó que el aguador fuera ahorcado inmediatamente. Luego le concedió la mano de la *zarevna* a Iván, hijo de un soldado. La boda se celebró con grandes festejos, y los jóvenes desposados vivieron felices y contentos.

Veamos ahora lo que ocurría mientras tanto al zarevich Iván, el hermano de Iván, hijo de un soldado. Una vez que salió de caza se le cruzó en el camino un ciervo muy veloz. El zarevich espoleó su caballo y se lanzó tras él. Después de mucho galopar, llegó a una vasta pradera, pero el ciervo desapareció allí. Estaba pensando el zarevich Iván hacia dónde dirigirse, cuando vio a dos patos grises en un arroyo que corría por la pradera. Apuntó su escopeta, disparó y los mató a los dos. Después de sacarlos del agua y guardarlos en su bolsa, reanudó la marcha hasta hallarse delante de un palacio blanco. Penetró en él dejando su caballo atado a un poste, pero no encontró ni un alma en todos los aposentos. Sólo en una estancia vio la estufa encendida, una sartén sobre el fogón y una mesa puesta con un solo cubierto de plato, tenedor y cuchillo. El zarevich Iván extrajo los patos de la bolsa, los desplumó, los vació, los dispuso sobre la sartén y los metió en el horno. Cuando estuvieron asados, los sacó a la mesa, los trinchó y se puso a comer.

De repente, apareció una hermosa doncella, tan hermosa que nadie podría describirla ni pintarla, y le dijo:

—De provecho te sirva el pan y la sal, zarevich Iván.

—Gracias, hermosa doncella. ¿No gustarías acompañarme?

—Lo haría de buen grado, pero me da miedo. Tienes un caballo encantado.

—No, hermosa doncella. Te equivocas. A mi caballo encantado lo he dejado en casa y he venido en otro, que es como todos.

Apenas escuchó estas palabras, la hermosa doncella comenzó a hincharse hasta convertirse en una espantosa leona que abrió las fauces y se tragó al zarevich entero. Porque no era una doncella como cualquier otra, sino hermana de los tres culebrones a los que Iván, hijo de un soldado, había dado muerte.

Y precisamente el otro Iván, hijo de un soldado, sacó el pañuelo del bolsillo pensando en su hermano, se enjugó el rostro con él y vio que estaba todo manchado de sangre.

—¿Cómo puede ser esto? —exclamó muy apenado—. Mi hermano marchó por el camino de la derecha, debía convertirse en zar, pero ha encontrado la muerte...

Pidió licencia a su esposa y su suegro, y montado en el recio caballo partió en busca de su hermano, el zarevich Iván. Al cabo de cierto tiempo, quizá poco o quizá mucho, llegó al país donde habitaba su hermano y, preguntando, se enteró de que el zarevich partió una vez de caza y desapareció sin que nadie volviese a verle nunca.

Iván, hijo de un soldado, partió de caza por el mismo camino hasta que se cruzó con un ciervo muy veloz. Se lanzó tras él, llegó hasta una vasta pradera donde desapareció el ciervo, vio el arroyo y dos patos sobre el agua. Iván, hijo de un soldado, mató los patos, llegó al palacio blanco y entró en los aposentos. Todos estaban desiertos, menos una estancia donde estaba encendida la estufa y había una sartén. Asó los patos, salió con ellos al patio, se sentó en el porche, los trinchó y se puso a comer.

De pronto, apareció delante de él una hermosa doncella.

—De provecho te sirva el pan y la sal, apuesto mancebo. ¿Por qué comes aquí fuera?

—No me apetecía quedarme entre cuatro paredes. Aquí se está más a gusto. Siéntate conmigo, hermosa doncella.

—Lo haría de buen grado, pero le tengo miedo a tu caballo encantado.

—Si solo es eso, no te preocupes: he venido en un caballo como todos.

Ella se lo creyó, la muy tonta, y empezó a hincharse hasta convertirse en una espantosa leona. Abría ya las fauces para tragarse al apuesto mancebo, cuando acudió el caballo encantado y la derribó con sus poderosos cascos. Iván hijo de un soldado desenvainó entonces su afilado sable y gritó con voz estentórea:

—¡Quieta, maldita fiera! ¿Te has tragado a mi hermano, el zarevich Iván? Échalo fuera o te hago pedazos.

La leona eructó y echó por la boca al zarevich Iván: estaba muerto, empezaba a descomponerse y tenía el rostro desfigurado.

Iván, hijo de un soldado, extrajo entonces de su silla de montar los pomos con el agua de la salud y el agua de la vida. Roció a su hermano con el agua de la salud, y volvió a crecerle la carne del cuerpo. Le roció luego con el agua de la vida, y el zarevich Iván se incorporó diciendo:

—¡Cuánto tiempo he dormido!

—Como que, de no ser por mí, habrías dormido ya el sueño eterno —replicó Iván, hijo de un soldado.

Luego empuñó su sable para cortarle la cabeza a la leona, pero esta se convirtió en una linda muchacha, tan bonita que nadie podría describirla, y se puso a pedir perdón anegada en lágrimas. Iván, hijo de un soldado, se ablandó viendo tanta belleza y la dejó en libertad.

Llegaron los hermanos al palacio, donde dieron un festín de tres días. Luego se despidieron. El zarevich Iván se quedó en su reino, mientras Iván, hijo de un soldado, regresaba a casa de su esposa, donde vivieron en amor y buena armonía.

Al cabo de algún tiempo, salió Iván, hijo de un soldado, a dar un paseo por el campo. Se encontró con un niño pequeño que le pidió limosna. Compadecido, sacó del bolsillo una moneda de oro y se la dio. Al tomar la limosna, el niño empezó a hincharse hasta convertirse en un león y despedazó al *bogatir*.

Unos días después, lo mismo le sucedió al zarevich Iván: salió a pasear por el jardín y se le acercó un viejecito a pedirle limosna. El zarevich le dio una moneda de oro. El viejecito tomó la limosna y empezó a hincharse hasta convertirse en un león, cayó sobre el zarevich y lo despedazó.

Así perecieron los dos *bogatires*, víctimas de la hermana de los culebrones.

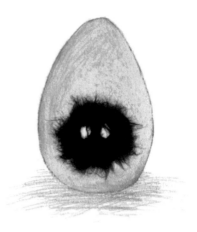

Koschéi, el Esqueleto Perpetuo

En cierto reino, en cierto país, vivía un zar que tenía tres hijos, los tres mayores ya. Pero, de repente, Koschéi, el Esqueleto Perpetuo, les robó a su madre.

El hijo mayor le pidió al padre su bendición para ir a buscarla. El padre se la dio, y el hijo partió, sin que nadie volviera a saber nada de él.

Después de aguardar cierto tiempo, también el hijo segundo pidió permiso al padre para marcharse, y desapareció lo mismo que el primero.

Entonces el hijo menor, el zarevich Iván, le dijo a su padre:

—*Bátiushka*, dame tu bendición para ir en busca de mi madre.

—Tus hermanos no han regresado —objetó el padre—, y si también te marchas tú, me moriré de pena.

—Pues yo, con tu bendición o sin ella, he hecho el firme propósito de marcharme, *bátiushka*.

Conque el padre acabó dándole su bendición.

El zarevich Iván fue a elegir un caballo: pero en cuanto le ponía a uno la mano sobre el lomo, el animal se derrengaba. Viendo que no encontraba cabalgadura, iba todo cabizbajo por la ciudad, cuando de repente apareció una viejecita delante de él y le preguntó:

—¿Por qué andas tan mustio, zarevich Iván?

—Déjame, vieja. Mira que si te agarro con una mano y te pego un golpe con la otra no va a quedar más que un charquito.

La vieja dio un rodeo por una calleja y de nuevo apareció frente a él.

—¡Hola, zarevich Iván! ¿Por qué andas tan mustio?

El zarevich se quedó pensativo, preguntándose: «¿Por qué me dirá eso la vieja? ¿Y si pudiera ayudarme?». Y entonces le contestó:

—Es que no puedo encontrar un buen caballo de mi talla.

—¡Hace falta ser tonto para atormentarse por tan poca cosa en lugar de preguntarme a mí! —exclamó la vieja—. Ven conmigo.

Le condujo hasta una montaña y le señaló un lugar.

—Cava aquí.

El zarevich cavó hasta descubrir una plancha de hierro con doce candados. En seguida los arrancó, abrió la puerta y descendió bajo tierra: allí había un caballo gigantesco, sujeto por doce cadenas. Sin duda presintió que se hallaba ante un jinete digno de él, porque lanzó un relincho, sacudió sus cadenas y reventó las doce. El zarevich endosó una sólida armadura de caballero, le puso al caballo la brida y un arzón circasiano*, entregó dinero a la vieja y le dijo:

—Dame tu bendición, abuela, y adiós.

Luego, partió, montado en aquel caballo.

Cabalgó mucho tiempo hasta encontrarse por fin al pie de una montaña: una montaña inmensa, abrupta, a la que era imposible trepar. Allí estaban también sus hermanos, galopando en torno a la montaña. Se abrazaron y siguieron juntos, hasta tropezar con una mole de hierro de unos ciento cincuenta *puds* de peso. Tenía grabada una inscripción diciendo que hallaría franco el paso quien arrojara aquella mole a lo alto de la montaña. Los hermanos mayores no pudieron siquiera levantarla, pero el zarevich Iván la lanzó al primer intento hasta la cumbre y, al instante, apareció una escalera en la montaña. Dejó su caballo, hizo gotear sangre de su dedo meñique en un pequeño recipiente y se lo entregó a sus hermanos, diciendo:

—Si la sangre se torna negra, no me esperéis: eso querrá decir que estoy muerto.

Luego se despidió y emprendió la subida. La montaña le maravilló por tantos árboles, frutos y aves de toda clase como se criaban allí.

Al cabo de mucho andar, se halló ante una casa. Era una casa inmensa. En ella habitaba la hija de un zar a quien había robado Koschéi, el Esqueleto Perpetuo. El zarevich Iván echó a andar a lo largo del muro que la rodeaba, pero no veía ninguna puerta. Al divisar allí a un hombre, la hija del zar se asomó a su balcón y gritó:

—Fíjate bien, y encontrarás ahí una grieta en el muro. Tócala con el dedo meñique y se convertirá en una puerta.

Así ocurrió. El zarevich Iván penetró en la casa. La doncella le acogió afablemente, le ofreció comida y bebida, y luego le hizo muchas preguntas. Él le refirió que había ido a rescatar a su madre, prisionera de Koschéi.

—Rescatarla es una empresa difícil, zarevich Iván —observó la doncella—. Para Koschéi no existe la muerte, pero él te matará. A mí me visita a menudo... Mira: ahí está una espada suya que pesa quinientos *puds*. Si eres capaz de levantarla, sigue adelante.

El zarevich Iván no solamente levantó la espada, sino que la arrojó al aire. Prosiguió, pues, su camino, y se encontró frente a otra casa. Entró, puesto que ya sabía cómo hallar la puerta, y allí estaba su madre. Se abrazaron vertiendo lágrimas de alegría. El zarevich dio más pruebas de su fuerza lanzando al aire una bola de mil quinientos *puds*. Su madre le escondió luego, al aproximarse la hora en que solía regresar Koschéi. En efecto, Koschéi, el Esqueleto Perpetuo, irrumpió al poco tiempo en la casa diciendo:

—Fff... Fff... Los huesos rusos no se oyen ni se ven, pero en esta casa se han metido huesos rusos... ¿Quién ha venido a verte? ¿No habrá sido tu hijo?

—¡Qué cosas se te ocurren! Lo que pasa es que, como has andado tú volando por Rusia, traes el olor metido en la nariz y te parece que también aquí huele —contestó la madre del zarevich Iván.

Luego se aproximó más a Koschéi, hablándole amablemente, y, entre unas preguntas y otras, inquirió:

—Dime, Koschéi, ¿dónde se encuentra tu muerte?

—Mi muerte —contestó— se encuentra en tal sitio: allí se alza un roble, debajo del roble hay un arca, dentro del arca una liebre, dentro de la liebre una oca, dentro de la oca un huevo y dentro del huevo mi muerte.

Dicho lo cual, Koschéi volvió a marcharse volando al poco rato.

Llegado el momento oportuno, el zarevich Iván le pidió la bendición a su madre y partió en busca de la muerte de Koschéi. Caminó mucho, sin comer ni beber, y estaba tan famélico que solo soñaba con cazar algún animal. De repente, descubrió a un lobezno. Iba a matarlo, cuando la madre loba salió corriendo de su guarida y le dijo:

—No mates a mi cachorro, y algún día te ayudaré yo.

—¡Sea!

El zarevich Iván dejó marchar al lobezno y prosiguió su camino. En esto, vio a un cuervo. «¡Ahora sí que tengo comida!», pensó. Cargó la escopeta y se disponía ya a disparar, cuando el cuervo le dijo:

—No me mates, y algún día te ayudaré yo.

El zarevich Iván reflexionó un poco y dejó marchar al cuervo. Continuando su camino, llegó hasta el mar y se detuvo en la orilla. Precisamente entonces pegó un salto fuera del agua un pequeño lucio, y fue a parar a la arena. El zarevich Iván lo agarró y, con lo hambriento que estaba, pensó: «¡Ahora sí que voy a comer algo!». Pero, en esto, asomó por encima del agua la madre del lucio.

—No mates a mi hijo, zarevich Iván —dijo—, y algún día te ayudaré yo.

El zarevich dejó también marchar al pequeño lucio. Continuaba allí en la orilla, preguntándose cómo cruzaría el mar, cuando la madre del lucio pareció adivinar sus pensamientos, se tendió atravesada en las olas y sobre ella pudo llegar el zarevich Iván, lo mismo que si caminara por un puente, hasta el roble a cuyo pie estaba escondida la muerte de Koschéi.

Extrajo el arca, la abrió, pero la liebre que había dentro salió de un brinco y escapó. ¿Quién puede retener a una liebre? El zarevich Iván se quedó perplejo y muy preocupado por haberla dejado escapar, pero el lobo al que no había matado salió corriendo detrás, la alcanzó y se la trajo.

Encantado, el zarevich Iván agarró la liebre, la abrió en canal y pegó un respingo cuando la oca que tenía dentro escapó volando. Disparó contra ella una vez, otra... Pero le falló la puntería. De nuevo estaba perplejo. De pronto, apareció el cuervo con varios polluelos, voló en pos de la oca, le dio alcance y se la llevó al zarevich Iván. Muy contento, este sacó el huevo que había dentro de la oca y fue a lavarlo al mar; pero se le cayó al agua. ¿Cómo sacarlo de aquella gran profundidad? De nuevo se entristeció el zarevich Iván, pero, de repente, se agitó el mar, y la madre del lucio emergió con el huevo. Luego se tendió atravesada en las olas. El zarevich Iván pasó sobre ella como si fuera un puente y volvió donde estaba su madre. Llegó, se abrazaron y la madre le escondió otra vez. Al rato apareció volando Koschéi, el Esqueleto Perpetuo.

—Fff... Fff... Los huesos rusos no se oyen ni se ven, pero aquí huele a Rusia.

—¿Qué dices, Koschéi? Aquí no ha venido nadie —protestó la madre del zarevich.

—No sé por qué, me siento débil —observó al poco tiempo Koschéi, y es que el zarevich Iván apretaba el huevo de la oca en la mano, y Koschéi lo notaba.

Finalmente, salió el zarevich, le mostró a Koschéi el huevo de la oca y dijo:

—Aquí está tu muerte.

—No me mates, zarevich Iván —suplicó Koschéi, hincándose de rodillas ante él—. Podemos vivir en buena armonía y dominaremos el mundo entero.

Pero el zarevich no se dejó embaucar por aquellas palabras, rompió el huevo de la oca, y Koschéi expiró allí mismo.

Entonces, el zarevich Iván y su madre cogieron todo lo necesario y emprendieron el regreso a su tierra natal. Por el camino entraron en la casa habitada por la doncella a quien el zarevich había visitado al principio, y se la llevaron con ellos. Continuaron caminando hasta llegar a la montaña, a cuyo pie aguardaban todavía los hermanos del zarevich, pero la doncella rogó entonces:

—Vuelve a mi casa, haz el favor, zarevich Iván: se me ha olvidado mi traje de novia, el anillo de brillantes y los chapines escotados.

Por lo pronto, el zarevich hizo descender de la montaña a su madre y a la doncella, después de acordar con ella que se casarían en cuanto llegaran a su tierra. Los hermanos las recibieron abajo y luego cortaron la escala para que el zarevich no pudiera descender por ella. Después, con amenazas, las obligaron a no decir nada del zarevich Iván. Así regresaron a su reino. El padre se llevó una gran alegría cuando vio a su esposa y a los dos hijos mayores, pero le apenó profundamente no saber nada del menor.

En cuanto al zarevich Iván, volvió a casa de su prometida, recogió el anillo de brillantes, el traje de novia y los chapines escotados, trepó a lo alto de la montaña, hizo pasar el anillo de una mano a la otra y al instante aparecieron doce apuestos mancebos.

—¿Qué ordenáis? —le preguntaron.

—Quiero bajar de esta montaña.

Los mancebos cumplieron inmediatamente su deseo y desaparecieron en cuanto se puso el anillo en un dedo. El zarevich marchó entonces a su tierra, llegó a la ciudad donde habitaban sus padres y sus hermanos, y se hospedó en casa de una viejecita.

—¿Qué hay de nuevo en nuestro reino, abuela? —le preguntó.

—Pues... ¿qué voy a contarte, hijito? Nuestra zarina* ha estado prisionera de Koschéi, el Esqueleto Perpetuo. Fueron a rescatarla sus hijos: dos la encontraron y han vuelto con ella; pero el tercero, el zarevich Iván, no ha regresado ni se sabe dónde puede hallarse. El zar está muy apenado por eso. En cuanto a los otros zareviches, además de la madre rescataron también a la hija de un zar, y el mayor desea tomarla por esposa; pero ella quiere que vaya primero a traerle de no sé dónde el anillo de desposada, o que mande hacer otro a su gusto. Se ha pregonado ya un bando en este sentido, pero aún no se ha ofrecido nadie.

—Preséntate tú, abuela, y dile al zar que harás el anillo. Yo te ayudaré —rogó el zarevich Iván.

La vieja se vistió en seguida, corrió al palacio y anunció al zar:

—Majestad, yo haré el anillo de desposada.

—Muy bien, abuela. Hazlo. Nos encanta la gente tan dispuesta como tú. Pero ¡ojo!, porque si no lo haces, te costará la cabeza.

La vieja volvió a su casa asustadísima y quiso que el zarevich Iván se pusiera a hacer inmediatamente el anillo. Pero él se echó a dormir tan tranquilo, puesto que el anillo lo tenía listo, riéndose de la vieja, que, toda temblorosa, lloraba y le hacía reproches:

—A ti ni te va ni te viene, claro. En cambio yo, tonta de mí, estoy expuesta a que me maten.

Estuvo llora que te llora, hasta que al fin se durmió. Por la mañana, el zarevich Iván la despertó muy temprano.

—Levántate, abuela, y ve a llevar el anillo. Pero no aceptes nada más que un *chervónets** como pago. Si te preguntan quién lo ha hecho, contesta que has sido tú. A mí, ni me nombres.

Encantada, la vieja llevó el anillo, que fue del agrado de la doncella.

—Esto es lo que yo quería —dijo, y le presentó una bandeja llena de monedas de oro.

La vieja solo tomó un *chervónets*.

—¿Por qué coges tan poco, abuela? —preguntó el zar.

—Con esto me basta, majestad. Si luego necesitara más, estoy segura de que tú me lo darías —contestó la vieja, y se marchó.

Transcurrido algún tiempo, cundió la noticia de que la novia exigía de su prometido que le trajera su vestido de desposada o que mandase hacer otro a su gusto. También en esta ocasión se ofreció la viejecita a hacer el vestido, y salió airosa del empeño (con la ayuda del zarevich, naturalmente). Luego sucedió lo mismo con los chapines escotados. Las dos veces se conformó con un solo *chervónets* y dijo que había hecho ella misma aquellas cosas.

Se supo que pronto habría boda en palacio, y toda la gente esperaba ya ese día. El zarevich Iván advirtió a la viejecita:

—Procura estar atenta, abuela, y avísame cuando traigan a la novia a la iglesia.

La vieja estuvo efectivamente al tanto. Avisado a tiempo, el zarevich Iván se vistió en seguida con sus ropas de corte y salió.

—Aquí me tienes, abuela. Ahora ya sabes quién soy.

—Perdóname, *bátiushka* —imploró la vieja arrojándose a sus pies—, si en alguna ocasión te he faltado.

—El perdón viene de Dios —contestó el zarevich.

Inmediatamente se presentó en la iglesia y, como su hermano no había llegado aún, ocupó su lugar junto a la novia. El sacerdote los casó, y toda la comitiva emprendió el regreso al palacio. Durante el trayecto se cruzaron con el hermano mayor, que acudía a la iglesia para casarse él. Viendo que era el zarevich Iván quien acompañaba a la desposada, se volvió todo avergonzado.

El padre se llevó una inmensa alegría cuando vio al zarevich Iván. Así se enteró de la perfidia de los dos mayores. Esperó a que terminaran los festejos de la boda, y entonces los desterró, al mismo tiempo que designaba al zarevich Iván para sucederle.

María de las Muertes

En cierto reino, en cierto país, vivía un zarevich llamado Iván, que tenía tres hermanas: las *zarevnas* María, Olga y Ana. Los padres murieron; pero, antes de expirar, le recomendaron:

—Casa a tus hermanas en cuanto alguien las pida en matrimonio. No las guardes mucho tiempo junto a ti.

Después de los funerales, el zarevich, que estaba muy afectado, salió con sus hermanas a dar un paseo por el jardín. De repente, apareció un nubarrón en el cielo presagiando una terrible tormenta.

—¡Volvamos a casa! —les dijo a sus hermanas.

Apenas se habían guarecido en el palacio, cuando retumbó un trueno, el techo se partió por la mitad y un noble halcón penetró volando en la estancia. El halcón pegó contra el suelo y se convirtió en un apuesto caballero.

—Te saludo, zarevich Iván —dijo—. Antes solía venir de visita; pero hoy vengo como pretendiente. Quisiera pedirte la mano de tu hermana María.

—Si eres de su agrado, yo no le pondré ninguna traba: que Dios la acompañe.

La *zarevna* aceptó, el halcón se casó con ella y se la llevó a su reino.

Con el paso de los días y el correr de las horas, transcurrió un año entero. Una vez, salió el zarevich Iván con sus dos hermanas a dar un paseo por el jardín. También apareció un nubarrón, acompañado de un vendaval y de relámpagos.

—¡Volvamos a casa, hermanitas! —dijo el zarevich.

Apenas habían entrado en el palacio, cuando retumbó un trueno, se desbarató el tejado y el techo se partió por la mitad. Entonces entró volando un águila que, al pegar contra el suelo, se convirtió en un apuesto caballero.

—Te saludo, zarevich Iván —dijo—. Antes solía venir de visita; pero hoy vengo como pretendiente.

Y pidió la mano de la *zarevna* Olga.

—Si eres del agrado de la *zarevna* Olga, que se case contigo. Yo no he de torcer su voluntad.

La *zarevna* Olga aceptó y se casó con el águila, que se la llevó a su reino.

Había transcurrido otro año cuando el zarevich Iván le dijo a su hermana menor:

—Vamos a dar un paseo por nuestro jardín.

Pasearon un poco; de nuevo, apareció un nubarrón acompañado de vendaval y relámpagos.

—¡Volvamos a casa, hermanita!

Volvieron a la casa, y no habían tenido todavía tiempo de sentarse, cuando el techo se partió en dos y entró volando un cuervo, pegó contra el suelo y se convirtió en un apuesto caballero. Si los anteriores eran agradables de ver, este lo era aún más.

—Zarevich Iván: antes yo solía venir de visita; pero hoy vengo como pretendiente. Dame a la *zarevna* Ana por esposa.

—Yo no me opongo a la voluntad de mi hermana. Puesto que te has enamorado de ella, que se case contigo si quiere.

La *zarevna* Ana se casó con el cuervo, que se la llevó a su país.

El zarevich Iván se quedó solo. Pasó un año entero sin sus hermanas y comenzó a sentirse aburrido.

«Iré a ver a mis hermanas», pensó.

Dicho y hecho. Fue cabalgando, cabalgando, hasta que descubrió en el campo un gran número de soldados muertos. Todo un ejército. Se detuvo y gritó:

—Si alguien ha quedado vivo, que me responda. ¿Quién ha dado muerte a tantas tropas?

Le contestó uno que quedaba vivo:

—Todo este gran ejército lo ha destruido María de las Muertes, la bella princesa.

Continuó el zarevich su camino hasta encontrar un grupo de tiendas blancas. De una de ellas salió a su encuentro María de las Muertes, la bella princesa.

—¡Hola, zarevich! ¿Hacia dónde guía el Señor tus pasos? ¿Vas por tu propia voluntad o en contra de ella?

—Los caballeros valientes no van a ninguna parte en contra de su voluntad —replicó el zarevich.

—Pues, ya que nada te urge, sé mi huésped en este campamento.

El zarevich Iván aceptó encantado, pasó dos noches bajo aquellas tiendas blancas, se enamoró de María de las Muertes y se casó con ella.

María de las Muertes, la bella princesa, se llevó al zarevich Iván a sus dominios. Vivieron en amor y armonía cierto tiempo, hasta que se le ocurrió a la princesa ponerse en campaña para hacer la guerra. Dejó a cargo del zarevich Iván todo cuanto poseía, haciéndole esta advertencia:

—Anda por donde quieras y vigílalo todo, pero no entres en este camaranchón.

El zarevich Iván no pudo dominar su curiosidad y, apenas se marchó María de las Muertes, corrió al camaranchón, abrió la puerta y se asomó: allí estaba colgado con doce cadenas Koschéi, el Esqueleto Perpetuo.

—Apiádate de mí —suplicó Koschéi al zarevich— y dame un poco de agua. Diez años llevo padeciendo aquí, sin comer ni beber, y tengo la garganta reseca.

El zarevich le llevó un cubo entero de agua: pero, apenas lo apuró, Koschéi pidió más.

—Un cubo no basta para aplacar mi sed —dijo.

El zarevich le llevó otro, que Koschéi apuró también, y aún pidió más. Pero en cuanto se bebió el tercero, recobró su fuerza anterior, sacudió las cadenas y rompió las doce de un golpe.

—¡Gracias, zarevich Iván! —exclamó Koschéi—. Pero has de saber que, desde ahora, puedes despedirte de María de las Muertes para siempre.

En seguida salió disparado por la ventana armando un tremendo vendaval, dio alcance a María de las Muertes, la bella princesa, la arrebató y se la llevó a su casa. En cuanto al zarevich Iván, después de llorar amargamente, se equipó y se puso en campaña, diciendo:

—¡Pase lo que pase, he de dar con María de las Muertes!

Cabalgó un día, luego otro, y al amanecer del tercero se encontró delante de un palacio maravilloso. A la entrada se alzaba un roble, y en el roble estaba posado un noble halcón. Al ver al zarevich, el halcón bajó volando del roble, pegó contra el suelo y se convirtió en un apuesto caballero.

—¡Querido cuñado! —exclamó—. Veo que te encuentras bien, gracias a Dios.

Acudió presurosa la *zarevna* María. Acogió con júbilo a su hermano, se informó de su salud y le contó cómo vivía ella. El zarevich pasó tres días a su lado.

—No puedo quedarme más tiempo —dijo entonces—. Voy en busca de mi esposa, la bella princesa María de las Muertes.

—Mucho te costará dar con ella —advirtió su cuñado el halcón—. Déjanos, por si acaso, tu cuchara de plata. Así te recordaremos siempre que la veamos.

El zarevich Iván dejó la cuchara de plata a su cuñado el halcón y prosiguió su camino.

Cabalgó un día, luego otro, y al amanecer del tercero se halló frente a un palacio todavía mejor que el primero. A la entrada se alzaba un roble, y en el roble estaba posada un águila. Al verle, el águila bajó volando del roble, pegó contra el suelo y se convirtió en un apuesto caballero.

—¡Levántate, *zarevna* Olga, que ha venido nuestro querido hermano! —gritó.

La *zarevna* acudió inmediatamente al encuentro de su hermano, comenzó a besarle y abrazarle mientras se informaba de su salud y le hablaba de la vida que ella hacía. El zarevich Iván pasó tres días con ellos.

—No dispongo de más tiempo —dijo al cabo—: Voy en busca de mi esposa, la bella princesa María de las Muertes.

—Mucho te costará dar con ella —advirtió su cuñado el águila—. Déjanos tu tenedor de plata. Así te recordaremos siempre que lo veamos.

El zarevich Iván les dejó el tenedor de plata y continuó su camino.

Cabalgó un día, luego otro, y al amanecer del tercero se halló frente a un palacio mejor que los dos primeros. A la entrada se alzaba un roble, y en el roble estaba posado un cuervo. Al verle, el cuervo bajó volando del roble, pegó contra el suelo y se convirtió en un apuesto caballero.

—¡*Zarevna* Ana! —gritó—. Sal en seguida, que aquí llega nuestro hermano.

La *zarevna* Ana llegó corriendo, acogió con júbilo a su hermano, se puso a besarle y abrazarle mientras se informaba de su salud y le contaba cómo vivía ella. El zarevich Iván pasó tres días con ellos.

—¡Adiós! —dijo entonces—. Voy en busca de mi esposa, la bella princesa María de las Muertes.

—Mucho te costará dar con ella —observó el cuervo—. Déjanos tu tabaquera de plata. Así te recordaremos siempre que la veamos.

El zarevich Iván les dejó su tabaquera de plata, se despidió y continuó su camino.

Cabalgó un día, luego otro, y al tercero llegó donde se encontraba María de las Muertes. Al ver a su amado, la princesa corrió a sus brazos y profirió, anegada en lágrimas:

—¡Ay, zarevich Iván! ¿Por qué me desobedeciste, miraste en el camaranchón y liberaste a Koschéi, el Esqueleto Perpetuo?

—¡Perdóname, María de las Muertes! Y olvida lo pasado. Lo que debes hacer ahora es venirte conmigo antes de que aparezca Koschéi. Quizá tengamos la suerte de que no nos dé alcance.

Hicieron sus preparativos y escaparon de allí.

Koschéi andaba entonces de caza. Cuando volvía, al atardecer, el recio caballo que montaba pegó un tropezón.

—¿Qué te ocurre, jamelgo raquítico? ¿Por qué tropiezas? ¿Acaso barruntas algún contratiempo?

—El zarevich Iván ha estado aquí —contestó el caballo— y se ha llevado a María de las Muertes.

—¿Se les puede dar alcance?

—Hay tiempo para sembrar trigo, esperar a que grane, segarlo, trillarlo, convertirlo en harina, preparar cinco hornadas de pan, comérselo todo, partir solamente entonces detrás de ellos y, aun así, darles alcance.

Koschéi partió al galope y alcanzó al zarevich Iván.

—Por ser la primera vez, te perdono en pago de tu bondad por haberme dado de beber. Y también te perdonaré una vez más. Pero ándate con cuidado, porque a la tercera te despedazaré.

Le arrebató a María de las Muertes y se la llevó. En cuanto al zarevich Iván, se quedó allí llorando, sentado en una piedra.

Lloró amargamente, pero volvió de nuevo en busca de María de las Muertes. Llegó en ausencia de Koschéi.

—¡Vámonos, María de las Muertes!

—¡Ay, zarevich Iván! Nos alcanzará.

—Aunque nos alcance. Por lo menos estaremos una o dos horas juntos.

Hicieron sus preparativos y se marcharon. Volvía Koschéi a su casa, cuando el recio caballo que montaba pegó un tropezón.

—¿Qué te ocurre, jamelgo raquítico? ¿Por qué tropiezas? ¿Acaso barruntas algún contratiempo?

—El zarevich Iván ha estado aquí y se ha llevado a María de las Muertes.

—¿Se les puede dar alcance?

—Se puede sembrar cebada, esperar a que grane, segarla, trillarla, hacer cerveza con ella, beber hasta emborracharse, dormir la borrachera, partir solamente entonces detrás de ellos y, aun así, darles alcance.

Koschéi partió al galope y alcanzó al zarevich Iván.

—Ya te advertí que podías despedirte de María de las Muertes para siempre.

Le arrebató a la bella princesa y se la llevó.

El zarevich Iván se quedó solo, lloró amargamente y de nuevo fue en busca de María de las Muertes. Por entonces, Koschéi estaba ausente.

—¡Vámonos, María de las Muertes!

—¡Ay, zarevich Iván! Nos alcanzará y a ti te hará pedazos.

—¡Aunque me haga pedazos! Yo no puedo vivir sin ti.

Hicieron sus preparativos y se marcharon.

Volvía Koschéi a su casa, cuando el recio caballo que montaba pegó un tropezón.

—¿Qué te ocurre, jamelgo raquítico? ¿Por qué tropiezas? ¿Acaso barruntas algún contratiempo?

—El zarevich Iván ha estado aquí y se ha llevado a María de las Muertes.

Koschéi partió al galope, alcanzó al zarevich Iván, le hizo pedazos muy pequeños, que metió en un tonel embreado, luego reforzó el tonel con aros de hierro, lo arrojó al mar azul y se llevó a María de las Muertes a su casa.

Por entonces, los objetos de plata que el zarevich Iván había dejado en casa de sus cuñados se pusieron renegridos.

—¡Ay! ¡Alguna desgracia le ha ocurrido! —exclamaron.

El águila corrió al mar azul, agarró el tonel y lo sacó a tierra: el halcón fue a buscar el agua de la vida, y el cuervo el agua de la muerte. Se juntaron luego los tres al borde del mar, rompieron el tonel, sacaron los pedazos del zarevich Iván, los lavaron y los colocaron como debían estar. El cuervo los roció con el agua de la muerte, y los pedazos se unieron volviendo a formar el cuerpo. El halcón le roció con el agua de la vida, y entonces el zarevich Iván se estremeció, se incorporó y dijo:

—¡Cuánto tiempo he dormido!

—Pues aún habrías dormido más tiempo de no ser por nosotros —replicaron los cuñados.

—Ven ahora a pasar una temporada con nosotros.

—¡Imposible, hermanos! Tengo que rescatar a María de las Muertes.

El zarevich fue donde estaba su esposa y le dijo:

—Entérate de cómo se ha hecho Koschéi con ese caballo tan raudo.

María de las Muertes aprovechó un momento oportuno y se lo preguntó a Koschéi.

—Allá en los confines del mundo, en el más remoto de los países, pasado el río de fuego, vive la bruja Yagá. Ella tiene una yegua y galopa a diario alrededor del mundo. Además, posee otras muchas yeguas de gran valor. Yo estuve una vez llevándolas a pastar durante tres días y, como ninguna se me desmandó, la bruja Yagá me regaló un potro.

—¿Y cómo pudiste cruzar el río de fuego?

—Porque tengo un pañuelo que si lo agito tres veces hacia la derecha, aparece un puente muy alto, muy alto, y el fuego no llega hasta él.

María de las Muertes escuchó todo con mucha atención, se lo repitió al zarevich Iván y le llevó el pañuelo de Koschéi.

El zarevich cruzó por encima del río de fuego y se encaminó hacia la casa de la bruja Yagá. Anduvo mucho tiempo sin comer ni beber. En esto, vio a un ave de ultramar con sus polluelos. «Me comeré uno de los polluelos», se dijo el zarevich.

—No te lo comas, zarevich Iván —rogó el ave de ultramar—. En algún momento te prestaré un servicio.

Continuó el zarevich su camino, cuando se encontró con un nido de abejas en el bosque. «Cogeré un poco de miel», se dijo.

—No toques nuestra miel —pidió la reina de las abejas—. En algún momento te prestaré un servicio.

El zarevich no cogió miel, y prosiguió su camino hasta cruzarse con una leona y su cachorro. «Me comeré aunque sea este cachorro, porque tengo tanta hambre que hasta siento náuseas», se dijo.

—No le hagas nada a mi cachorro —pidió la leona—. En algún momento te prestaré un servicio.

—Sea como tú quieres.

Famélico, siguió como pudo y, anda que te anda, se encontró frente a la casa de la bruja Yagá. Alrededor de la casa había plantadas doce estacas coronadas todas, menos una, por una cabeza humana.

—¡Hola, abuela!

—Hola, zarevich Iván. ¿Cómo tú por aquí? ¿Vienes por tu voluntad o vienes por necesidad?

—He venido a ganarme uno de tus magníficos caballos.

—De acuerdo, zarevich. Ya sabes que no precisas estar mucho tiempo a mi servicio, sino tres días solamente. En caso de que no se te desmande ninguna de mis yeguas, te daré un caballo digno de un *bogatir*. De lo contrario, y no lo tomes a mal, tu cabeza coronará la estaca que está vacía.

El zarevich Iván aceptó las condiciones. La bruja Yagá le dio de comer, de beber, y le ordenó poner manos a la obra. Apenas hizo salir el zarevich a las yeguas de la cuadra, estas emprendieron el galope, se dispersaron por los prados y desaparecieron en un abrir y cerrar de ojos. El zarevich se sentó en una piedra y rompió a llorar, hasta que le venció el sueño. El sol iba a ponerse ya, cuando llegó volando el ave de ultramar y le despertó diciendo:

—Levántate, zarevich Iván. Las yeguas están ya todas en la cuadra.

El zarevich se levantó y volvió a casa de la bruja Yagá, que estaba regañando a sus yeguas.

—¿Por qué habéis vuelto a casa? —gritaba muy enfadada.

—¿Cómo no íbamos a volver, si acudieron aves del mundo entero y por poco nos sacan los ojos?

—Bueno, pues mañana no galopéis por los prados. Lo que debéis hacer es dispersaros por los bosques más frondosos.

El zarevich Iván se acostó a dormir. Por la mañana, le advirtió la bruja Yagá:

—Ándate con ojo, zarevich Iván: ya sabes que si no vigilas a las yeguas y se te pierde una sola, tu alocada cabeza se verá ensartada en una estaca.

El zarevich condujo las yeguas al campo; pero estas partieron inmediatamente al galope y se dispersaron por los bosques más frondosos. De nuevo se sentó el zarevich Iván en una piedra y estuvo llora que te llora, hasta que le rindió el sueño. Se había puesto ya el sol detrás del bosque, cuando acudió corriendo la leona.

—Levántate, zarevich Iván. Las yeguas están ya todas en la cuadra.

El zarevich Iván se levantó y regresó a casa de la bruja Yagá, que estaba regañando a sus yeguas.

—¿Por qué habéis vuelto a casa? —gritaba más enfadada aún.

—¿Cómo no íbamos a volver, si acudieron animales feroces del mundo entero y estuvieron a punto de devorarnos?

—Bueno, pues mañana debéis escaparos al mar azul.

También esa noche se acostó a dormir el zarevich Iván. Por la mañana, la bruja Yagá le mandó que sacara las yeguas.

—Si no vuelves a traerlas todas —le advirtió—, tu alocada cabeza se verá en el extremo de una estaca.

El zarevich sacó las yeguas al campo, pero ellas emprendieron inmediatamente el galope, desaparecieron en un abrir y cerrar de ojos y se metieron en el mar hasta que les llegó el agua al cuello. El zarevich Iván se sentó en una piedra y lloró hasta que se durmió. El sol había desaparecido detrás del bosque, cuando llegó una abeja volando y le dijo:

—Levántate, zarevich. Las yeguas están ya todas en la cuadra. Cuando vuelvas a casa de la bruja Yagá, métete en la cuadra sin que ella te vea y escóndete detrás de los pesebres. Allí encontrarás un potrillo canijo tumbado sobre el estiércol. Róbalo y escapa con él cuando sea medianoche.

El zarevich se levantó, llegó sigilosamente hasta la cuadra y se acurrucó detrás de los pesebres. La bruja Yagá estaba alborotando y chillándoles a sus yeguas:

—¿Por qué habéis vuelto?

—¿Cómo no íbamos a volver, si llegaron nubes de abejas del mundo entero y empezaron a clavarnos sus aguijones desde todas partes hasta levantarnos ronchas?

La bruja Yagá se acostó a dormir. El zarevich aguardó a que diera la medianoche, le robó el potrillo canijo, lo ensilló y galopó, montado en él, hasta el río de fuego. Cuando llegó al río, agitó tres veces el pañuelo hacia la derecha y, de pronto, apareció un hermoso puente, a gran altura sobre las llamas. El zarevich cruzó el puente, agitó el pañuelo hacia la izquierda solamente dos veces y quedó sobre el río una frágil pasarela.

Cuando se despertó por la mañana, la bruja Yagá notó la falta del potrillo canijo. Furiosa, se lanzó a toda velocidad detrás de los fugitivos, montada en un almirez de hierro. Utilizaba la mano del almirez como timón, y con una escoba iba borrando las huellas. Así llegó al río de fuego. «¡Qué buen puente!», se dijo, viendo el que había dejado el zarevich Iván, y se metió por él. Pero había llegado a la mitad, cuando el puente se desmoronó y la bruja Yagá cayó pegando tumbos al río, donde murió abrasada.

El zarevich Iván hizo pastar a su potro en los prados más verdes, y pronto se convirtió en un magnífico corcel. Entonces fue donde se encontraba María de las Muertes. La bella princesa corrió a su encuentro y cayó en sus brazos.

—¡Alabado sea Dios, que te ha resucitado!

El zarevich le refirió cuanto le había ocurrido, y luego dijo:

—¡Vámonos!

—¡Tengo miedo, zarevich! Si Koschéi nos da alcance, serás despedazado otra vez.

—No podrá darnos alcance. Ahora monto un caballo digno de un *bogatir*, que corre como si tuviera alas.

Se montaron en el caballo y partieron de allí.

Volvía Koschéi a casa cuando su caballo tropezó.

—¿Qué te ocurre, jamelgo raquítico? ¿Por qué tropiezas? ¿Acaso barruntas algún contratiempo?

—El zarevich Iván ha estado aquí y se ha llevado a María de las Muertes.

—¿Se le puede dar alcance?

—¡Sabe Dios! El zarevich Iván tiene ahora un caballo mejor que yo.

—No lo consentiré —exclamó Koschéi—. Vamos tras ellos.

Al cabo de algún tiempo, no sé si poco o mucho, dio alcance a los fugitivos, saltó a tierra, y se disponía a descargar su afilado sable sobre el zarevich Iván, cuando el caballo que este montaba le pegó a Koschéi una coz con todas sus fuerzas, abriéndole la cabeza. Luego el zarevich le remató con su maza, hizo un montón de leña, le prendió fuego, quemó a Koschéi en aquella hoguera y aventó sus cenizas.

María de las Muertes montó en el caballo de Koschéi, el zarevich en el suyo, y se fueron a visitar al cuervo, luego al águila y, por fin, al halcón, siendo acogidos con gran júbilo por todos.

—Habíamos perdido ya las esperanzas de volverte a ver, zarevich Iván. Pero con razón has afrontado todos esos peligros: ni buscándola por el mundo entero se podría encontrar otra belleza como María de las Muertes.

Pasaron así algún tiempo en familia, festejando su reunión, y luego regresaron a su reino, donde vivieron felices y contentos, sin más azares y gozando de la existencia.

El zarevich Iván y Campero Blanco

En cierto reino, en cierto país, vivía un zar que tenía tres hijas y un hijo: el zarevich Iván. El zar llegó a viejo, falleció, y heredó la corona su hijo, el zarevich Iván.

Apenas se enteraron los reyes vecinos, aprestaron un número infinito de soldados y le declararon la guerra.

Perplejo, el zarevich Iván fue a consultar con sus hermanas.

—Hermanas queridas, ¿qué debo hacer? —les preguntó—. Todos los reyes han aprestado tropas contra mí.

—¡Vaya guerrero valiente! ¡De poco te asustas! ¿No sabes que Campero Blanco lleva treinta años luchando contra la bruja Yagá Pata-de-oro sin bajarse del caballo ni tomar ningún reposo? ¿Y tú te asustas antes de haber visto nada?

El zarevich Iván ensilló al instante su recio caballo, revistió su armadura, tomó la espada mágica, una larga pica y una fusta de seda, hizo sus oraciones y partió contra el enemigo. Todos sus adversarios perecieron: tantos como segó su espada, machacaron los cascos de su caballo. El zarevich Iván volvió a la ciudad, se acostó y estuvo durmiendo tres días y tres noches de un tirón.

Se despertó al cuarto día, salió al balcón y, cuando miró hacia los campos, vio que los reyes enemigos habían aprestado mayor número de tropas todavía y acampaban de nuevo al pie de los muros de la ciudad.

Muy preocupado, el zarevich fue a consultar con sus hermanas:

—Hermanas mías —les dijo—: no sé qué hacer. Destruí los primeros ejércitos; pero ahora hay otros delante de la ciudad, y representan una amenaza mayor todavía.

—¡Vaya guerrero valiente! Has combatido un día y has dormido tres. ¿No sabes que Campero Blanco lleva treinta años luchando contra la bruja Yagá Pata-de-oro sin bajarse del caballo ni tomar ningún reposo?

El zarevich Iván corrió a las suntuosas caballerizas, ensilló su recio caballo de *bogatir*, revistió su armadura de combate, se ciñó la espada mágica, agarró con una mano la larga pica y con la otra la fusta de seda, hizo sus oraciones y partió contra el enemigo. No acomete el halcón a una bandada de gansos, cisnes y patos grises con tanto ímpetu como acometió el zarevich Iván a las tropas de sus adversarios: si muchos segó su espada, más machacaron los cascos de su caballo.

Después de vencer aquella fuerza incalculable, el zarevich Iván volvió a su casa, se acostó y estuvo durmiendo seis días y seis noches de un tirón.

Se despertó al séptimo día, salió al balcón y, cuando miró hacia los campos, vio que los reyes enemigos habían aprestado mayor número aún de tropas, y de nuevo rodeaban toda la ciudad.

El zarevich Iván acudió a sus hermanas.

—Amables hermanas mías —les dijo—: no sé qué hacer. Destruí los primeros ejércitos, he destruido los segundos, pero hay otros delante de la ciudad, y representan una amenaza mayor todavía.

—¡Vaya guerrero valiente! Has combatido un día y has dormido seis de un tirón. ¿No sabes que Campero Blanco lleva treinta años luchando contra la bruja Yagá Pata-de-oro sin bajarse del caballo ni tomar ningún reposo?

Aquellas palabras le parecieron amargas al zarevich Iván. Corrió a las suntuosas caballerizas, ensilló su recio caballo de *bogatir*, revistió su armadura de combate, se ciñó la espada mágica, agarró con una mano la larga pica y con la otra la fusta de seda, hizo sus oraciones y partió contra el enemigo. No acomete el halcón a una bandada de gansos, cisnes y patos grises con tanto ímpetu como acometió el zarevich Iván a las tropas de sus adversarios: si muchos segó su espada, más machacaron los cascos de su caballo.

Venció a aquellas fuerzas tan numerosas, volvió a su casa, se acostó y estuvo durmiendo nueve días y nueve noches de un tirón.

Se despertó al décimo día y convocó a todos los ministros y los senadores.

—Señores ministros y senadores míos: tengo el propósito de marchar a países extranjeros para conocer a Campero Blanco. Os pido que en mi ausencia llevéis todos los asuntos con tiento y sabiduría, rigiéndoos siempre por la justicia.

Dicho lo cual, se despidió de sus hermanas, montó a caballo y se puso en camino.

Llevaba ya cierto tiempo cabalgando —poco o mucho, no lo sé—, cuando penetró en un bosque oscuro y se encontró con una casita donde habitaba un hombre muy viejo.

—Salud te deseo, abuelo.

—Lo mismo te digo, zarevich Iván. ¿Hacia dónde conduce Dios tus pasos?

—Busco a Campero Blanco. ¿No sabes tú dónde está?

—Pues no; yo no lo sé. Pero aguarda un poco: llamaré a todos mis fieles servidores y se lo preguntaré.

El viejo salió al porche, tañó un caramillo de plata, y al instante empezaron a acudir avecillas desde todas partes. Acudieron tantas que ocultaron el cielo entero como una nube negra.

El viejo lanzó un grito sonoro y luego un silbido estridente.

—Avecillas viajeras, fieles servidoras mías: ¿habéis visto a Campero Blanco o habéis oído hablar de él?

—No. Ni le hemos visto ni hemos oído hablar de él.

—Entonces, zarevich Iván —dijo el viejo—, te recomiendo que vayas a ver a mi hermano mayor. Quizá pueda él decirte algo. Toma este ovillo, arrójalo delante de ti y dirige tu caballo hacia donde ruede él.

El zarevich Iván montó en su recio caballo, arrojó el ovillo al suelo y cabalgó detrás de él. El bosque iba haciéndose más oscuro por momentos.

Llegó el zarevich frente a una casita, entró y se halló ante un viejecito canoso como un gerifalte.

—Salud te deseo, abuelo.

—Igual te digo, zarevich ruso. ¿Qué camino llevas?

—Ando buscando a Campero Blanco. ¿No sabrías tú dónde está?

—Espera un momento que llame a todos mis fieles servidores para preguntarles a ellos.

El viejecito salió al porche, tañó un caramillo de plata y, de pronto, se reunieron a su alrededor animales de todas clases venidos de distintos lugares.

El viejo gritó con fuerza y lanzó un silbido estridente:

—Animales veloces, fieles servidores míos, ¿habéis visto a Campero Blanco o habéis oído hablar de él?

—No —contestaron los animales—: ni le hemos visto ni hemos oído hablar de él.

—A ver: contaos vosotros para tener la seguridad de que habéis venido todos.

Los animales se contaron, y así descubrieron que faltaba la loba tuerta. El viejecito ordenó que fueran a buscarla. Partieron inmediatamente unos corredores y la trajeron.

—Vamos a ver, loba tuerta, ¿conoces tú a Campero Blanco?

—¿Cómo no le voy a conocer, si nunca me aparto de él? Él destruye las tropas y yo me alimento de los cadáveres.

—¿Y dónde se encuentra ahora?

—En pleno campo, durmiendo en una tienda montada sobre un alto cerro. Ha luchado contra la bruja Yagá Pata-de-oro y luego se ha acostado a dormir doce días y doce noches.

—Enséñale el camino al zarevich Iván.

La loba tuerta emprendió la carrera y el zarevich la siguió al galope.

Cuando llegó al alto cerro, entró en la tienda y encontró allí a Campero Blanco profundamente dormido.

«¡Tanto como decían mis hermanas que él lucha sin reposo —se dijo—, y resulta que se ha acostado a dormir doce días! ¿Y si echara yo también un sueño?».

Después de pensarlo un poco, el zarevich Iván se tendió al lado de Campero Blanco. En esto, se coló en la tienda un pajarillo que se puso a revolotear sobre la cabecera pronunciando estas palabras:

—Despierta y levántate, Campero Blanco, y dale la peor de las muertes a mi hermano el zarevich Iván, si no quieres que te mate él a ti cuando se levante.

El zarevich Iván se incorporó de un salto, agarró al pajarillo, le arrancó la pata derecha, lo arrojó fuera de la tienda y se acostó otra vez al lado de Campero Blanco.

No había conciliado aún el sueño cuando penetró otro pajarillo y se puso a revolotear sobre la cabecera, diciendo:

—Despierta y levántate, Campero Blanco, y dale la peor de las muertes a mi hermano el zarevich Iván, si no quieres que te mate él a ti cuando se levante.

El zarevich Iván se incorporó de un salto, agarró al pajarillo, le arrancó el ala derecha, lo arrojó fuera de la tienda y se acostó otra vez en el mismo sitio.

Pero detrás del segundo vino un tercer pajarillo, que se puso a revolotear sobre la cabecera, diciendo:

—Despierta y levántate, Campero Blanco, y dale la peor de las muertes a mi hermano el zarevich Iván, si no quieres que te mate él a ti cuando se levante.

El zarevich Iván se incorporó de un salto, agarró al pajarillo, le

arrancó el pico, luego lo arrojó fuera y volvió a acostarse, quedando profundamente dormido.

Cuando le llegó la hora de despertar, Campero Blanco descubrió a su lado a un *bogatir* desconocido. Empuñó su afilada espada para matarle, pero se contuvo a tiempo, pensando: «No. Él me ha encontrado a mí dormido y no ha querido mancillar su espada. A mí, que soy un hombre valiente, no me cuadra ni me haría ningún honor matarle así. Un hombre dormido es igual que un hombre muerto. Mejor será que le despierte».

Despertó, efectivamente, al zarevich Iván y le preguntó:

—¿Eres o no un hombre de bien? ¿Cómo te llamas, di, y a qué vienes?

—Soy el zarevich Iván y he venido a verte y a medir mis fuerzas con las tuyas.

—Osadía no te falta, zarevich Iván. Has entrado en la tienda sin pedir permiso a nadie, te has echado a dormir tan campante... Con eso bastaría para darte muerte.

—¡Para, Campero Blanco! No te jactes antes de saltar el foso, porque puedes tropezar. Tú tienes dos brazos, pero tampoco a mí me parió mi madre manco.

Montaron en sus recios caballos, arremetieron el uno contra el otro, y chocaron con tanta fuerza que las lanzas volaron hechas pedazos y los nobles caballos doblaron las rodillas.

El zarevich Iván tiró abajo de su caballo a Campero Blanco y alzó la afilada espada sobre su cabeza.

—No me quites la vida —profirió Campero Blanco—. Te acepto por hermano mayor y he de respetarte como a un padre.

El zarevich Iván tomó su mano, le alzó del suelo y le besó en los labios llamándole hermano menor.

—He oído decir —observó luego— que llevas treinta años peleando contra la bruja Yagá Pata-de-oro. ¿Por qué motivo?

—Tiene una hija bellísima y yo quiero quitársela para casarme con ella.

—Bueno, pues si dos hombres se consideran hermanos, como tú y yo —opinó el zarevich—, es para todas las ocasiones. Iremos juntos a luchar.

Montaron en sus caballos y se lanzaron al campo, donde la bruja Yagá Pata-de-oro había emplazado un número de tropas infinito. No acomete el halcón a una bandada de palomas con tanto ímpetu como acometieron los imponentes *bogatires* a sus adversarios: si muchos segaron sus espadas, más machacaron los cascos de sus caballos. ¡Fueron miles los que aniquilaron!

La bruja Yagá escapó precipitadamente, pero el zarevich Iván se lanzó tras ella. Estaba ya a punto de alcanzarla, cuando la vio correr hacia el borde de un precipicio, levantar una trampilla de hierro y desaparecer bajo tierra.

El zarevich Iván y Campero Blanco compraron gran número de bueyes, fueron sacrificándolos y desollándolos para hacer tiras sus pellejos y con esas tiras trenzar una cuerda. Pero una cuerda tan larga que un extremo estaba allí y el extremo opuesto llegaba al otro mundo.

—Bájame en seguida —le dijo el zarevich Iván a Campero Blanco— y no retires la cuerda hasta que yo te haga una señal tirando desde abajo.

Campero Blanco le descendió hasta el fondo del precipicio. Cuando estuvo abajo, el zarevich Iván miró a su alrededor y marchó en busca de la bruja Yagá.

Al cabo de mucho andar, vio a unos sastres trabajando detrás de una reja.

—¿Qué estáis haciendo? —les preguntó.

—Ya lo ves, zarevich Iván: estamos preparando tropas para la bruja Yagá.

—¡Ah! ¿Y cómo os apañáis?

—Muy sencillo: en cuanto clavamos una aguja, sea donde sea, un cosaco monta a caballo con su pica, va a ocupar su sitio en las filas y marcha a guerrear contra Campero Blanco.

—¡Caramba, muchachos! No se puede negar que trabajáis deprisa, pero todo esto es una chapuza. A ver: poneos en fila y veréis qué pronto os enseño yo a trabajar bien.

Todos se alinearon al momento. El zarevich enarboló su espada y, de un tajo, todas las cabezas salieron disparadas. Después de acabar con los sastres, reanudó su marcha.

Al cabo de mucho andar, vio a unos zapateros trabajando detrás de una reja.

—¿Qué hacéis? —preguntó.

—Estamos preparando tropas para la bruja Yagá Pata-de-oro.

—¡Ah! ¿Y cómo os apañáis, muchachos?

—Muy sencillo: en cuanto clavamos una lezna en un objeto cualquiera, un soldado con fusil monta a caballo, va a ocupar su sitio en las filas y marcha a guerrear contra Campero Blanco.

—¡Caramba, muchachos! No se puede negar que trabajáis deprisa, pero todo esto es una chapuza. A ver: poneos en fila y yo os enseñaré a hacerlo mejor.

Todos se alinearon al momento. El zarevich enarboló su espada y, de un tajo, todas las cabezas salieron disparadas. Después de acabar con los zapateros, reanudó su marcha.

Caminando —no sé si poco o mucho—, llegó a una gran ciudad muy bella. En aquella ciudad había una morada principesca, y en aquella morada vivía una doncella de indescriptible belleza. Desde su ventana vio pasar al zarevich Iván y se prendó de sus cabellos negros, de sus ojos de azor, de sus cejas sedosas y su porte de *bogatir*. Le invitó a entrar en su casa, le preguntó a dónde iba y qué empeño le llevaba. El zarevich le explicó que buscaba a la bruja Yagá Pata-de-oro.

—¡Ay, zarevich Iván! Si yo soy su hija... Ahora estará durmiendo con sueño de plomo, porque se ha acostado a descansar durante doce días.

Le acompañó hasta fuera de la ciudad y le explicó el camino que debía seguir.

El zarevich Iván fue hasta donde estaba la bruja Yagá Pata-de-oro, la encontró dormida y le cortó el cuello de un tajo de su espada. La cabeza salió rodando a la vez que decía:

—¡Pega otro tajo, zarevich Iván!

—No. Cuando pega un *bogatir*, con un golpe basta.

Volvió a la morada de la hermosa doncella, que le recibió a manteles puestos. Cuando terminaron su colación, el zarevich preguntó:

—¿Hay alguien en el mundo más fuerte que yo o más bella que tú?

—¡Por Dios, zarevich Iván! Yo no soy ni bonita comparada con la princesa que tiene encerrada el zar de las serpientes allá en los confines del mundo, en el más remoto de los países. Ella sí que es una beldad indescriptible. En cuanto a mi belleza, es lo que hubiera podido conseguir lavándome la cara con el agua en que ella se refresca los pies.

El zarevich tomó a la linda doncella por su blanca mano, la condujo hasta el lugar donde colgaba la cuerda y le hizo la señal convenida a Campero Blanco, que empezó a tirar, y venga a tirar, hasta que sacó a la luz del día al zarevich Iván y a la hermosa doncella.

—Ya estoy de vuelta, Campero Blanco, y aquí te traigo a tu prometida. Disfruta de la vida, diviértete y no sufras por nada. En cuanto a mí, voy al reino de las serpientes.

Montó en su caballo, se despidió de Campero Blanco y de su prometida y galopó hacia los confines de la tierra.

No sé si galopó mucho o poco tiempo, si bajó o subió montañas, porque las cosas se dicen muy pronto, pero se tarda mucho en hacerlas... Sin embargo, el hecho es que llegó al reino de las serpientes, mató al zar de todas ellas, rescató a la hermosa princesa y se casó con ella.

Luego volvió a su casa con su joven esposa, y allí vivieron muchos años felices y en la opulencia.

La montaña de cristal

En cierto reino, en cierto país, vivía un zar que tenía tres hijos. Un día le dijeron:

—Amado padre y soberano: danos tu bendición. Queremos salir de caza.

El padre les dio su bendición, y los tres partieron en direcciones distintas.

El menor, al cabo de mucho cabalgar, se extravió. Por fin, desembocó en una vasta pradera, en medio de la cual yacía un caballo muerto. En torno a su carroña se había juntado un gran número de fieras, aves y reptiles. Un halcón que estaba allí remontó el vuelo, fue a posarse sobre un hombro del zarevich y le dijo:

—Zarevich Iván: repártenos este caballo. Lleva aquí treinta y tres años, y nosotros no paramos de discutir, pero no logramos ponernos de acuerdo sobre el modo de repartírnoslo.

El zarevich se apeó del caballo y repartió la carroña de la siguiente manera: para las fieras, los huesos; para las aves, la carne; para los reptiles, el pellejo; y para las hormigas, la cabeza.

—Gracias, zarevich Iván —dijo el halcón—. En pago de este favor, podrás convertirte en noble halcón o en hormiga todas las veces que lo desees.

El zarevich Iván pegó contra la tierra húmeda, se convirtió en noble halcón, se remontó y voló hacia el más remoto de los países, un país que estaba más de la mitad incrustado en una montaña de cris-

93

tal. Llegó hasta el mismo palacio, se transformó en un apuesto mancebo y preguntó a la guardia:

—¿No me emplearía vuestro soberano a su servicio?

—¿Por qué no emplear a un mozo tan apuesto?

Conque así entró al servicio de aquel zar. Transcurrió una semana, luego otra, y otra... hasta un día que la *zarevna* le pidió a su padre:

—Padre y soberano: permíteme que vaya con el zarevich Iván a dar un paseo por la montaña de cristal.

Con la venia del zar, montaron en unos hermosos caballos y partieron hacia la montaña de cristal. Iban llegando ya cuando, de pronto, apareció una cabra de oro. El zarevich se lanzó tras ella, pero no pudo alcanzarla, y cuando después de mucho galopar volvió sobre sus pasos, no encontró a la *zarevna* en el lugar donde la había dejado.

Perplejo, sin saber qué hacer ni cómo presentarse ante el zar, tomó la forma de un viejecito, tan viejo que era imposible reconocerle, y así fue a palacio.

—Majestad —le dijo al zar—, ¿no podrías emplearme para llevar a pastar al ganado?

—Bueno. Quédate de pastor. Si viene un culebrón de tres cabezas, le das tres vacas; si es uno de seis cabezas, le das seis vacas; y si es uno de doce cabezas, entrégale doce vacas.

El zarevich marchó a pastar el ganado por los montes y por los valles. De repente, llegó volando desde un lago un culebrón de tres cabezas.

—¿Qué ocurrencia es esta, zarevich Iván? Lo que le cuadra a un mancebo tan apuesto como tú es andar batallando, y no cuidar de un rebaño. En fin, ya me estás dando tres vacas.

—¿No te parece excesivo? —replicó el zarevich—. Conque yo no como más que un pato en todo el día, y tú quieres tres vacas de golpe... Pues no voy a darte ninguna.

Furioso, el culebrón agarró seis vacas en lugar de tres. Pero el zarevich Iván se convirtió al instante en noble halcón, le arrancó las tres cabezas al culebrón y volvió a palacio con el rebaño.

—¿Qué hay, abuelo? —inquirió el zar—. ¿Ha venido el culebrón de las tres cabezas? ¿Le has dado las tres vacas?

—No, majestad. No le he dado ni una.

Al día siguiente, conducía el zarevich su rebaño por los montes y los valles, cuando llegó volando de un lago un culebrón de seis cabezas y le exigió seis vacas.

—¡Habrase visto el monstruo! ¡Muy hambrón eres! ¡Pues no me pides tú nada, a mí que sólo como un pato en todo el día! No te daré ni una.

Furioso, el culebrón agarró doce vacas en lugar de seis; pero el zarevich se convirtió al instante en noble halcón, voló detrás del culebrón y le arrancó las seis cabezas. Cuando volvió a palacio con el rebaño, le preguntó el zar:

—¿Qué hay, abuelo? ¿Ha venido el culebrón de las seis cabezas? ¿Ha mermado mucho el rebaño?

—Como venir, sí que ha venido; pero no se ha llevado nada.

Muy entrada la noche, el zarevich se transformó en hormiga y penetró en la montaña de cristal a través de una pequeña grieta. Una vez dentro, descubrió allí a la *zarevna*.

—¿Cómo has llegado hasta aquí? —le preguntó después de saludarla.

—Me trajo un culebrón de doce cabezas que vive en el lago de mi padre. Ese culebrón tiene dentro un arca. Dentro del arca hay una liebre; dentro de la liebre, una oca; dentro de la oca, un huevo; y dentro del huevo, una simiente. Si logras matar al culebrón y sacar esa simiente, será posible destruir la montaña de cristal y salvarme a mí.

El zarevich Iván salió de la montaña de cristal igual que había entrado, se vistió de pastor y marchó con su rebaño. De repente, apareció un culebrón de doce cabezas.

—¡Valiente ocurrencia has tenido, zarevich Iván! Tú, que debías estar batallando como le cuadra a tan apuesto mancebo, andas cuidando de un rebaño... ¡Venga! Ya me estás dando doce vacas.

—¿No te parece excesivo? Conque yo sólo como un pato en todo el día, y mira tú lo que pides...

Se pusieron a luchar y, por fin —no sé si al cabo de poco o de mucho tiempo—, venció el zarevich al culebrón de las doce cabezas. Le abrió el cuerpo en canal, y en el lado derecho encontró un arca. Dentro del arca había una liebre; dentro de la liebre, una oca; dentro de la oca, un huevo; y dentro del huevo, una simiente. Tomó la simiente, la prendió fuego y la aproximó a la montaña de cristal, que pronto comenzó a derretirse. El zarevich Iván liberó entonces a la *zarevna* y la condujo a palacio, donde su padre se llevó una alegría tan grande al verla que le propuso al zarevich ser su yerno.

En seguida se celebró la boda. También yo estuve allí, comí y bebí hasta tener la barba empapada, aunque en la boca no me entró ni una tajada.

Bujtán Bujtánovich*

En cierto reino y en cierto país vivía Bujtán Bujtánovich, un hombre que se había construido una estufa sobre pilotes en pleno campo.

Estaba tumbado en el rellano de la estufa, metido hasta el codo en leche de cucarachas, cuando llegó una zorra y le dijo:

—Oye, Bujtán Bujtánovich: ¿quieres que te case con la hija del zar?

—¿Pero qué estás diciendo?

—¿Tienes algún dinero?

—Sí, claro, pero es solamente una moneda de cinco kopeks*.

—Bueno, pues dámela.

La zorra hizo que le cambiaran la moneda en kopeks, medios kopek y cuartos de kopek, y luego se presentó al zar.

—Amable majestad —le dijo—, ¿querríais prestarme un *chetverik** para medir el dinero de Bujtán Bujtánovich?

—Llévatelo.

La zorra fue a su casa, deslizó unas monedas en el hueco que formaba uno de los aros, y devolvió la medida al zar, diciendo:

—Amable majestad, con esta medida no basta. ¿Podríais prestarme una que tenga el doble de capacidad para medir las monedas de Bujtán Bujtánovich?

—¡Llévatela!

La zorra cogió la medida, fue a su casa, metió unas monedas en el hueco que formaba uno de los aros y se la devolvió al zar.

—Amable majestad: esta tampoco basta. ¿Podríais prestarme otra que sea el doble de esta?

—¡Llévatela!

La zorra cogió la medida, fue a su casa, metió el resto de las monedas en el hueco que formaba uno de los aros y se la devolvió al zar.

—¿Te ha bastado esta, zorrita? —se interesó el zar.

—Sí, perfectamente. Pero ahora, amable majestad, he venido a hablaros de un asunto de sumo interés: he venido a sugeriros que caséis a vuestra hija con Bujtán Bujtánovich.

—Bueno, pero habría que ver al novio primero, ¿no?

La zorra se marchó corriendo.

—¡Bujtán Bujtánovich! ¿Tienes algún traje decente? Pues póntelo y ven conmigo.

Bujtán Bujtánovich se puso el traje y fue a ver al zar, guiado por la zorra. El camino pasaba por un puentecillo, tan sucio que daba asco verlo. La zorra empujó a Bujtán Bujtánovich, que fue a caer en el lodo todo lo largo que era. La zorra se inclinó sobre él, muy solícita, haciendo aspavientos, y con el pretexto de ayudarle a levantarse, le embadurnó todavía más.

—Espera un momento, Bujtán Bujtánovich. Le explicaré al zar lo que ha ocurrido.

De una carrera, llegó al palacio y compareció ante el zar con estas palabras:

—¡Amable majestad! Veníamos Bujtán Bujtánovich y yo por el puente, cuando nos hemos caído en un momento de distracción. Bujtán Bujtánovich se ha puesto perdido de barro y no puede andar así por las calles. ¿No tendríais algún traje de diario que prestarle?

—Sí, claro. Toma.

La zorra salió disparada con el traje. Llegó donde había dejado a Bujtán Bujtánovich y le dijo:

—Cambia tu traje por este, anda. Y vamos pronto a palacio.

Llegaron a palacio, donde les esperaba ya la mesa puesta. Bujtán Bujtánovich no tenía ojos más que para admirar su atuendo, ya que nunca se había visto tan lujosamente trajeado.

—Oye —inquirió finalmente el zar, llamando la atención de la zorra—: ¿qué le sucede a Bujtán Bujtánovich que no para de mirarse la ropa?

—Pues le ocurre, amable majestad, que se siente avergonzado. Nunca en su vida se había puesto un traje tan pobre. ¿No podríais ofrecerle, amable majestad, el que soléis poneros por Pascuas?

Luego, volviéndose disimuladamente hacia Bujtán Bujtánovich, susurró:

—¡Deja de mirarte el traje!

Como no sabía a dónde mirar, Bujtán Bujtánovich fijó los ojos en una silla dorada.

—Oye —preguntó otra vez el zar a la zorra—: ¿por qué se fija ahora tanto Bujtán Bujtánovich en la silla?

—Pues porque en su casa, amable majestad, esas sillas suele tenerlas en los cuartos de aseo.

El zar agarró la silla y la arrojó al pasillo.

—No mires a un sitio fijamente —le susurró la zorra a Bujtán Bujtánovich—. Mira mejor para acá, para allá...

Pero la conversación saltó en aquel momento a un tema muy interesante: los esponsales.

La boda se celebró al poco tiempo. De sobra es sabido que un zar no necesita hacer provisiones de cerveza ni de vino para un caso así, puesto que de todo le sobra.

A Bujtán Bujtánovich le cargaron tres barcos de todo lo habido y por haber, y con esa flota partió hacia su casa. Él iba por mar, con su esposa, y la zorra corriendo por la costa. Bujtán Bujtánovich vio su estufa en medio del campo y gritó:

—¡Zorrita, zorrita! ¡Mira mi estufa...!

—¡Calla, hombre! No te pongas en evidencia.

Siguieron el viaje. Mientras iba Bujtán Bujtánovich navegando, la zorrita se adelantó por la orilla y vio, en un altozano, un inmenso palacio de piedra rodeado de un reino inabarcable. Entró en una isba y no encontró a nadie. Fue al palacio, y en una sala encontró a Culebrón Culebrero estirado cuan largo era en un estrado, a Cuervo Corvero subido en un saliente de la estufa, y a Quiriquí Quiriquero sentado en el trono.

—¿Cómo estáis aquí tan tranquilos? —les gritó la zorra al entrar—. Ahí llegan el zar con el fuego y la zarina con el rayo. Incendiarán todo esto y moriréis abrasados.

—¡Ay! ¿Dónde nos podríamos esconder, zorrita?

—Tú, Quiriquí Quiriquero, métete en un barril.

Y la zorra encerró a Quiriquí Quiriquero en un barril.

—Tú, Cuervo Corvero, aquí en el almirez.

Y la zorra encerró a Cuervo Corvero en el almirez. En cuanto a Culebrón Culebrero, lo lio en un montón de paja y lo sacó fuera.

Llegaron los barcos, y la zorra ordenó que todos aquellos animales fueran arrojados al agua. Los cosacos cumplieron inmediatamente su orden. Bujtán Bujtánovich metió en aquel palacio todo lo que había traído en los tres barcos y allí vivió largos años en la opulencia, reinando y gobernando hasta que allí falleció.

Kozmá Pronto-Rico

Vivía Kozmá él solito en un bosque oscuro, sin más bienes que una pequeña isba de mala muerte, un gallo y cinco gallinas. Un día se fue de caza. Pero, apenas se marchó, apareció una zorra, mató una gallina, la asó y se la comió.

Cuando Kozmá volvió y descubrió que faltaba la gallina, pensó que la habría robado algún gavilán.

Al día siguiente, volvió a marchar de caza. Por el camino se encontró con la zorra.

—¿Adónde vas, Kozmá? —le preguntó.

—Voy de caza, zorrita.

—Bueno, pues adiós —se despidió la zorra, y en seguida corrió a casa de Kozmá, le retorció el cuello a una gallina, la asó y se la comió.

Kozmá regresó a su casa, notó la falta de la gallina y empezó a sospechar: «¿No será la zorra quien se come mis gallinas?».

Entonces, al tercer día cerró muy bien cerradas las puertas y ventanas de su isba y partió de caza. De pronto, se dio de manos a boca con la zorra.

—¿A dónde vas, Kozmá?

—De caza, zorrita.

La zorra corrió inmediatamente hacia la isba de Kozmá, pero este dio media vuelta y la siguió. La zorra se puso a husmear alrededor de la isba buscando algún hueco por donde colarse, puesto que todas las ventanas y las puertas estaban herméticamente cerradas. Encontró la solución metiéndose por la chimenea. Así fue como le echó el guante Kozmá.

—¡Vaya! Miren ustedes quién ha estado robándome. Pues ahora, señora mía, no escaparás viva de mis manos.

—Aguarda —rogó la zorra—. No me mates, y te convertiré en un hombre rico. Serás Kozmá Pronto-Rico. Lo único que necesito es una gallina bien asada con mantequilla.

Kozmá aceptó. Tras una comida tan sustanciosa, la zorra se fue a los prados del coto real y empezó a revolcarse en la hierba.

Llegó corriendo un lobo y exclamó:

—¡Maldito bicho! ¿Dónde has comido tanto que estás a punto de reventar?

—¡Ay, simpático compadre lobo! Vengo de un banquete que ha dado el zar. ¿No te ha invitado a ti? Pues éramos no sé cuantísimos animales de todas las especies: había infinidad de martas cebellinas, de armiños...

—¿Y no podrías hacer que fuera yo a ese banquete?

La zorra le prometió que lo haría, y le dijo que reuniera a cuarenta veces cuarenta lobos grises para que le acompañaran. El lobo reunió a cuarenta veces cuarenta lobos grises. La zorra se puso al frente para conducirlos a palacio. Pero en cuanto llegaron ella, penetró en una sala de mármol y, con una reverencia, le ofreció al zar cuarenta veces cuarenta lobos grises de parte de Kozmá Pronto-Rico. Al zar le agradó mucho el presente. Ordenó que todos los lobos quedaran bien encerrados en un recinto especial.

Volvió corriendo la zorra a casa de Kozmá, le pidió que le asara otra gallina, hizo un buen almuerzo y se fue a los prados del coto real, donde empezó a revolcarse en la hierba.

Un oso que pasaba por allí dijo, viendo a la zorra:

—¡Maldito bicho! ¡Se ve que te has dado una buena panzada!

—He estado en un banquete del zar. Éramos una infinidad de animales de todas las especies. Había martas cebellinas, armiños... Y muchos quedan allí todavía. Sobre todo lobos, naturalmente. ¡No puedes imaginarte, simpático compadre, lo hambrones que son! Allí siguen rebañándolo todo.

—Oye, ¿y no podrías llevarme a mí a ese banquete del zar? —preguntó el oso.

La zorra se comprometió a llevarle, pero a condición de que le acompañaran cuarenta veces cuarenta osos negros.

—Ya comprenderás que el zar no va a tomarse tanta molestia para ti solo.

El oso reunió a cuarenta veces cuarenta osos negros. La zorra se puso al frente para conducirlos a palacio. Cuando llegaron, ella entró en la sala donde estaba el zar y, con una reverencia, le rogó que aceptara el presente de cuarenta veces cuarenta osos negros de parte de Kozmá Pronto-Rico.

Encantado, el zar ordenó que los encerrasen bien en un recinto especial. En cuanto a la zorra, corrió a casa de Kozmá para que le asara otra gallina —la última—, y el gallo también. Según estaban las cosas, Kozmá no vaciló en asar la última gallina y el gallo. La zorra se los comió, se relamió y corrió a los prados del coto real a revolcarse en la hierba.

Una marta cebellina y un armiño que pasaban por allí le preguntaron:

—¿Dónde te has dado ese atracón, zorra picarona?

—¡Ah! Sois vosotros... Pues la verdad es que el zar me tiene en gran estima. Hoy ha dado un banquete para todos los animales. De la satisfacción, se conoce que yo he comido demasiadas cosas sustanciosas. ¡No sabéis la cantidad de animales que había allí!... Vosotros sois los únicos que faltabais. Los lobos, sin ir más lejos (ya sabéis lo ansiosos que son), están todavía allí come que te come. En cuanto al patizambo del oso, ¿qué os voy a decir? Ha estado atiborrándose hasta perder el resuello.

—Comadre, llévanos a nosotros también. Aunque solo sea para verlo... —rogaron el armiño y la cebellina.

La zorra aceptó y les ordenó que juntaran cuarenta veces cuarenta armiños y cuarenta veces cuarenta cebellinas. Cumplido este requisito, la zorra los condujo hasta palacio. Luego se presentó al zar y, con una profunda reverencia, le rogó que aceptara de Kozmá Pronto-Rico cuarenta veces cuarenta armiños y cuarenta veces cuarenta cebellinas. El zar estaba muy sorprendido de las riquezas de Kozmá Pronto-Rico. Admitió con mucho gusto el presente, y ordenó que mataran a todos los animales y les quitaran sus valiosas pieles.

Al día siguiente, la zorra acudió de nuevo ante el zar y dijo:

—Majestad: Kozmá Pronto-Rico me envía a que os salude humildemente y os ruega que me prestéis una medida de un *pud* para calcular las monedas de plata que hay en la casa. Porque las medidas de un *pud* que posee mi amo están todas ocupadas con las monedas de oro.

El zar ordenó que le entregaran a la zorra sin dilación la medida de un *pud*. La muy astuta corrió luego a casa de Kozmá, y estuvo llenando la medida de arena y vaciándola sucesivamente, hasta que el metal de que estaba hecha se pusiera reluciente. Entonces metió unas cuantas monedas pequeñas en el repliegue del fondo y fue a devolvérsela al zar. La zorra aprovechó la ocasión para sugerir la idea de casar a la bella hija del zar con Kozmá Pronto-Rico.

El zar acogió con agrado la idea, y ordenó que Kozmá se preparase para ese acontecimiento y fuera a palacio. Kozmá acató la orden y salió de su casa, pero la zorra se le adelantó y convino con unos hombres que serrasen los pilotes de madera de un puente. Apenas pisó el puente el caballo, allá fue Kozmá con puente y todo al agua.

La zorra se puso a gritar:

—¡Socorro! ¡Socorro! ¡Que se ahoga Kozmá Pronto-Rico!

El zar, que escuchó sus voces, envió inmediatamente a unos servidores para que le sacaran del agua. Los servidores así lo hicieron, luego le vistieron con unas elegantes ropas que habían llevado y le condujeron ante el zar.

Kozmá se casó con la *zarevna* y se pasó en el palacio de su suegro una semana y luego dos... Entonces dijo el zar:

—Bueno, querido yerno, ahora podríamos ir a pasar unos días a tu casa.

Kozmá no tuvo más remedio que prepararse para la partida. Montaron en carroza y se pusieron en camino.

La zorra se les adelantó. Corriendo, corriendo, vio de pronto a unos pastores cuidando unos rebaños de ovejas.

—¡Pastores! ¡Eh, pastores! ¿De quién es ese rebaño de ovejas?

—Es del zar Culebrón-Ulán.

—Tenéis que decir a todo el mundo que el rebaño es de Kozmá Pronto-Rico y no del zar Culebrón-Ulán —les advirtió—. Tened en cuenta que ahí vienen el zar Fuego y la zarina Fulmínea, y si no les decís que el rebaño pertenece a Kozmá Pronto-Rico, harán con vosotros y con todas las ovejas una fogata donde os achicharraréis.

Viendo que no había otra salida que la obediencia, los pastores prometieron decirle a todo el mundo lo que les había explicado acerca de Kozmá Pronto-Rico.

La zorra siguió adelante. De pronto, vio a unos pastores cuidando una piara de cerdos.

—¡Pastores! ¡Eh, pastores! ¿De quién es esta piara?

—Es del zar Culebrón-Ulán.

—Debéis decir que la piara es de Kozmá Pronto-Rico y no del zar Culebrón-Ulán, porque ahí detrás vienen el zar Fuego y la zarina Fulmínea y son capaces de hacer una fogata con todos vosotros y achicharraros si se os ocurre nombrar al zar Culebrón-Ulán.

Los pastores dijeron que así lo harían.

La zorra echó a correr de nuevo, y así llegó al rebaño de vacas del zar Culebrón-Ulán, luego a su yeguada, y a todos los pastores les ordenó decir que todo aquello pertenecía a Kozmá Pronto-Rico y no mentar siquiera al zar Culebrón-Ulán.

Igual ocurrió cuando llegó al rebaño de camellos.

—¡Pastores! ¡Eh, pastores! ¿De quién es ese rebaño?

—Del zar Culebrón-Ulán.

La zorra les prohibió terminantemente hablar del zar Culebrón-Ulán, advirtiéndoles que dijeran que el rebaño pertenecía a Kozmá Pronto-Rico porque, si no, el zar Fuego y la zarina Fulmínea eran capaces de hacer una fogata con todos ellos y achicharrarlos.

De nuevo emprendió la zorra su carrera, adelantándose a la carroza. Llegó al reino de Culebrón-Ulán y fue derechita a sus aposentos de mármol.

—¡Hola, zorrita! ¿Qué cuentas?

—Pues cuento que tienes el tiempo justo para esconderte, zar Culebrón-Ulán. Ahí vienen el terrible zar Fuego y la zarina Fulmínea quemándolo todo a su paso. Han achicharrado a tus rebaños, con pastores y todo: primero las ovejas, luego los cerdos y después las vacas y las yeguas. Sin perder un segundo, he venido a avisarte a todo correr, aunque he estado a punto de ahogarme con el humo.

El zar Culebrón-Ulán se puso a gemir lamentablemente.

—¡Ay, zorrita! ¿Y dónde me meto yo?

—Escucha: en tu jardín tienes un viejo roble todo podrido por dentro. Corre y métete en el agujero hasta que hayan pasado.

En un instante, el zar Culebrón-Ulán estuvo listo para seguir la sugerencia de la zorra al pie de la letra.

Kozmá Pronto-Rico iba en la carroza con su esposa y su suegro. Al pasar junto al rebaño de ovejas, preguntó la hija del zar:

—¡Pastorcitos! ¡Pastorcitos! ¿De quién es este rebaño?

—De Kozmá Pronto-Rico —contestaron los pastores.

—Veo, querido yerno, que tienes muchas ovejas —observó el zar muy satisfecho.

Siguieron adelante y llegaron hasta donde estaba la piara de cerdos.

—¡Pastorcitos! ¡Pastorcitos! ¿De quién es esta piara?

—De Kozmá Pronto-Rico.

—Veo, querido yerno, que tienes muchos cerdos.

Así continuaron su camino. En un sitio había un rebaño de vacas, en otro de camellos, en otro una yeguada... Cada vez preguntaba la hija del zar de quién eran, y siempre le contestaban:

—De Kozmá Pronto-Rico.

Por fin, llegaron a un palacio. La zorra estaba esperándolos a la entrada para guiarlos hasta la sala de mármoles. El zar se quedó agradablemente sorprendido al ver tantas riquezas como había allí. Entre festines y diversiones pasó un día, luego una semana...

—Oye, Kozmá —dijo al cabo la zorra—: para un poco de divertirte, porque tienes que hacer una cosa muy seria. Sal con tu suegro al jardín. Andando un poco, verás un viejo roble. En el agujero de ese roble está escondido, muerto de miedo, el zar Culebrón-Ulán desde que habéis llegado. Disparad los dos contra él hasta que le dejéis como un colador.

Kozmá siguió al pie de la letra las recomendaciones de la zorra: salió al jardín con su suegro y empezaron a disparar tomando el viejo roble como blanco, hasta que acribillaron al zar Culebrón-Ulán.

Kozmá Pronto-Rico ocupó el trono de aquel país, se quedó a vivir allí con su zarina, y allí viven hasta hoy.

La zorra tenía servida cada día su gallina. Encantada de la vida, no volvió a sus correrías hasta que agotó las gallinas.

Emeliá el bobo

Vivían una vez tres hermanos: dos eran listos, y el otro, bobo. Los hermanos listos marcharon a otras ciudades a realizar ciertas compras. Antes de partir, le dijeron a Emeliá:

—Obedece a nuestras esposas y respétalas como se respeta a una madre. Nosotros te compraremos unas botas rojas, un *kaftán** rojo y una camisa rosa.

—Está bien. Así lo haré.

Los hermanos explicaron al bobo todos los trabajos que debía hacer mientras estuvieran ellos ausentes, y emprendieron la marcha. Inmediatamente, el bobo se tumbó a descansar en el rellano de la estufa.

—¿Qué haces ahí, so tonto? —se indignaron las cuñadas—. Tus hermanos te han dicho que nos obedezcas y que tengas consideración con nosotras. Y que si te portas bien, te traerán regalos. Eso es lo que han dicho, y no que te estés tumbado sin hacer nada. Trae unos cubos de agua por lo menos.

El bobo agarró dos cubos y fue al río. Los llenó y, al sacarlos, vio que había caído un lucio en uno de ellos. «¡Gracias a Dios! —pensó—. Ahora lo guisaré y me regalaré yo solo. Mis cuñadas no lo van a catar. Estoy enfadado con ellas».

Pero, en esto, oyó que le decía el lucio con palabra humana:

—No hagas eso, Emeliá. Si no me matas y me echas de nuevo al agua, yo aseguraré tu suerte.

—¿Qué clase de suerte? —quiso saber el bobo.

—Pues... la suerte de que se cumplan todos tus deseos. Para que te quede claro, vamos a hacer una prueba. Repite estas palabras: «Porque así lo manda el lucio, porque así lo quiero yo... que los cubos vuelvan solos a casa y se pongan en su sitio».

Apenas pronunció el bobo estas palabras, los cubos volvieron solos a la casa y se colocaron en su sitio. Las cuñadas se quedaron asombradas al ver aquello.

—¡Y decían que era bobo! —exclamaron—. Este sabe más que nadie. ¿Cómo habrá conseguido que los cubos vinieran solos y se colocaran en su sitio?

Emeliá el bobo volvió del río y se tumbó otra vez. Las cuñadas arremetieron de nuevo contra él.

—¿Qué haces ahí tan repantigado? Se nos ha terminado la leña. Tienes que ir al bosque a cortar más.

El bobo cogió dos hachas, se montó en el trineo sin enganchar el caballo y murmuró:

—Porque así lo manda el lucio, porque así lo quiero yo... que vaya el trineo al bosque.

Y el trineo partió tan rápido como si tirase de él alguna caballería. El bobo tenía que pasar por la ciudad. A la velocidad que iba el trineo, y sin caballo, atropelló a un montón de gente.

—¡A ese, a ese! —gritaban desde todas partes, pero sin lograr darle alcance.

El bobo llegó al bosque, se apeó del trineo y se sentó en un tronco caído.

—Que un hacha abata los árboles —dijo— y la otra parta la leña.

Así que quedó la leña partida y apilada en el trineo, murmuró el bobo:

—Que un hacha me corte ahora una estaca.

Una de las hachas se apartó y le cortó una estaca. La estaca llegó junto al trineo y se montó en él. El bobo también se subió al trineo, emprendió el camino de vuelta por la ciudad, pero se encontró con que la gente se había juntado y estaba acechándole hacía ya mucho tiempo.

—Porque así lo manda el lucio, porque así lo quiero yo —dijo entonces el bobo—, que la estaca dé una pasada por esas espaldas.

La estaca se apeó del trineo, empezó a pegar de plano y de refilón, y dejó derrengadas a muchas personas, que caían al suelo como fardos. Habiéndose librado así el bobo de los que le acechaban, llegó a su casa, ordenó a la leña que se apilara en la leñera, y él se subió al rellano de la estufa.

Las gentes de la ciudad elevaron al rey una querella contra el bobo, diciendo entre otras cosas:

—Dondequiera que se intente su captura, habrá de hacerse con astucia y mesura, aunque lo mejor será prometerle prendas rojas: botas, camisa y *kaftán*.

Así prevenidos, los guardias reales que fueron a buscarle dijeron:

—Preséntate al rey, que te quiere dar unas botas rojas, un *kaftán* rojo y una camisa roja.

El bobo murmuró entonces:

—Porque así lo manda el lucio, porque así lo quiero yo, que la estufa me conduzca ante el rey.

La estufa se puso en marcha y condujo al bobo a presencia del rey. Tenía ya intención el rey de mandarle ejecutar, pero a la princesa, su hija, le gustó el bobo y pidió a su padre que la casara con él. Muy enfadado, el rey los casó, pero en seguida dio orden de que los encerrasen en un barril embreado y echaran el barril al agua. Su orden fue cumplida.

Llevaba mucho tiempo el barril flotando sobre el mar, cuando la mujer del bobo acabó rogándole:

—¿No podrías hacer algo para que este barril salga a la orilla?

Emeliá murmuró:

—Porque así lo manda el lucio, porque así lo quiero yo, que este barril salga a la orilla y reviente allí.

Cuando salieron del barril, la mujer de Emeliá empezó a pedirle que construyera una cabaña. El bobo murmuró:

—Porque así lo manda el lucio, porque así lo quiero yo, que aparezca un palacio de mármol frente al palacio del rey.

Su deseo quedó cumplido al instante.

Por la mañana, cuando el rey vio aquel palacio nuevo, mandó a preguntar quién lo habitaba. Enterado de que allí estaba su hija, en seguida quiso que fuera a verle en compañía de su esposo. Ellos acudieron y el rey les dio su perdón. Desde entonces vivieron juntos, felices y en la opulencia.

Por mandato del lucio...

É rase un pobre campesino que, por mucho que se afanaba y trabajaba, nunca salía de su miseria.

«Triste suerte la mía —decía para sus adentros—. Me mato diariamente a trabajar y estoy medio muerto de hambre. En cambio, mi vecino, que se pasa la vida tumbado, tiene una gran hacienda y el dinero se le viene a las manos. Quizá haya disgustado a Dios involuntariamente. Voy a pasarme día y noche rogándole para que tenga misericordia de mí».

Tal como lo pensó, así lo hizo. Se pasaba los días ayunando, entregado a la oración. Llegó el día de la fiesta mayor, tocaron a misa, y el pobre hombre se dijo:

—Toda la gente celebrará la fiesta con una buena mesa, y yo no tengo ni un bocado que llevarme a la boca. Iré a buscar agua y la tomaré haciéndome a la idea de que es sopa.

Agarró un cubo, fue al pozo, y nada más arrojar el cubo al agua, cayó en él un lucio grandísimo.

—¡Ya tengo con qué celebrar la fiesta! —exclamó el hombre muy contento.

Pero en esto le habló el lucio con palabra humana:

—Devuélveme la libertad, buen hombre, y yo haré tu suerte: verás realizados todos tus deseos. Te bastará decir: «Por mandato del lucio, por bendición divina, quiero tal y tal cosa», y aparecerá lo que hayas deseado.

108

El pobre campesino soltó al lucio en el pozo, volvió a su isba y dijo, sentándose a la mesa:

—Por mandato del lucio, por bendición divina, que la mesa esté servida y la comida lista.

Al instante, se cubrió la mesa de bebidas y manjares tan exquisitos como para brindárselos sin reparo a un zar. El campesino se santiguó.

—¡Alabado sea Dios! También puedo yo celebrar el final de la vigilia.

Fue a la iglesia a maitines, asistió al oficio de las doce, volvió a su casa, comió y bebió de cuanto había sobre la mesa, salió a la calle y tomó asiento en el banco que había junto al portón.

La *zarevna* andaba entonces por las calles, acompañada de sus ayas y sus doncellas, dando limosna a los pobres para santificar la fiesta del Señor. Socorrió a todos, pero se olvidó de aquel campesino.

Entonces él dijo para sus adentros:

—Por mandato del lucio, por bendición divina, que la *zarevna* quede preñada y tenga un hijo.

Por la fuerza de esas palabras, la *zarevna* quedó instantáneamente preñada y, a los nueve meses, dio a luz un hijo. El padre la interrogó con gran indignación.

—¡Confiésame con quién has pecado! —exigía.

Pero la *zarevna* solo podía llorar y jurar por todos los santos que ella no había pecado con nadie:

—¡No alcanzo a comprender por qué me ha castigado Dios así!

Por más que insistió, el zar no pudo arrancarle otra palabra.

Entre tanto, el niño crecía a ojos vistas. A la semana, empezó a hablar. Entonces el zar convocó a todos los boyardos y los personajes del reino para ir presentándoselos al niño, por si reconocía a su padre. Pero no; el niño callaba, sin llamar padre a nadie.

El zar ordenó a las ayas y las doncellas que llevaran al niño de casa en casa, por todas las calles, para que viera a todos los hombres, casados o no, de cualquier condición que fueran.

Las ayas y las doncellas llevaron a la criatura por todas las casas, por todas las calles, anda que te anda, sin que el niño dijera una palabra. Se acercaron por fin a la casucha del campesino pobre. Apenas le vio el niño, adelantó sus bracitos gritando:

—¡Padre!, ¡padre!

Informado el zar, ordenó que condujeran a aquel campesino pobre a palacio, y allí exigió:

—Confiesa la verdad: ¿es tuyo este niño?

—No, que es de Dios.

Indignado, el zar casó al campesino con la *zarevna*. Nada más terminar la ceremonia, ordenó que los metieran a los dos y al niño en un gran barril embreado, y que arrojaran el barril al mar.

Empujado por vientos tormentosos, el barril bogó sobre el mar hasta quedar varado en una costa lejana. Al notar el campesino que el agua no mecía ya el barril, murmuró:

—Por mandato del lucio, por bendición divina, que se desbarate el barril en tierra firme.

Se desbarató el barril, ellos salieron a tierra firme y echaron a andar a la buena de Dios. Con tanto andar, sin comer ni beber, la *zarevna* estaba extenuada y apenas podía arrastrar los pies.

—¿Qué? —preguntó el campesino pobre—. ¿Sabes ahora ya lo que es el hambre y lo que es la sed?

—Sí, sí; ya lo sé.

—Pues ya sabes lo que padece la gente pobre. ¡Y tú no quisiste darme una limosna el día de la fiesta del Señor!

Luego murmuró:

—Por mandato del lucio, por bendición divina, que aparezca un rico palacio sin igual en el mundo, con jardines, estanques y todas las dependencias necesarias...

No había terminado de formular el deseo, cuando apareció un rico palacio. Acudieron muchos servidores que los condujeron a las salas de mármol donde esperaban las mesas servidas. Las salas estaban maravillosamente amuebladas y adornadas, y las mesas cubiertas de manjares, bebidas y dulces.

El pobre y la *zarevna* comieron, bebieron, descansaron un poco y salieron al jardín.

—Todo estaría perfecto —dijo la *zarevna*—, si no fuera porque no hay ni una sola ave sobre nuestro estanque.

—Las habrá, no te preocupes —dijo el pobre, y murmuró—: Por mandato del lucio, por bendición divina, que aparezcan sobre este estanque doce ocas y un ganso con todo el plumaje hecho mitad de plumas de oro y mitad de plumas de plata, y que el ganso tenga una moña de brillantes.

Al instante, aparecieron sobre el agua doce ocas y un ganso con la mitad de las plumas de oro y la otra mitad de plata. Además, el ganso tenía una moña de brillantes coronándole la cabeza.

De este modo fue viviendo la *zarevna* sin penas ni sufrimientos al lado de su marido, mientras su hijo crecía. Se hizo mayor, notó que rebosaba fuerza, y les pidió a sus padres permiso para recorrer mundo y buscarse una prometida.

—Que Dios te acompañe, hijo —dijeron los padres.

El joven ensilló su recio caballo y se puso en camino. Al cabo de algún tiempo, se encontró con una viejecilla.

—Hola, zarevich ruso. ¿Hacia dónde vas?

—Pues voy a buscar una novia, abuela, aunque no sé hacia dónde tirar.

—Yo te lo diré, hijito. Cruza el mar hasta el más remoto de los reinos, y allá encontrarás a una princesita tan linda que no hallarías otra mejor ni aun recorriendo el mundo entero.

El joven le dio las gracias a la anciana, fue al muelle, fletó un barco y puso proa hacia el más remoto de los reinos.

Navegó por el mar —no sé si poco o mucho, porque las cosas se cuentan deprisa, pero se hacen despacio—, hasta que llegó al reino que buscaba, compareció ante el rey y le pidió la mano de su hija.

—No eres el único que aspira a su mano —le dijo el rey—: también la solicita un *bogatir* muy poderoso. Si lo rechazamos, asolará todo el estado.

—Y si me rechazáis a mí, yo lo asolaré.

—¿Qué estás diciendo? Mejor será que midáis vuestras fuerzas. Al que venza, yo le concederé la mano de mi hija.

—De acuerdo. Ya puedes invitar a todos los zares y los zareviches, a todos los reyes y todos los príncipes para que vengan a presenciar una lid honrada y a celebrar la boda.

Emisarios y corredores partieron inmediatamente en todas direcciones y, antes de que transcurriera un año, se habían reunido allí los zares y los zareviches, los reyes y los príncipes de todas las tierras vecinas. También acudió el zar, que mandó encerrar a su hija en un barril y arrojarlo al mar. El día convenido, los *bogatires* se alinearon para una lucha que solo podía terminar con la muerte del adversario. Lucharon con denuedo. Sus golpes hacían gemir la tierra, doblarse los bosques y agitarse los ríos. El hijo de la *zarevna* venció a su adversario, cercenándole la altiva cabeza.

Acudieron los nobles cortesanos, agarraron al valeroso joven por los brazos y lo llevaron a palacio. Al día siguiente, se desposó con la princesa, y cuando terminaron los festejos, invitó a todos los zares y los zareviches, a todos los reyes y los príncipes allí presentes a que fueran a casa de sus padres. Todos aceptaron, aprestaron un barco y se hicieron a la mar.

Cuando llegaron, la *zarevna* y su esposo acogieron dignamente a los visitantes, organizando banquetes y festejos en honor suyo. Los zares y los zareviches, los reyes y los príncipes contemplaban admirados el palacio y los jardines, porque en ninguna parte habían visto nada igual. Pero lo que más les maravilló fueron las ocas y el ganso: por una oca de aquellas se podía dar medio reino.

Después de haberlo pasado muy bien, los visitantes se dispusieron a partir. Pero, antes de que llegasen al muelle, les dieron alcance unos veloces mensajeros.

—Nuestro señor les ruega que vuelvan —dijeron—. Quiere mantener con ustedes un consejo secreto.

Los zares y los zareviches, los reyes y los príncipes volvieron sobre sus pasos. Su anfitrión los recibió diciendo:

—Lo que ha sucedido no debía ocurrir entre personas dignas: ha desaparecido una oca, y eso no ha podido hacerlo sino uno de vosotros.

—¿Qué estás diciendo? —replicaron los zares y los zareviches, los reyes y los príncipes—. Esa es una afirmación muy arriesgada. Regístranos uno por uno. Si alguien tiene la oca, haces con él lo que te parezca. Si no la encuentras, te costará la cabeza.

—De acuerdo —aceptó el señor del palacio.

Y se puso a registrarlos uno por uno. Cuando le llegó la vez al padre de la *zarevna*, murmuró:

—Por mandato del lucio, por bendición divina, que este zar lleve la oca atada debajo del *kaftán*.

Le entreabrió entonces el *kaftán*, y allí estaba atada una de las ocas que tenía la mitad de las plumas de plata y la otra mitad de oro.

Todos los demás se echaron a reír:

—¡Ja, ja, ja! ¡Qué tiempos estos! Incluso los zares empiezan a robar...

El padre de la *zarevna* juraba por todos los santos que ni siquiera le había pasado por la imaginación la idea de robar la oca, y que no se imaginaba cómo podía estar allí.

—¡Eso son cuentos! Si la tenías tú, tú eres el culpable.

Pero entonces salió la *zarevna*, se arrojó a los pies del padre y confesó que era su hija, la que casó con un pobre campesino y luego arrojó al mar metida en un barril.

—*Bátiushka*: tú no quisiste entonces dar crédito a mis palabras, pero ahora has comprobado por ti mismo que una persona puede parecer culpable aunque no lo sea.

Le refirió todo lo que había sucedido, y desde entonces vivieron todos juntos, contentos y felices, en la opulencia y sin padecimientos.

Cuento del zarevich Iván, el pájaro de fuego y el lobo gris

En cierto reino, en cierto país, vivía un zar llamado Vislav Andrónovich. Este zar tenía tres hijos: los zareviches Dmitri, Vasili e Iván.

El zar Vislav Andrónovich poseía, además, un jardín que no tenía igual en ningún otro país. Crecían en aquel jardín muchos árboles valiosos, frutales y no frutales; pero, entre ellos, el predilecto del zar era un manzano que solo daba manzanas de oro.

Un pájaro de fuego tomó la costumbre de penetrar en el jardín del zar Vislav. Tenía el plumaje de oro y los ojos parecidos al cristal de Oriente. Todas las noches llegaba volando al jardín, se posaba sobre el manzano predilecto del zar Vislav, arrancaba algunas manzanas y se marchaba.

El zar Vislav estaba muy apenado por lo que sucedía con aquel manzano, y porque el pájaro de fuego hubiera arrancado tantos frutos. Por eso, llamó a sus tres hijos y les habló así:

—Amados hijos, ¿cuál de vosotros podrá capturar al pájaro de fuego en mi jardín? Al que lo capture vivo le daré ya la mitad de mi reino, y cuando yo muera, suyo será todo lo demás.

Sus hijos, los zareviches, exclamaron entonces al unísono:

—¡Padre y señor nuestro! ¡Majestad imperial! ¡Nos encantará capturar vivo al pájaro de fuego!

La primera noche fue el zarevich Dmitri a montar la guardia en

113

el jardín. Se acomodó al pie del árbol del que arrancaba las manzanas el pájaro de fuego, se quedó dormido, y ni se enteró de que llegó el pájaro de fuego y se comió otras muchas.

Por la mañana, el zar Vislav llamó a su hijo, el zarevich Dmitri, y le preguntó:

—¿Has visto o no has visto al pájaro de fuego, hijo mío querido?

—No, padre y señor mío —contestó el hijo—. Esta noche no ha venido.

A la noche siguiente, le tocó al zarevich Vasili ir a acechar al pájaro de fuego en el jardín. Se instaló debajo del famoso árbol y, al cabo de un par de horas de oscuridad, se quedó dormido tan profundamente que ni se enteró de que el pájaro de fuego llegó y estuvo comiendo manzanas.

El zar Vislav le llamó por la mañana para preguntarle:

—¿Has visto o no has visto al pájaro de fuego, hijo mío querido?

—Esta noche no ha venido, padre y señor mío.

A la tercera noche le tocó montar la guardia en el jardín al zarevich Iván. Sentado al pie del manzano, se pasó allí una hora, luego otra y otra más, hasta que de pronto resplandeció todo el jardín, como si hubiera muchas velas encendidas: llegó el pájaro de fuego, se posó en el árbol y empezó a comer manzanas.

El zarevich Iván se aproximó a él con tanto sigilo que lo agarró de la cola. Pero no pudo retenerle: el pájaro se desprendió y echó a volar, dejando solamente entre las manos del zarevich Iván la pluma de la cola que había agarrado con tanta fuerza.

Por la mañana, apenas se despertó el zar Vislav, entró en sus aposentos el zarevich Iván y le entregó la pluma del pájaro de fuego.

El zar Vislav se alegró mucho de que el zarevich Iván hubiera conseguido arrancarle por lo menos una pluma de la cola al pájaro de fuego. Aquella pluma era tan maravillosa y resplandeciente que, llevada a un aposento oscuro, le habría dado la misma luminosidad que multitud de velas encendidas. El zar Vislav colocó la pluma en su despacho, como si se tratara de una de esas cosas que deben conservarse eternamente.

Desde entonces, el pájaro de fuego no volvió por el jardín.

El zar Vislav hizo venir a sus hijos y les habló de esta manera:

—Hijos míos queridos: os doy mi bendición para que vayáis a buscar al pájaro de fuego y me lo traigáis vivo. Lo prometido sigue en pie, y será para el que me traiga el pájaro de fuego vivo.

Los zareviches Dmitri y Vasili empezaban a tomarle ojeriza a su hermano menor, el zarevich Iván, por haber logrado arrancarle al pájaro de fuego una pluma de la cola. Recibieron la bendición de su padre y partieron los dos en busca del pájaro de fuego.

También el zarevich Iván insistió en que le diera su bendición para ponerse en camino.

—Querido hijo y amada criatura —objetó el zar Vislav—: eres todavía joven, y no estás hecho a viajes tan largos y difíciles. ¿Por qué has de alejarte de mí? Tus dos hermanos ya se han marchado. ¿Y si te marchas tú también y os pasáis los tres mucho tiempo sin regresar? Yo he llegado a la vejez y camino hacia la tumba. Y si durante vuestra ausencia me llamara Dios a su lado, ¿quién gobernaría mi reino en mi lugar? Podría producirse una rebelión o estallar discordias entre nuestro pueblo, y no habría nadie para restablecer el orden. O el enemigo podría amenazar nuestro territorio y no habría nadie para ponerse al mando del ejército.

Pero, por más que intentó el zar Vislav retener al zarevich Iván, no tuvo más remedio que acceder, en vista de su insistencia.

El zarevich Iván recibió la bendición de su padre, eligió un caballo y se puso en marcha sin saber hacia dónde se dirigía.

Caminando su camino, no sé si largo o corto, no sé si por montes o por llanos, porque las cosas se cuentan muy pronto pero son largas de hacer, llegó por fin a unas verdes praderas. En aquel campo se alzaba un poste, y en aquel poste había un cartel que decía: «Quien camine todo derecho, a partir de este poste pasará hambre y frío; quien camine hacia la derecha, quedará sano y salvo, pero su caballo morirá; quien camine hacia la izquierda, perderá la vida, pero su caballo quedará sano y salvo». Después de leer la inscripción, el zarevich Iván se encaminó hacia la derecha diciéndose que, aunque muriese su caballo, él conservaría la vida y, con el tiempo, podría conseguir otra montura.

Caminó un día, otro y otro, cuando de pronto salió a su encuentro un enorme lobo gris y le dijo:

—¡Ah! ¿Eres tú, joven zarevich Iván? Ya leíste lo que decía el cartel del poste. Sabiendo que moriría tu caballo, ¿por qué has venido hacia acá?

Dicho lo cual, el lobo gris desventró al caballo del zarevich Iván y se alejó de allí.

Muy afligido por la pérdida de su caballo, el zarevich rompió a llorar amargamente y reanudó su camino a pie. Anduvo un día entero, y cuando iba a sentarse, horriblemente cansado, apareció de pronto el lobo gris y le dijo:

—Siento que te hayas fatigado tanto de caminar a pie, y también siento haber matado a tu buen caballo. Pero no importa. Súbete encima de mí, y dime a dónde debo conducirte y por qué.

El zarevich Iván le dijo al lobo gris a dónde debía ir, y el lobo gris partió con él encima, más raudo que un caballo. Al cabo de algún tiempo, precisamente al caer la noche, se detuvo al pie de un muro de piedra no muy alto y dijo:

—Bueno, zarevich Iván, apéate del lobo gris y salta ese muro. Detrás hay un jardín, y en él está el pájaro de fuego metido en una jaula de oro. Coge al pájaro de fuego, pero no toques la jaula, porque si intentas llevártela no podrás escapar: te cazarán en seguida.

El zarevich saltó la tapia y, ya en el jardín, vio al pájaro de fuego en la jaula de oro, que le gustó mucho. Sacó al pájaro de la jaula y volvió hacia la tapia, pero luego reflexionó y se dijo:

—Si me llevo al pájaro sin jaula, ¿dónde lo meto?

Volvió para atrás, y no hizo más que descolgar la jaula cuando todo el jardín se llenó de ruidos, porque la jaula estaba suspendida de cuerdas musicales.

Los centinelas se despertaron al punto, corrieron al jardín, detuvieron al zarevich Iván con el pájaro de fuego y le condujeron ante su señor, que era el zar Dolmat. El zar Dolmat se enfadó muchísimo con el zarevich Iván, y le preguntó a gritos, con voz furiosa:

—¿Cómo no te da vergüenza robar, muchacho? ¿Quién eres, de qué tierras vienes, de qué padre eres hijo y cuál es tu nombre?

—Soy del reino de Vislav, hijo del zar Vislav Andrónovich, y me llamo zarevich Iván. Tu pájaro de fuego ha cogido la costumbre de venir a nuestro jardín todas las noches a comerse las manzanas de oro del árbol predilecto de mi padre, y ha echado a perder casi enteramente el manzano. Por eso me ha mandado mi padre buscar el pájaro de fuego y llevárselo.

—Pero, joven zarevich Iván, ¿te parece bien portarte de esa manera? —exclamó el zar Dolmat—. Si hubieras venido a verme, yo te habría dado el pájaro de fuego sin más historias. En cambio, ahora, ¿qué te va a parecer cuando mande a todos los países la relación de lo mal que te has portado aquí? Aunque escucha una cosa, zarevich Iván: si me haces un favor yendo a los confines del mundo, al más remoto de los países, y le quitas para mí al zar Afron el caballo de las crines de oro, perdonaré tu falta y te regalaré con mucho gusto el pájaro de fuego; pero si no me haces ese favor, haré saber a todos los países que eres un ladrón sin honor.

El zarevich Iván se alejó muy triste del zar Dolmat, prometiéndole conseguir el caballo de las crines de oro. Llegó donde había dejado al lobo gris y le contó todo lo que le había dicho el zar Dolmat.

—¡Vaya con el joven zarevich Iván! —rezongó el lobo gris—. ¿Por qué no atendiste lo que yo te dije y cogiste la jaula de oro?

—Tienes razón. Discúlpame.

—En fin, sea —profirió el lobo gris—. Móntate encima del lobo gris y te llevaré donde tengas que ir.

El zarevich Iván se montó a lomos del lobo gris, y el lobo gris echó a correr tan raudo como una saeta, hasta que por fin llegó al país del zar Afron, ya de noche. Entonces el lobo gris llevó al zarevich Iván a las blancas caballerizas reales y le dijo:

—Entra en esas caballerizas blancas, zarevich Iván (todos los mozos que las guardan están ahora profundamente dormidos), y llévate al caballo de las crines de oro. Pero no cojas la brida de oro que está colgada en la pared, porque ocurrirá una desgracia.

El zarevich Iván entró en las blancas caballerizas, agarró el caballo de las crines de oro, y ya se marchaba cuando vio la brida de oro colgada en la pared. Le gustó tanto que la descolgó; pero al instante estalló un ruido tremendo por todas las caballerizas, porque había cuerdas musicales atadas a aquella brida.

Los mozos de cuadra se despertaron en seguida, corrieron, agarraron al zarevich Iván y lo condujeron ante el zar Afron.

—Vamos a ver, joven —comenzó el zar Afron—. ¿Quién eres, de qué tierras vienes, de qué padre eres hijo y cuál es tu nombre?

—Soy del reino de Vislav —contestó el zarevich—, hijo del zar Vislav Andrónovich, y me llamo zarevich Iván.

—¡Vaya con el joven zarevich Iván! —siguió el zar Afron—. ¿Te parece digno de un caballero lo que acabas de hacer? Podrías haber acudido a mí y te hubiera dado por las buenas el caballo de las crines de oro. En cambio, ahora, ¿qué te va a parecer cuando envíe a todos los países la relación de lo mal que te has portado aquí? Aunque escucha una cosa, zarevich Iván: si me haces un favor yendo a los confines del mundo, al más remoto de los países, y robas para mí a la princesa Elena la Hermosa, de quien estoy enamorado desde hace tiempo con el alma y el corazón, pero sin poder acercarme a ella, te daré sin más historias el caballo de las crines de oro y la brida de oro. Pero si no me haces este favor, haré saber a todos los reinos que eres un ladrón sin honor, y explicaré lo mal que te has portado aquí.

El zarevich Iván le prometió entonces al zar Afron traerle a la princesa Elena la Hermosa, y salió de la sala llorando amargamente.

Llegó donde había dejado al lobo gris y le contó cuanto le había sucedido.

—¡Vaya con el zarevich Iván! —rezongó el lobo gris—. ¿Por qué no atendiste lo que yo te dije y cogiste la brida de oro?

—Tienes razón, discúlpame.

—En fin, sea —prosiguió el lobo gris—. Móntate encima del lobo gris y te llevaré donde tengas que ir.

El zarevich Iván se montó a lomos del lobo gris, el lobo gris echó a correr tan raudo como una saeta, y en nada de tiempo, según se dice en los cuentos, llegó al país de la princesa Elena la Hermosa. Junto a la verja de oro que rodeaba un jardín maravilloso, el lobo gris le dijo al zarevich Iván:

—Ahora, zarevich Iván, apéate de los lomos del lobo gris, vuelve por el camino que hemos seguido al venir y espérame en el campo, debajo de un roble verde.

El zarevich Iván hizo lo que le mandaba. El lobo gris se tendió junto a la verja de oro, esperando a que la princesa Elena la Hermosa saliera a dar un paseo por el jardín.

Al caer la tarde, cuando el sol iba ya hacia su ocaso y el aire no estaba tan caliente, la princesa Elena la Hermosa salió a dar un paseo por el jardín con sus doncellas y los boyardos de la corte. Cuando se acercó al lugar donde el lobo gris estaba tendido fuera, al pie de la verja, este saltó de repente al jardín, agarró a la princesa Elena la Hermosa, volvió a saltar la verja hacia fuera y echó a correr con todas sus fuerzas. Así llegó al campo, donde el zarevich Iván le esperaba debajo de un roble verde, y le dijo:

—Zarevich Iván, ¡súbete pronto a lomos del lobo gris!

El zarevich Iván se subió a sus lomos, y el lobo gris los llevó a los dos a toda velocidad hacia el país del zar Afron.

Las doncellas y todos los boyardos cortesanos que estaban en el jardín con la hermosa princesa Elena corrieron al palacio para organizar un grupo de jinetes que partieran detrás del lobo gris. Sin embargo, por mucho que galoparon, no pudieron darle alcance, y regresaron sin más.

El zarevich Iván se enamoró de todo corazón de la hermosa princesa Elena mientras iba montado con ella a lomos del lobo gris, y también ella se enamoró del zarevich Iván. Por eso, cuando el lobo gris los condujo al país del zar Afron y llegó el momento de llevar a la hermosa princesa Elena al palacio para entregársela, el zarevich Iván se sintió muy apenado y rompió a llorar amargamente.

—¿Por qué lloras, zarevich Iván? —le preguntó el lobo gris.

—¡Lobo gris, amigo mío! —contestó el zarevich Iván—. ¿Cómo no voy a llorar y desesperarme? Estoy enamorado de corazón de la hermosa princesa Elena, y ahora debo entregársela al zar Afron a cambio del caballo de las crines de oro y de la brida de oro, porque, si no se la entrego, el zar Afron me cubrirá de oprobio ante todos los países.

—Muchos servicios te he hecho, zarevich Iván —dijo el lobo gris—, pero te haré uno más. Escucha, zarevich Iván: yo me convertiré en la hermosa princesa Elena, y tú me llevas al zar Afron a cambio del caballo de las crines de oro. El zar me tomará por la auténtica princesa. Pero, cuando tú te montes en el caballo de las crines de oro y te hayas alejado bastante, le diré al zar Afron que quiero salir al campo a pasear. En cuanto me dé permiso para salir con las doncellas, las ayas y los boyardos de la corte, y yo me encuentre con ellos en el campo, tú acuérdate de mí y de nuevo estaré a tu lado.

Después de estas palabras, el lobo gris pegó contra la tierra húmeda y se convirtió en la hermosa princesa Elena. Se parecía tanto que nadie habría podido sospechar que no era ella. El zarevich Iván fue con el lobo gris al palacio del zar Afron diciendo a la hermosa princesa Elena que le esperase fuera de la ciudad.

Cuando el zarevich Iván se presentó ante el zar Afron con la falsa princesa Elena, el corazón del zar rebosó de dicha al verse dueño de un tesoro que ansiaba desde hacía tanto tiempo. A cambio de la falsa princesa, le entregó al zarevich Iván el caballo de las crines de oro.

El zarevich Iván se montó en aquel caballo, abandonó la ciudad, recogió a Elena la Hermosa y, con ella a la grupa, se encaminó hacia el país del zar Dolmat.

Entre tanto, el lobo gris vivía en el palacio del zar Afron, en lugar de la hermosa princesa Elena. Así pasó un día, otro y otro, hasta que, al cuarto día, fue a pedirle al zar Afron permiso para salir al campo a pasear para distraer sus penas y sus tristezas.

—¡Ah, hermosa princesa Elena! ¿Qué no haría yo por ti? Puedes ir a pasear al campo.

En seguida ordenó a las doncellas y las ayas y a todos los boyardos de la corte que fueran al campo a pasear con la hermosa princesa.

En cuanto al zarevich Iván, seguía su camino, charlando con Elena la Hermosa, y casi tenía olvidado al lobo gris, cuando de pronto se acordó.

—¿Dónde estará mi lobo gris? —exclamó.

Eso bastó para que el lobo gris apareciese ante el zarevich Iván, diciendo:

—Sube tú a lomos del lobo gris, zarevich Iván, y que la bella princesa cabalgue el caballo de las crines de oro.

El zarevich Iván montó a lomos del lobo gris y así partieron hacia el país del zar Dolmat. Después de mucho correr —o poco, no lo sé— se detuvieron tres verstas antes de entrar en la ciudad. El zarevich Iván le rogó entonces al lobo gris:

—Escucha, amigo mío, lobo gris. Ya que me has hecho tantos favores, hazme uno más, el último: ¿no podrías convertirte en caballo de crines doradas en lugar de este? Porque me da mucha pena separarme de él.

Al instante, el lobo gris pegó contra la tierra húmeda y se transformó en caballo con las crines de oro. El zarevich dejó a la hermosa princesa Elena en una verde pradera, montó sobre el lobo gris transformado en caballo y se dirigió al palacio del zar Dolmat.

En cuanto el zar Dolmat le vio llegar sobre el caballo de las crines de oro, se alegró mucho y salió de sus aposentos para acoger al zarevich en el espacioso patio. Luego le besó en los labios, le tomó la mano derecha y le condujo a las salas de mármol.

Con tan fausto motivo, el zar Dolmat ordenó un gran banquete. Comieron sobre mesas de roble y manteles bordados, se divirtieron justo durante dos días y, al tercero, el zar Dolmat le entregó al zarevich Iván el pájaro de fuego en su jaula de oro.

Con el pájaro de fuego y el caballo de las crines de oro, el zarevich abandonó la ciudad, recogió a la hermosa princesa Elena y se encaminó hacia su país, al palacio del zar Vislav Andrónovich.

El zar Dolmat quiso probar su caballo de crines de oro al día siguiente en campo abierto: lo mandó ensillar, montó en él y salió al campo; pero en cuanto lo espoleó, el caballo le arrojó al suelo y, tomando su forma de lobo gris, corrió detrás del zarevich Iván.

—Monta sobre mis lomos —le dijo en cuanto le dio alcance—, y que Elena la Hermosa vaya en el caballo de las crines de oro.

Así lo hicieron, y continuaron su camino. Pero cuando llegaron al sitio donde había desgarrado al caballo del zarevich, dijo el lobo gris:

—Zarevich Iván, te he servido con lealtad. Te he traído hasta este sitio, donde desgarré tu caballo. Apéate del lobo gris. Ahora tienes un caballo de crines de oro para ir adonde quieras. En cuanto a mí, ya no tengo por qué servirte.

Después de pronunciar estas palabras, el lobo gris se apartó corriendo. El zarevich Iván lloró amargamente la marcha del lobo gris, pero luego reanudó su marcha con la hermosa princesa.

Cabalgaron los dos —no sé si mucho o poco tiempo— hasta que, veinte verstas antes de llegar al país, se apearon para descansar debajo de un árbol mientras pasaba el bochorno del día. El zarevich ató al mismo árbol al caballo de las crines de oro y dejó a su lado la jaula con el pájaro de fuego. Recostados sobre la blanda hierba y charlando tiernamente, se quedaron dormidos.

Los zareviches Dmitri y Vasili, hermanos de Iván, habiendo recorrido muchos estados sin encontrar el pájaro de fuego, regresaban entonces a su patria con las manos vacías.

Se encontraron fortuitamente con su hermano Iván y la hermosa princesa Elena cuando estaban dormidos. Viendo al caballo de las crines de oro y al pájaro de fuego en su jaula de oro, la codicia se apoderó de ellos, y les vino la idea de matar al zarevich Iván.

El zarevich Dmitri desnudó su espada, degolló al zarevich Iván y lo despedazó. Luego despertó a la hermosa princesa Elena y le preguntó:

—Hermosa doncella, ¿de qué tierras vienes, de qué padre eres hija y cuál es tu nombre?

La hermosa princesa Elena se asustó mucho al ver muerto al zarevich Iván, y rompió a llorar amargamente. Entre lágrimas, contestó:

—Soy la princesa Elena la Hermosa, y fue a buscarme el zarevich Iván, a quien habéis matado vilmente. Podría consideraros nobles caballeros si hubieseis salido al campo a pelear con él, venciéndole cuando estaba vivo. Habiéndole matado mientras dormía, ¿qué honor vais a sacar de esa acción? Una persona dormida es lo mismo que una persona muerta.

Al oír estas palabras, el zarevich Dmitri apoyó la punta de su espada sobre el corazón de la hermosa princesa Elena y le dijo:

—¡Escucha, Elena la Hermosa! Ahora estás en nuestras manos. Vamos a conducirte ante nuestro padre, el zar Vislav Andrónovich, a quien dirás que hemos sido nosotros los que te hemos encontrado a ti, y también al pájaro y al caballo de las crines de oro. Si no prometes hacerlo así, te mato ahora mismo.

Asustada, la hermosa princesa Elena prometió y juró por todos los santos que diría lo que le mandaran decir. Los zareviches echaron entonces a suertes para decidir quién se quedaría con la hermosa princesa, y quién se quedaría con el caballo de las crines de oro. El resultado fue que la hermosa princesa sería para el zarevich Vasili y el caballo de las crines de oro para el zarevich Dmitri.

El zarevich Vasili hizo subir a la hermosa princesa a la grupa de su recio corcel, mientras el zarevich Dmitri montaba en el caballo de las crines de oro llevando, además, la jaula con el pájaro de fuego para entregárselo a su padre, el zar Vislav Andrónovich. Así se pusieron en camino.

El zarevich Iván yació muerto justo treinta días en aquel sitio, hasta que el lobo gris pasó casualmente por allí y lo reconoció al olfatearlo. Hubiera querido resucitarlo, pero no sabía cómo. En esto, vio que un cuervo y dos corvatos giraban sobre el cadáver con el propósito de posarse en tierra y alimentarse con la carne del zarevich Iván. El lobo gris se ocultó detrás de unas matas, y en cuanto los corvatos se posaron en tierra y empezaron a comer el cuerpo del zarevich Iván, cayó sobre ellos, agarró a uno, y ya iba a desgarrarlo en dos cuando el cuervo se posó en tierra, a cierta distancia del lobo gris, y le dijo:

—Lobo gris: no mates al menor de mis corvatos. Él no te ha hecho ningún daño.

—Escucha, Cuervo Cuérvovich —profirió el lobo gris—: yo no le haré daño a tu corvato, y lo soltaré sano y salvo, si tú me haces el favor de ir hasta los confines del mundo, hasta el más remoto de los países, y me traes de allí agua de la muerte y agua de la vida.

A lo cual contestó Cuervo Cuérvovich:

—Té haré ese favor, pero no le hagas el menor daño a mi hijo.

Con estas palabras, el cuervo emprendió el vuelo, perdiéndose de vista en seguida.

Al tercer día, regresó con dos pequeños frascos —uno con agua de la vida y otro con agua de la muerte—, que entregó al lobo gris.

El lobo gris tomó los dos frasquitos, desgarró al corvato por la mitad y luego le roció con agua de la muerte, y volvieron a juntarse los dos pedazos; entonces le roció con agua de la vida, y el corvato se agitó y remontó el vuelo.

El lobo gris repitió la misma operación con el zarevich Iván.

Roció sus pedazos con agua de la muerte, y los pedazos se unieron; roció luego el cuerpo con el agua de la vida, y el zarevich Iván se levantó diciendo:

—¡Pero cuánto tiempo he dormido, maldita...!

—Como que tu sueño habría sido eterno si no paso yo por aquí —replicó el lobo gris—. Has de saber que tus hermanos te despedazaron, llevándose luego a la hermosa princesa Elena, así como el caballo de las crines de oro y el pájaro de fuego. Ahora, apresúrate a volver a tu tierra, porque tu hermano, el zarevich Vasili, se casa hoy con tu prometida, la hermosa princesa Elena. Para ganar tiempo, lo mejor será que te montes a lomos del lobo gris: yo te llevaré.

El zarevich Iván montó a lomos del lobo gris, el lobo gris se dirigió a toda velocidad hacia el país del zar Vislav Andrónovich y llegó hasta la ciudad principal.

El zarevich Iván se apeó del lobo gris, entró en la ciudad, y cuando llegó al palacio, se encontró con que su hermano Vasili se había casado con la hermosa princesa Elena y, después de la ceremonia, presidía el banquete de esponsales.

El zarevich Iván entró en la sala, y Elena la Hermosa corrió a él en cuanto le vio, besándole en los dulces labios y gritando:

—Mi amado prometido es este, el zarevich Iván, y no ese malvado que está sentado a la mesa.

El zar Vislav Andrónovich se levantó entonces de la mesa, y le preguntó a la hermosa princesa Elena qué significaba aquello y de qué estaba hablando. Elena le refirió entonces toda la verdad, tal y como había sucedido: que el zarevich Iván había ido a buscarla a ella, que había conseguido hacerse con el caballo de las crines de oro y con el pájaro de fuego, que sus hermanos mayores le habían dado muerte mientras estaba dormido y, con amenazas, la habían obligado a ella a decir que todo era obra de ellos.

El zar Vislav se enfadó mucho con los zareviches Dmitri y Vasili y los hizo encerrar en una mazmorra.

En cuanto al zarevich Iván, se casó con la hermosa princesa Elena y juntos vivieron en amor y armonía, tan unidos que no podían pasar ni un minuto el uno sin el otro.

El pájaro de fuego y la zarevna Vasilisa

En cierto reino, allá en los confines de la tierra, en el más remoto de los países, vivía un zar muy poderoso. Este zar tenía un valiente arquero, y este arquero tenía un corcel maravilloso.

Un día fue el arquero de caza al bosque, montado en su maravilloso corcel. Cabalgando por un ancho camino, encontró una pluma de oro del pájaro de fuego, que resplandecía como el sol.

—No cojas esa pluma —le advirtió el corcel—, porque si la coges, lo lamentarás.

El arquero se quedó pensativo, sin saber si recoger o no la pluma. Si la cogía y se la llevaba al zar, quizá obtuviera una buena recompensa. ¿Y a quién no le halaga la benevolencia real?

El arquero no siguió el consejo de su corcel. Cogió la pluma del pájaro de fuego y se la ofreció al zar.

—¡Gracias! —dijo el zar—. Pero ya que has conseguido una pluma, consígueme el pájaro entero. Y si no lo haces, se encargará mi espada de dejarte la cabeza arrancada.

Llorando amargamente, el arquero fue a la cuadra donde estaba su corcel maravilloso.

—¿Por qué lloras, mi amo?

—Porque el zar me ha ordenado que le traiga el pájaro de fuego.

—Ya te dije yo que no cogieras la pluma, porque te arrepentirías. Pero bueno, no temas ni te aflijas. Esto no es lo peor. Lo peor está por delante. Anda y pídele al zar que, para mañana, mande esparcir por todo el campo cien sacos de granos de trigo.

El zar ordenó que fueran esparcidos por el campo cien sacos de granos de trigo.

Al día siguiente, el valiente arquero fue a aquel campo antes del amanecer, dejó suelto su caballo y él se escondió detrás de un árbol. De pronto, empezó a rumorear el bosque, y se agitaron las olas del mar: era el pájaro de fuego, que llegaba volando. Luego se posó en tierra y empezó a picotear los granos de trigo. El corcel maravilloso fue entonces aproximándose a él, hasta que le pisó un ala y luego la mantuvo con fuerza con un casco. El valiente arquero salió corriendo de detrás de su árbol, ató al pájaro con unas cuerdas, montó a caballo y galopó hacia palacio, donde le ofreció al zar el pájaro de fuego.

El zar se puso muy contento al verlo, le dio las gracias al arquero, le ascendió, pero a renglón seguido le encomendó una empresa más difícil todavía:

—Puesto que has sido capaz de traerme el pájaro de fuego, tráeme ahora una novia. Allá en los lugares más remotos, en el extremo del mundo donde nace el sol resplandeciente, vive la *zarevna* Vasilisa: con ella quiero casarme. Si logras traérmela, la recompensa será cuantiosa; si no, se encargará mi espada de dejarte la cabeza arrancada.

Llorando amargamente, el arquero fue a la cuadra donde estaba su corcel maravilloso.

—¿Por qué lloras, mi amo?

—Porque el zar me ha ordenado que le traiga a la *zarevna* Vasilisa.

—No llores ni te aflijas, porque esto no es lo peor. Lo peor está por delante. Anda y pídele al zar una tienda con la cúpula de oro y toda clase de provisiones y bebidas para el camino.

El zar le dio al arquero las provisiones, las bebidas y la tienda con la cúpula de oro.

El arquero montó en su maravilloso corcel y partió hacia los confines de la tierra. Cabalgando —no sé si mucho o poco tiempo—, llegó hasta el extremo de la tierra, donde el sol resplandeciente emerge del mar zul, y vio a la *zarevna* Vasilisa bogando sobre el mar azul en lancha de plata con remo de oro.

Soltó el arquero a su corcel, para que pastara y retozara en los prados verdes, y él se puso a montar la tienda con cúpula de oro. Luego distribuyó los manjares y las bebidas, y se sentó a comer mientras esperaba a la *zarevna* Vasilisa.

La *zarevna* Vasilisa, que vio desde lejos la cúpula de oro, guio su lancha hasta la orilla, saltó a tierra y se quedó admirando la tienda.

—Salud te deseo, *zarevna* Vasilisa —dijo el arquero—. Bienvenida seas: acepta el pan y la sal, y prueba si quieres vinos de otras tierras.

La *zarevna* Vasilisa entró en la tienda. El arquero y ella estuvieron bebiendo, comiendo y charlando. Pero una copa de vino extranjero se le subió a la cabeza a la *zarevna*, que se quedó profundamente dormida.

El arquero llamó con un grito a su corcel maravilloso, que acudió al instante, luego desmontó la tienda de cúpula de oro, montó en su corcel maravilloso llevando a la *zarevna* Vasilisa dormida, y se lanzó al camino, tan raudo como una flecha disparada por un arco.

Compareció ante el zar, que cuando vio a la *zarevna* Vasilisa, se llevó una gran alegría, agradeció al arquero sus buenos servicios, le recompensó espléndidamente y le dio un alto cargo.

La *zarevna* Vasilisa se despertó, comprendió que se encontraba muy lejos del mar azul, se puso a llorar y, de tanta aflicción, hasta se le marchitó el color de la cara. Por muchos esfuerzos que hacía el zar para consolarla, todo era inútil. Y cuando el zar quiso casarse con ella, la *zarevna* contestó:

—Manda al que me trajo aquí que vaya hasta el mar azul. En medio del mar hay una roca, y debajo de esa roca está guardado mi vestido de desposada. ¡Sin ese vestido, no me caso!

El zar llamó inmediatamente al arquero.

—Tienes que ir en seguida hasta el extremo de la tierra, donde sale el sol resplandeciente. En el mar hay una roca, y debajo de esa roca está guardado el vestido de desposada de la *zarevna* Vasilisa. Sácalo de allí y tráelo: ya es tiempo de celebrar la boda. Si lo consigues, la recompensa será aún mayor que las otras veces. Si no, se encargará mi espada de dejarte la cabeza arrancada.

Llorando amargamente, el arquero fue a la cuadra donde estaba su corcel maravilloso. «Ahora no me salvo de la muerte», pensaba.

—¿Por qué lloras, mi amo? —preguntó el corcel.

—Porque el zar me ha mandado traer del fondo del mar el vestido de desposada de la *zarevna* Vasilisa.

—¿No te advertí yo que no cogieras la pluma de oro, porque te arrepentirías? Pero bueno, no temas: esto no es lo peor. Lo peor está por delante. Anda, monta y vamos hacia el mar azul.

Cabalgando —no sé si poco o mucho—, llegó el valiente arquero al extremo de la tierra y se detuvo al borde mismo del mar. El corcel maravilloso vio un enorme cangrejo de mar deslizándose por la arena, y le puso uno de sus pesados cascos sobre una pinza.

—No me quites la vida —dijo entonces el cangrejo—, y haré que se cumplan tus deseos.

Contestó el corcel:

—En medio del mar hay una roca, y bajo esa roca está guardado el vestido de desposada de la *zarevna* Vasilisa. Necesito ese vestido.

El cangrejo lanzó entonces un grito que se escuchó sobre el mar entero. Inmediatamente, se agitaron las aguas azules y desde todas partes acudieron hacia la orilla multitudes de cangrejos, grandes y pequeños. El jefe que los había llamado les dio una orden, y todos volvieron al agua. Una hora después, sacaron del fondo del mar, de debajo de la roca, el vestido de desposada de la *zarevna* Vasilisa.

El valiente arquero compareció ante el zar con el vestido de desposada de la *zarevna* Vasilisa, pero también esta vez puso ella una objeción.

—No me casaré contigo —le dijo al zar— mientras no ordenes a este arquero que se bañe en agua hirviendo.

El zar ordenó llenar un gran caldero de agua, calentarla todo lo posible y arrojar al arquero al agua hirviendo. Cuando todo estuvo dispuesto y el agua hervía a borbotones, trajeron al desdichado arquero. «¡Esto sí que no tiene remedio! —se decía—. ¿Por qué recogería yo la pluma de oro del pájaro de fuego? ¿Por qué no le haría caso a mi caballo?». Y precisamente al acordarse de su corcel maravilloso, le dijo al zar:

—Señor y soberano: permite que me despida de mi caballo antes de morir.

—Bueno. Puedes ir.

Llorando amargamente, llegó el valiente arquero a la cuadra donde estaba su corcel maravilloso.

—¿Por qué lloras, mi amo?

—Porque el zar ha ordenado que me bañe en agua hirviendo.

—No llores ni te aflijas, porque saldrás con vida —le dijo el corcel.

Y pronunció un conjuro para que el agua hirviendo no dañara su blanca piel.

Volvió el arquero de la cuadra, y unos hombres le agarraron al instante y le arrojaron al caldero. Se zambulló una vez, luego otra y salió tan campante, pero, además, estaba mucho más guapo y mejor plantado que antes. Tanto, que no se podría pintar ni describir.

Viendo el zar lo mucho que había ganado, quiso también probar y, como un estúpido, se zambulló en el caldero, donde se coció en un instante.

El zar fue enterrado y la gente eligió en su lugar al valiente arquero, que se casó con la *zarevna* Vasilisa, y vivió con ella largos años en amor y armonía.

Cuento del apuesto mancebo, de las manzanas de la juventud y el agua de la vida

Érase un zar que tenía tres hijos: Fiodor, Egor e Iván. El último no era muy inteligente.

El zar envió al mayor de sus hijos en busca del agua de la vida y las dulces manzanas de la juventud. El zarevich Fiodor se puso en camino, y llegó a una encrucijada donde había un poste que decía: «Si vas hacia la derecha, comerás y beberás; si vas hacia la izquierda, la cabeza perderás». Torció hacia la derecha y llegó a una casita, donde una moza le dijo:

—Pasa, zarevich Fiodor, y acuéstate conmigo.

En cuanto se acostó, la moza le empujó a un lugar ignorado.

Viendo que Fiodor tardaba tanto en regresar, el zar envió al segundo de los hijos. También este llegó a la misma encrucijada y entró en la casa. La moza que allí habitaba lo trató lo mismo que al primero.

El zar terminó encomendándole su comisión al menor de los hijos.

Llegado a la encrucijada, Iván se dijo:

—Siendo en bien de mi padre, estoy dispuesto a perder la cabeza.

Y tiró hacia la izquierda. Al cabo de algún tiempo, se halló frente a una casita. Entró y encontró a una *yáguishna** hilando vedijas de plata con huso de oro.

—¿Hacia dónde te diriges, zarevich Iván, huesos rusos?

—Antes de hacerme preguntas, podías darme de comer y de beber —le contestó él.

Cuando la *yáguishna* le dio de comer y de beber, explicó el zarevich Iván:

—Voy en busca del agua de la vida y de las dulces manzanas de la juventud, allá donde vive Blanca de los Cisnes.

—No creo que lo consigas si yo no te ayudo —opinó la *yáguishna*, y le ofreció su caballo.

El zarevich Iván montó en aquel caballo y cabalgó hasta llegar donde vivía otra hermana *yáguishna*. El zarevich entró en la casita, y ella le dijo:

—Fff, fff... Hasta ahora no se habían oído ni visto huesos rusos; pero hoy se meten en mi propia casa. ¿Hacia dónde te diriges, zarevich Iván?

—Antes de hacerme preguntas, podías darme de comer y de beber.

La *yáguishna* le dio de comer y de beber, y entonces explicó el zarevich:

—Voy en busca del agua de la vida y de las dulces manzanas de la juventud, allá donde vive Blanca de los Cisnes.

—No creo que lo consigas si yo no te ayudo —dijo la *yáguishna*, y le dio su caballo.

El zarevich partió hacia la casa de la tercera *yáguishna*. Cuando esta le vio entrar, dijo:

—Fff, fff... Hasta ahora no se habían oído ni visto huesos rusos; pero hoy se meten en mi propia casa. ¿Hacia dónde te diriges, zarevich Iván?

—Antes de hacerme preguntas, podías darme de comer y de beber.

La *yáguishna* le dio de comer y de beber, y entonces explicó el zarevich:

—Voy en busca del agua de la vida y de las dulces manzanas de la juventud.

—Es una empresa difícil, zarevich. No pienso que lo consigas.

Luego le dio su caballo, una maza de setecientos *puds*, y le advirtió:

—Cuando vayas llegando a la ciudad, pégale al caballo con esta maza para que salte por encima de la muralla.

El zarevich Iván así lo hizo: saltó por encima de la muralla de la ciudad, ató su caballo a un poste y se dirigió al palacio de Blanca de los Cisnes. Los servidores no querían dejarle pasar, pero él seguía adelante diciendo:

—Traigo un mensaje para Blanca de los Cisnes.

Así, llegó hasta los aposentos de Blanca de los Cisnes, que dormía profundamente, tendida sobre sus colchones de plumas. El agua de la vida estaba en un frasco a la cabecera de la cama.

El zarevich Iván se apoderó del agua, le dio un beso a la hermosa doncella y luego la hizo objeto de una broma poco decorosa. Finalmente, cogió algunas manzanas de la juventud y emprendió el regreso.

Su caballo saltó por encima de la muralla, rozándola un poco. Inmediatamente, se pusieron a sonar muchas campanillas y campanillitas, despertando a la ciudad entera.

Blanca de los Cisnes iba y venía toda sulfurada —pegando a una criada, empujando a otra—, y gritaba:

—¡Arriba todo el mundo! Alguien ha estado aquí, ha bebido de mi agua y no ha tapado el pozo...

Entre tanto, el zarevich había llegado galopando hasta la casa de la primera *yáguishna*, y allí cambió de caballo. Pero Blanca de los Cisnes, que le perseguía, llegó a la misma casa donde había cambiado de caballo y le preguntó a aquella *yáguishna*:

—¿Adónde has ido? Tu caballo está sudoroso.

—He ido al campo, a recoger el ganado.

El zarevich Iván cambió también de caballo en casa de la segunda *yáguishna*. Tras él, llegó Blanca de los Cisnes y preguntó:

—¿Adónde has ido, *yáguishna*? Tu caballo está sudoroso.

—He ido al campo, a recoger el ganado, y por eso está sudoroso el caballo.

El zarevich llegó a casa de la última *yáguishna* y cambió de caballo. También Blanca de los Cisnes, que continuaba persiguiéndole, llegó poco después y preguntó:

—¿Por qué está sudoroso tu caballo?

—Porque he ido al campo a recoger el ganado —contestó la *yáguishna*.

Blanca de los Cisnes volvió grupas desde allí.

El zarevich Iván continuó su camino y llegó a la casa donde estaban sus hermanos. La moza que allí vivía salió al porche a darle la bienvenida, y luego le invitó a dormir con ella.

—Podías empezar por darme de comer y de beber.

La moza le dio de comer y de beber, y luego insistió:

—Acuéstate conmigo.

—Acuéstate tú primero —dijo el zarevich.

La moza se acostó primero y él le dio un empujón, arrojándola a un lugar ignorado. Entonces se dijo: «Tengo que abrir esta trampilla por si están allí mis hermanos».

Abrió la trampilla y allí los encontró.

—Salid —les dijo—. ¿Qué hacéis aquí, hermanos? ¿No os da vergüenza?

En seguida se prepararon para regresar juntos a casa de su padre. Por el camino, los hermanos mayores hicieron el propósito de matar al menor. Adivinando sus intenciones, este les dijo:

—No me matéis, y os lo daré todo.

Pero ellos no aceptaron, sino que lo asesinaron y dispersaron sus huesos por el campo.

El caballo del zarevich Iván reunió entonces todos los huesos en un sitio, los roció con el agua de la vida, y volvieron a soldarse los huesos y las articulaciones. El zarevich revivió, diciendo:

—Mucho he dormido, pero pronto he despertado.

Cuando al cabo del tiempo volvió a casa de su padre, este le dijo al verle:

—¿Por dónde has andado? Ahora, ponte a limpiar las letrinas.

Entre tanto, Blanca de los Cisnes llegó a los prados acotados del zar y le hizo entregar una carta exigiendo que pusiera entre sus manos al culpable.

El zar envió al mayor de sus hijos.

Al verlo, los hijos de Blanca de los Cisnes gritaron:

—¡Ahí viene nuestro *bátiushka*! ¿Con qué le damos la bienvenida?

—Ese no es vuestro padre —les advirtió la madre—, sino uno de vuestros tíos. Podéis darle la bienvenida con lo que tenéis entre las manos.

Y como cada uno tenía una estaca, le dieron tal paliza que apenas pudo regresar a su casa.

Luego envió el zar al zarevich Egor. Al verle venir, los chicos se alegraron mucho y gritaron:

—¡Ahí viene nuestro padre!

—No —advirtió la madre—. Ese es tío vuestro.

—¿Con qué le damos la bienvenida?

—Podéis darle la bienvenida con lo que tenéis entre las manos.

Le acariciaron las costillas tanto como a su hermano mayor.

Blanca de los Cisnes envió otro mensaje al zar exigiendo que le entregara al culpable. Entonces, el zar envió al menor de sus hijos.

Allá fue el zarevich Iván. Llevaba unos *lapti** y un ropón muy viejos. Los niños gritaron:

—¡Ahí viene un pobre!

—No es un pobre —advirtió la madre—; ese es vuestro *bátiushka*.

—¿Con qué le damos la bienvenida?

—Con lo que Dios quiera enviarnos.

Cuando llegó el zarevich Iván, Blanca de los Cisnes le hizo vestir lujosas ropas, y después fueron juntos a ver al zar.

El zarevich Iván le contó a su padre cómo había rescatado él a sus hermanos de la trampa en que habían caído, y cómo ellos le mataron después. Indignado, el padre les privó de todas sus prebendas y ordenó que fueran destinados a los más viles menesteres.

En cuanto al menor de los hijos, le llamó a vivir a su palacio y le nombró sucesor suyo.

Tordo-bayo

É rase un viejo que tenía tres hijos. El menor, al que llamaban Iván-el-tonto, se pasaba la vida sentado en un rincón del rellano de la estufa sonándose las narices. A punto de morir, les dijo el padre:

—Hijos míos, cuando muera quiero que vayáis las tres primeras noches a dormir una vez cada uno junto a mi tumba.

Así que falleció el viejo, los hijos le enterraron. Llegó la primera noche, que el mayor de los hermanos debía pasar junto a la tumba. Pero, ya fuera por pereza, ya fuera por miedo, el caso es que le dijo al menor:

—Puesto que no haces nada, Iván-el-tonto, ve tú a la tumba de nuestro padre y pasa allí la noche por mí.

Iván-el-tonto se vistió, fue al cementerio y se acostó al lado de la tumba. Pero, a medianoche, se abrió de pronto la sepultura, y de ella salió el viejo, preguntando:

—¿Quién está aquí? ¿Eres tú, mi hijo mayor?

—No, *bátiushka*. Soy yo, Iván-el-tonto.

—¿Y por qué no ha venido el mayor? —preguntó el viejo al reconocerle.

—Porque me ha mandado a mí, *bátiushka*.

—Bueno, pues tuya será la suerte —sentenció el viejo y, lanzando un silbido estridente, gritó—: ¡Tordo-bayo, ven acá, mi sabio alazán!

135

Llegó galopando un corcel tordo: la tierra se estremecía bajo sus cascos, por los ojos le salían llamaradas, y por las narices, remolinos de humo.

—Aquí tienes un buen caballo, hijo. Y tú, caballo mío, sírvele como me serviste a mí.

Dichas estas palabras, el anciano volvió a su sepultura.

Iván-el-tonto acarició al caballo, le dio unas palmadas y lo soltó. Luego regresó a su casa.

—¿Qué tal te ha ido la noche, Iván-el-tonto? —le preguntaron.

—Me ha ido bien, hermanos.

A la segunda noche, el hermano mediano, que tampoco quería pasarla junto a la tumba, dijo:

—Oye, Iván-el-tonto: ve tú a la tumba de nuestro padre y pasa allí la noche también por mí.

Sin replicar, Iván-el-tonto se vistió, salió de la casa y se acostó al lado de la tumba, esperando la medianoche. Llegada esa hora, también se abrió la sepultura, salió el padre y preguntó:

—¿Eres tú, mi hijo mediano?

—No. Soy yo otra vez, *bátiushka* —contestó Iván-el-tonto.

El viejo dio una voz muy fuerte después de lanzar un silbido estridente:

—¡Tordo-bayo, ven acá, mi sabio alazán!

Llegó galopando un corcel bayo: la tierra se estremecía bajo sus cascos, por los ojos le salían llamaradas, y por las narices, remolinos de humo.

—Corcel bayo, sirve a mi hijo lo mismo que me serviste a mí. Y ahora, ¡márchate!

El bayo escapó al galope, volvió el anciano a su sepultura, y se encaminó a su casa Iván-el-tonto. Los hermanos le preguntaron otra vez:

—¿Qué tal te ha ido la noche, Iván-el-tonto?

—Me ha ido muy bien, hermanos.

A la tercera noche, que le tocaba ir a él, Iván-el-tonto se vistió y salió sin que nadie tuviera que decirle nada. Estaba tumbado junto a la tumba cuando el anciano volvió a salir a medianoche y, sabiendo que era Iván-el-tonto quien estaba allí, dio una voz muy fuerte después de lanzar un silbido estridente:

—¡Tordo-bayo, ven acá, mi sabio alazán!

Llegó galopando un corcel alazán: la tierra se estremecía bajo sus cascos, por los ojos le salían llamaradas, y por las narices, remolinos de humo.

—Sabio alazán: igual que me serviste a mí, sirve ahora a mi hijo.

136

Dicho lo cual, el viejo se despidió de Iván-el-tonto y volvió a su sepultura.

Iván-el-tonto acarició al alazán, estuvo admirándolo un rato, luego lo soltó y regresó a su casa. Los hermanos le preguntaron otra vez:

—¿Qué tal te ha ido la noche, Iván-el-tonto?

—Me ha ido muy bien, hermanos.

Siguió la vida como antes: los hermanos mayores trabajaban, pero Iván-el-tonto no hacía nada.

De pronto, salió un bando del zar diciendo que su hija la *zarevna* sería desposada con quien lograse arrancar de la casa su retrato, colgado a la altura de tantos y tantos troncos. Los hermanos se dispusieron a ir para ver quién lograba arrancar el retrato. Entonces dijo Iván-el-tonto desde el rellano de la estufa, donde estaba sentado detrás de la chimenea:

—Dadme un caballo cualquiera, hermanos, y también iré yo.

—¡Cállate, so tonto! —replicaron los hermanos de mala manera—. ¿Adónde quieres ir para que se ría de ti la gente?

Pero tanto insistió Iván-el-tonto que, hartos ya, los hermanos accedieron:

—Está bien, estúpido: puedes montar la yegua coja si quieres.

Los hermanos se marcharon, y entonces Iván-el-tonto salió al campo, se apeó de la yegua, la mató, la desolló, colgó la pelleja en las estacas de una cerca y dejó la carne allí tirada. Luego lanzó un silbido estridente y gritó con fuerza:

—¡Tordo-bayo, ven acá, sabio alazán!

Y llegó galopando el corcel tordo: la tierra se estremecía bajo sus cascos, por los ojos le salían llamaradas, y por las narices, remolinos de humo.

Iván-el-tonto se metió por una oreja del caballo y se sació de comida y bebida; salió por la otra oreja tan apuesto y bien ataviado que ni sus hermanos le habrían reconocido.

Montado en el corcel tordo, se encaminó al lugar donde estaba expuesto el retrato de la *zarevna*. Se había reunido allí un gran gentío. Al verle llegar tan apuesto, todos se pusieron a mirarle. Según galopaba, Iván-el-tonto espoleó al caballo, que pegó un salto tremendo, y solo por la altura de tres troncos no pudo alcanzar el retrato. La gente había visto por dónde llegaba, pero nadie vio por dónde se marchó.

Iván-el-tonto soltó al caballo, volvió a su casa y se subió al rellano de la estufa. En esto, regresaron los hermanos y se pusieron a contarles a sus esposas:

—No podéis imaginaros qué mancebo tan apuesto ha venido. Nunca habíamos visto nada igual. Solo le ha faltado la altura de tres troncos para alcanzar el retrato. Toda la gente ha visto por dónde llegó, pero no por dónde se marchó. Seguro que vendrá otra vez...

—Hermanos, ¿no sería yo ese mancebo? —preguntó Iván-el-tonto desde el rellano de la estufa.

—¿Cómo demonios ibas a ser tú? Quédate donde estás, estúpido, y límpiate las narices.

Transcurrido cierto tiempo, el zar hizo repetir el bando. Los hermanos se dispusieron otra vez a presenciar aquella empresa, y también Iván-el-tonto les pidió:

—Hermanos: dadme un caballo cualquiera para ir.

—Tú te quedas en casa, estúpido —le contestaron—. ¿O quieres echar a perder otra cabalgadura?

Pero tanto los atosigó, que le permitieron coger otra yegua cojitranca. Iván-el-tonto hizo lo mismo con ella: la mató, colgó la pelleja en las estacas de una cerca y dejó la carne allí tirada. Luego lanzó un silbido estridente y gritó con fuerza:

—¡Tordo-bayo, ven acá, sabio alazán!

Y llegó galopando el corcel bayo: la tierra se estremecía bajo sus cascos, por los ojos le salían llamaradas, y por las narices, remolinos de humo.

Iván-el-tonto se metió por la oreja derecha del caballo y cambió de vestido; salió por la oreja izquierda convertido en un apuesto mancebo, montó en su caballo y se puso en marcha. Al saltar, solo le faltó la altura de dos troncos para llegar al retrato.

La gente había visto por dónde llegaba, pero nadie vio por dónde se marchó. Soltó al corcel bayo, volvió a su casa, y esperó en el rellano de la estufa el regreso de sus hermanos. Estos llegaron y les dijeron a sus mujeres:

—¿Sabéis que ha vuelto el apuesto mancebo de la otra vez? Solo le ha faltado la altura de dos troncos para alcanzar el retrato.

—Hermanos, ¿no sería yo ese mancebo? —preguntó Iván-el-tonto.

—Calla, estúpido. ¿Cómo demonios ibas a estar allí?

Poco tiempo después, repitió el zar su bando. Mientras los hermanos hacían sus preparativos, les pidió Iván-el-tonto:

—Dadme algún caballo, hermanos. Así iré yo también.

—Tú te quedas en casa, estúpido. ¿Hasta cuándo vas a echar a perder caballos?

Pero como no pudieron deshacerse de él por mucho que lo intentaron, le dijeron que cogiera una yegua de mala muerte y ellos partieron.

Iván-el-tonto hizo como otras veces: mató a la yegua, dejó la carne abandonada y, después de lanzar un silbido estridente, llamó con fuerte voz:

—¡Tordo-bayo, ven acá, sabio alazán!

Y llegó galopando el caballo alazán: la tierra se estremecía bajo sus cascos, por los ojos le salían llamaradas, y por las narices, remolinos de humo.

Iván-el-tonto se metió por una oreja del alazán y se sació de comida y bebida; salió por la otra oreja, lujosamente ataviado, montó en el caballo y partió al galope. En cuanto llegó ante el palacio, saltó y se llevó el retrato y el pañuelo bordado que lo adornaba. La gente había visto por dónde llegaba, pero nadie vio por dónde se marchó. También soltó al alazán, volvió a su casa y se subió al rellano de la estufa, en espera de que regresaran sus hermanos. Al volver estos, les dijeron a sus mujeres:

—¿No sabéis? El apuesto mancebo de las otras veces ha saltado hoy tan alto que se ha llevado el retrato.

—Hermanos, ¿no sería yo ese mancebo? —preguntó Iván-el-tonto desde detrás de la chimenea.

—Calla, estúpido. ¿Cómo demonios ibas a estar tú allí?

Pasado algún tiempo, el zar dio un baile al que invitó a todo el mundo: boyardos, jefes militares, nobles, consejeros, senadores, comerciantes, habitantes de las ciudades, campesinos... Los hermanos de Iván también fueron, y él los siguió.

Cuando llegó a palacio, se subió como siempre a un rellano de la estufa, detrás de la chimenea, y se puso a mirarlo todo con la boca abierta. La *zarevna* agasajaba a los invitados, ofreciendo vino a cada uno y observando si no se enjugaba alguno los labios con su pañuelo, pues aquel sería su prometido. Pero nadie sacó el pañuelo de la *zarevna*. En cuanto a Iván-el-tonto, la *zarevna* pasó de largo junto a él sin verle. Por fin, se retiraron los invitados.

Al día siguiente, el zar dio otro baile, pero tampoco apareció el que había arrancado el pañuelo con el retrato.

También al tercer día fue ofreciendo la *zarevna* bebida a los invitados. Todos habían bebido sin que ninguno se enjugase con su pañuelo.

—¿Cómo no estará aquí mi prometido? —se preguntó.

En esto, miró detrás de la chimenea, y allí descubrió a Iván-el-tonto, todo tiznado de hollín, con la ropa casi en harapos y la pelambrera hirsuta. Escanció un vaso de cerveza y se lo ofreció, mientras los hermanos se asombraban de que incluso al tonto aquel sirviera bebida la *zarevna*. Iván-el-tonto apuró el vaso y se enjugó los labios con el pañuelo. Muy contenta, la *zarevna* le condujo de la mano hasta delante de su padre, y dijo:

—*Bátiushka:* este es mi prometido.

Los hermanos de Iván-el-tonto se quedaron como quien ve visiones.

—¿Qué le ocurrirá a la *zarevna*? ¿Se habrá vuelto loca para presentar a ese estúpido como su prometido?

Las cosas marcharon luego muy ligeras, y la boda se celebró con un gran banquete y muchos festejos.

Nuestro Iván dejó de ser Iván-el-tonto para convertirse en Iván-yerno-del-zar, y tanto se enmendó y se aseó que la gente no acertaba a reconocerle, de lo muy gallardo que resultaba.

Entonces comprendieron los hermanos lo mucho que significaba pasarse la noche junto a la tumba del padre.

La jabalina cerdas-de-oro, la oca plumas-de-oro y la yegua crines-de-oro

Érase una vez un viejo matrimonio que tenía tres hijos: dos listos y el otro tonto. Murieron los dos ancianos, pero el padre dijo antes de fallecer:

—Queridos hijos míos: mi deseo es que vayáis a pasar una noche cada uno junto a mi sepultura.

Los hermanos echaron a suertes, y le tocó ir al tonto. Conque estaba el tonto junto a la sepultura, cuando a medianoche apareció el padre y preguntó:

—¿Quién está aquí?

—Soy yo, *bátiushka*, el tonto.

—Bien, hijo mío. Que Dios te acompañe.

A la noche siguiente, le tocó al hermano mayor ir a la sepultura.

—Ve tú esta noche por mí —le dijo al tonto—, y te compraré lo que quieras.

—¡Quia, hombre! Con los difuntos pegando saltos por allí...

—Si vas, te compro unas botas de tafilete rojo.

El tonto se dejó convencer y fue también la segunda noche. Estaba junto a la sepultura, cuando la tierra se abrió de pronto, apareció el padre y preguntó:

—¿Quién está aquí?

—Soy yo, *bátiushka*, el tonto.

—Bien, hijo mío. Que Dios te acompañe.

El hermano mediano, que debía ir a la tercera noche, también le pidió al tonto:

—Hazme el favor de ir en mi lugar, y te compraré lo que quieras.

—¡Quia, hombre! La primera noche fue terrible, pero la segunda ha sido peor, con los difuntos gritando, peleándose, y yo tiritando de fiebre...

—Si vas, te compro un gorro encarnado.

De manera que el tonto fue también la tercera noche. Estaba junto a la sepultura, cuando la tierra se abrió de pronto, apareció el padre y preguntó:

—¿Quién está aquí?

—Soy yo, el tonto.

—Bien, hijo mío. Que Dios te acompañe. Toma esto, y con ello te doy mi bendición —profirió, entregándole tres crines de caballo.

El tonto fue a un prado, prendió fuego a las tres crines y gritó con voz estridente:

—¡Tordo-bayo, sabio alazán! Por la bendición paternal, acude al momento como hoja que lleva el viento.

Vino al galope un corcel echando fuego por la boca y humo por las orejas, y se detuvo delante de él como hoja llevada por el viento.

El tonto se metió por la oreja izquierda del caballo, comió y bebió; se metió por la oreja derecha y quedó lujosamente vestido, y tan apuesto que nadie podría imaginárselo ni describirlo.

A la mañana siguiente, se pregonó un bando del zar.

—La mano de mi hija, la *zarevna* Cara-Linda, será concedida a quien logre darle un beso saltando a caballo hasta la tercera planta del palacio.

Los hermanos se dispusieron a ir a presenciar aquel espectáculo, y le dijeron al menor:

—Ven con nosotros, tonto.

—No, no quiero. Cogeré un cesto y me iré al campo a cazar chovas. Así tendrán comida los perros.

Conque se fue al campo, prendió fuego a las tres crines y gritó:

—¡Tordo-bayo, sabio alazán! Por la bendición paternal, acude al momento como hoja que lleva el viento.

Vino al galope un corcel echando fuego por la boca y humo por las orejas, y se detuvo delante de él como hoja llevada por el viento.

El tonto se metió por la oreja izquierda del caballo, comió y bebió; se metió por la oreja derecha y quedó lujosamente vestido, y tan apuesto que nadie podría imaginárselo ni describirlo. Montó a lomos del corcel, agitó una mano, pegó un taconazo y partió como una flecha.

El caballo galopaba estremeciendo la tierra con sus cascos, nivelando montes y valles con la cola, pasando por encima de troncos caídos y baches... En plena carrera, pegó un salto hasta el primer piso nada más, y volvió a su casa.

Cuando los hermanos regresaron, lo encontraron tendido en el rellano de la estufa.

—Lástima que no vinieras con nosotros, tonto. Se ha presentado un mancebo tan apuesto que no es posible imaginárselo ni describirlo.

—¿Y no sería yo?

—¿De dónde ibas tú a sacar semejante caballo? Límpiate los mocos primero.

Al día siguiente, los hermanos se dispusieron nuevamente a presenciar aquel espectáculo, y le dijeron al tonto:

—Ven con nosotros, tonto: seguro que hoy se presenta un jinete más apuesto aún que el de ayer.

—No, no quiero. Cogeré un cesto y me iré al campo a cazar chovas. Así tendrán comida los perros.

Se fue al campo y prendió fuego a las tres crines.

—¡Tordo-bayo, sabio alazán! Acude al momento como hoja que lleva el viento.

Vino al galope un corcel echando fuego por la boca y humo por las orejas, y se detuvo delante de él como hoja llevada por el viento.

El tonto se metió por la oreja izquierda del caballo, comió y bebió; se metió por la oreja derecha y quedó lujosamente vestido, y tan apuesto que nadie podría imaginárselo ni describirlo. Montó a lomos del corcel, agitó una mano, pegó un taconazo y, del salto, llegó al segundo piso, pero no al tercero. Volvió grupas, soltó al caballo en los verdes prados y se marchó a su casa, tendiéndose en el rellano de la estufa.

—Lástima que no vinieras con nosotros, tonto —dijeron los hermanos al volver—. Si apuesto era el jinete de ayer, más lo ha sido el de hoy. Parece mentira ver a un hombre tan bien plantado.

—¿No sería yo ese?

—Hablas como lo que eres: como un tonto. ¿De dónde ibas a sacar tú ese lujo ni ese caballo? Sigue ahí tumbado y calla...

—Bueno, pues si no era yo, mañana lo sabréis.

Cuando se marchaban al tercer día, también le dijeron los hermanos listos:

—Ven con nosotros, tonto: seguro que hoy besa a la *zarevna*.

—No, no quiero. Cogeré un cesto y me iré al campo a cazar chovas. Así tendrán comida los perros.

Pero luego fue al campo, prendió fuego a las tres crines y gritó muy fuerte:

—¡Tordo-bayo, sabio alazán! Acude al momento como hoja que lleva el viento.

Vino al galope un corcel echando fuego por la boca y humo por las orejas, y se detuvo delante de él como hoja llevada por el viento.

El tonto se metió por la oreja izquierda del caballo, comió y bebió; se metió por la oreja derecha y quedó lujosamente vestido, y tan apuesto que nadie podría imaginárselo ni describirlo. Montó a lomos del corcel, agitó una mano, pegó un taconazo y saltó hasta el tercer piso. Le dio un beso en los labios a la hija del zar y ella le pegó en la frente con su sello grabado en una sortija.

El tonto volvió grupas, soltó al caballo en los verdes prados y, de regreso a su casa, se envolvió la cabeza con un pañuelo antes de tenderse en el rellano de la estufa.

—¿No sabes, tonto? —exclamaron los hermanos mayores al entrar—. El jinete que ha venido hoy vale mucho más que los dos anteriores. ¡Parece mentira!

—¿Y no sería yo ese?

—Hablas como lo que eres: como un tonto. ¿De dónde ibas a sacar tú ese lujo?

El tonto se quitó el pañuelo de la cabeza, y fue como si toda la casa se llenara de luz.

—¿Dónde has estado para cambiar tanto?

—Eso, con que yo lo sepa basta. Vosotros no queríais creerme, ¿verdad? Pues ahí tenéis lo que puede un tonto.

Al día siguiente, el zar organizó un gran banquete, ordenando que se invitara a los boyardos, a los nobles y a los hombres del pueblo, a los ricos y a los pobres, a los viejos y a los jóvenes... La *zarevna* había de elegir entre todos a su prometido.

Los hermanos listos se dispusieron para asistir también al banquete. El tonto volvió a atarse el pañuelo alrededor de la cabeza y les dijo:

—Ahora sí que iré yo, aunque vosotros no me lo pidáis.

Llegó el tonto a los reales aposentos y se acurrucó detrás de una estufa. Al poco rato, la *zarevna* fue ofreciendo bebida a todos los invitados y buscando a su prometido. El zar iba detrás de ella. Había agasajado ya a todos, cuando miró detrás de la estufa y descubrió al tonto, todo mocoso y baboso, con un pañuelo liado alrededor de la cabeza. La *zarevna* Cara-Linda le hizo salir de su rincón y, después de enjugarle el rostro con su pañuelo, dijo:

—Padre y señor mío, este es mi prometido.

Viendo el zar que había aparecido el prometido de su hija y que, aunque fuera tonto, estaba obligado a cumplir su real palabra, ordenó que fuesen desposados inmediatamente. Y como un zar no necesita hacer grandes preparativos, puesto que siempre tiene provisiones de sobra, en seguida se celebró la boda.

Aquel zar tenía ya dos yernos. El tonto era el tercero. Un día, llamó a los dos primeros y les habló así:

—Yernos míos, ya que sois tan listos y tan inteligentes, quisiera que realizarais un servicio para mí. ¿No podríais traerme una oca plumas-de-oro que anda por la estepa?

Luego ordenó que les preparasen unos buenos caballos.

—Y a mí también, *bátiushka* —rogó el tonto al enterarse—. Aunque sea el que sirve para traer el agua...

El zar le dio un jamelgo tiñoso, que el tonto cabalgó de espaldas a la cabeza y de cara a las ancas. Luego agarró las crines de la cola entre los dientes y gritó, pegándole palmadas en la grupa:

—¡Arre, arre, carne de perro!

Así llegó al campo, desolló al jamelgo tirando del pellejo desde la cola, y gritó:

—¡Chovas, grajos y urracas! Aquí tenéis pitanza que os manda el zar...

Acudieron bandadas de chovas, grajos y urracas, que se comieron toda la carne, y entonces llamó el tonto a su tordo-bayo:

—Ven al momento, como hoja que lleva el viento.

Vino al galope un corcel echando fuego por la boca y humo por las orejas; el tonto se metió por la oreja izquierda del caballo, comió y bebió; se metió por la oreja derecha y quedó lujosamente vestido y tan apuesto. Luego cazó a la oca plumas-de-oro, montó una tienda y se instaló en ella mientras la oca andaba por allí cerca. Los yernos listos llegaron por aquellos lugares y preguntaron:

—¡Ah de la tienda! ¿Vive alguien dentro? Si eres anciano, te aceptamos como abuelo; si eres más joven, podrías ser tío nuestro.

—Tengo vuestra edad —contestó el tonto—, y seré como un hermano.

—Y qué, hermano, ¿vendes esta oca plumas-de-oro?

—No, no la vendo. Pero sí la daría a trueque de algo.

—¿A trueque de qué?

—Del dedo meñique de la mano derecha.

Cada uno de los yernos listos se cortó el meñique de la mano derecha y se lo dio al tonto, que los guardó en su escarcela. Los yernos listos volvieron a palacio y, cuando se acostaron, el zar y su esposa dieron una vuelta por los aposentos para oír lo que decían. Uno exclamó:

—¡Cuidado! Me has hecho daño en la mano.

Y el otro:

—¡Ay! No me toques la mano, que me duele.

Por la mañana, llamó el zar a los yernos listos.

—Yernos míos —les dijo—, ya que sois tan listos y tan inteligentes, quisiera que realizarais un servicio para mí. ¿No podríais traerme una jabalina cerdas-de-oro que anda por la estepa con doce jabatos?

Luego ordenó que les preparasen unos buenos caballos, y al tonto volvió a darle un jamelgo tiñoso. El tonto salió al campo, agarró al jamelgo por la cola y lo desolló.

—¡Eh, chovas, grajos y urracas! Aquí tenéis pitanza que os manda el zar.

Acudieron bandadas de chovas, grajos y urracas, que se comieron toda la carne. El tonto llamó al tordo-bayo, sabio alazán, encontró la jabalina cerdas-de-oro con sus doce jabatos y montó una tienda, donde se instaló, mientras la jabalina andaba rondando cerca. Los yernos listos llegaron por aquellos lugares.

—¡Ah de la tienda! ¿Hay alguien dentro? Si eres anciano, te aceptamos como abuelo; si eres más joven, podrías ser tío nuestro.

—Tengo vuestra edad —contestó el tonto—, y seré como un hermano.

—¿Es tuya esta jabalina cerdas-de-oro?

—Sí.

—Véndenosla. ¿Cuánto pides por ella?

—No la vendo. Pero sí acepto un trueque.

—¿Y qué quieres a cambio?

—De cada uno, un dedo del pie.

Los yernos se cortaron un dedo del pie cada uno y se lo entregaron al tonto a cambio de la jabalina cerdas-de-oro y de los doce jabatos.

Al otro día, convocó el zar a sus yernos listos para decirles:

—Yernos míos: ya que sois tan listos y tan inteligentes, quisiera que realizarais un servicio para mí. ¿No podríais traerme una yegua crines-de-oro que anda por la estepa con doce potros?

—Claro que sí, *bátiushka*.

El zar ordenó que les preparasen unos buenos caballos, y al tonto le dio un jamelgo tiñoso en el que se montó de espaldas a la cabeza y de cara a las ancas, agarró las crines de la cola entre los dientes, y se puso a arrearle pegándole palmadas. Los yernos listos se reían de él a todo reír.

Llegó el tonto al campo, desolló al jamelgo tirando del pellejo desde la cola, y gritó:

—¡Eh, chovas, grajos y urracas! Aquí tenéis pitanza que os manda el zar.

Acudieron bandadas de chovas, grajos y urracas que se comieron toda la carne. Entonces gritó el tonto:

—¡Tordo-bayo, sabio alazán! Por la bendición paternal, acude al momento como hoja que lleva el viento.

Vino al galope un corcel echando fuego por la boca y humo por las orejas. El tonto se metió por la oreja izquierda del caballo, comió y bebió; se metió por la oreja derecha y quedó lujosamente vestido y tan apuesto.

—Necesito capturar a la yegua crines-de-oro y a sus doce potros.

El tordo-bayo sabio alazán le contestó:

—Las empresas anteriores eran juego de niños. Esta, en cambio, costará más trabajo. Debes agenciarte tres varitas de cobre, tres de hierro y tres de estaño. Yo atraeré a la yegua, y cuando veas que se desploma de fatiga después de seguirme por montes y valles, cabálgala y pégala entre las orejas con las nueve varillas hasta que se hagan todas pedazos. Quizá puedas dominar entonces a la yegua crines-de-oro.

Dicho y hecho. El tonto se hizo con la yegua crines-de-oro y sus doce potros, montó una tienda y se instaló dentro, dejando a la yegua atada a un poste. Aparecieron los yernos listos por aquellos lugares y preguntaron:

—¡Ah de la tienda! ¿Hay alguien dentro? Si eres anciano, te aceptamos como abuelo; si eres más joven, podrías ser tío nuestro.

—Tengo vuestra edad y seré como un hermano.

—¿Es tuya, hermano, la yegua que está atada al poste?

—Sí.

—Véndenosla.

—No la vendo. Pero sí acepto un trueque.

—¿Y qué quieres a cambio?

—De cada uno, una tira de pellejo de la espalda.

Los yernos listos estuvieron dudando un rato, pero al fin aceptaron. El tonto les cortó a cada uno una tira de pellejo de la espalda, se las guardó, y les entregó la yegua y los doce potros.

Al día siguiente, preparó el zar un banquete al que todos acudieron. El tonto extrajo entonces de su escarcela los dedos cortados y las tiras de pellejo y dijo:

—Estos dedos son la oca plumas-de-oro; estos son la jabalina cerdas-de-oro, y estas tiras de pellejo son la yegua crines-de-oro y sus doce potros.

—¿Qué cuentos son esos, tonto? —inquirió el zar.

Y el tonto contestó:

—*Bátiushka* y señor mío: diles a tus yernos listos que se quiten los guantes.

Cuando obedecieron, se vio que a cada uno le faltaba el dedo meñique de la mano derecha.

—He sido yo quien les ha hecho cortar un dedo meñique a cada uno a cambio de la oca plumas-de-oro —explicó el tonto, colocando en su sitio los dedos cortados, que al instante prendieron y se cicatrizaron.

—Ahora, *bátiushka*, diles que se quiten las botas a tus yernos listos.

Cuando se descalzaron, se vio que les faltaba un dedo a cada uno.

—Estos se los hice cortar a cambio de la jabalina cerdas-de-oro y sus doce jabatos.

Les aplicó a los pies los dedos cortados, y también prendieron y se cicatrizaron en seguida.

—Ahora, *bátiushka*, que se quiten la camisa.

Los yernos obedecieron: a cada uno le faltaba una tira de pellejo en la espalda.

—Se las quité yo a cambio de la yegua crines-de-oro y los doce potros.

El tonto aplicó las tiras de pellejo en los sitios de donde las había cortado, y se cicatrizaron.

—Ahora, *bátiushka* —pidió el tonto—, ordena que enganchen una carroza.

Montaron entonces en la carroza y fueron al campo. El tonto les prendió fuego a las tres crines de caballo y gritó muy fuerte:

—¡Tordo-bayo, sabio alazán! Por la bendición paternal, acude al momento como hoja que lleva el viento.

Vino al galope un corcel que hacía retumbar la tierra con sus cascos, echando llamas por la boca y humo por las orejas, y se detuvo delante de él como hoja llevada por el viento. El tonto se metió por la oreja izquierda del caballo, comió y bebió; se metió por la oreja derecha y quedó lujosamente vestido, y tan apuesto que nadie podría imaginárselo ni describirlo.

Desde entonces, vivió con su esposa como corresponde a personas de la realeza, viajó en carroza y dio grandes festines. Yo estuve en esos banquetes y ni siquiera me mojé los bigotes, aunque los vinos y el hidromiel corrían allí a granel.

El caballo prodigioso

En cierto reino, en cierto país, vivían un viejo y su mujer. Nunca habían tenido hijos. Se pusieron a pensar en que habían alcanzado una edad muy avanzada, que pronto les llegaría la hora de morir y el Señor no les había dado un heredero. Entonces rogaron a Dios pidiéndole una criatura que honrase su memoria. El viejo hizo voto de que, si su mujer le daba una criatura, tomaría como compadre a la primera persona con quien se encontrara.

Al cabo de algún tiempo, se quedó preñada la vieja y trajo al mundo un varón. Muy contento, el viejo se vistió y salió en busca de un compadre como padrino de su hijo. Nada más trasponer el portón, vio llegar una carroza tirada por cuatro caballos. En la carroza iba el zar de aquel país.

Como el viejo no conocía al zar, pensó que se trataría de algún noble señor y se detuvo, saludándole respetuosamente.

—¿Qué deseas, buen viejo? —preguntó el zar.

—Quisiera pedirte, señoría, y dicho sea sin deseo de ofender, que apadrinaras a mi hijo recién nacido.

—¿Acaso no conoces a nadie en la aldea?

—Sí que tengo muchos conocidos y amigos, pero ninguno puede ser mi compadre, pues he hecho voto de pedírselo al primero que encontrara.

—Bien está —replicó el zar—. Aquí tienes cien rublos para el bautizo. Mañana estaré aquí.

Al día siguiente llegó, en efecto, a casa del viejo. Llamaron al pope, bautizaron al niño y le pusieron Iván. En seguida empezó Iván a crecer a ojos vistas, como la masa de trigo candeal con buena levadura. Y cada mes el zar le enviaba por correo cien rublos.

Transcurrieron diez años, Iván se hizo muy grande y notó una fuerza tremenda dentro de sí.

También por entonces recordó el zar que en algún sitio tenía un ahijado, aunque no sabía cómo era. Sintió el deseo de verle personalmente, y al instante ordenó que Iván, hijo de aquel campesino, compareciese sin pérdida de tiempo ante su serena mirada.

El padre lo dispuso todo para su viaje. Sacó dinero y le dijo:

—Toma cien rublos, ve a la ciudad y cómprate un caballo, pues el camino es largo y no llegarías a pie.

Iván partió para la ciudad, y por el camino se encontró con un hombre muy viejo.

—Hola, Iván, hijo de un campesino. ¿Hacia dónde vas?

—Voy a la ciudad, abuelo —contestó el apuesto mancebo—, para comprarme un caballo.

—Si quieres ser feliz, atiende lo que voy a decirte. Cuando llegues al mercado de las caballerías, verás a un hombrecillo que vende un caballo muy flaco y canijo. Elige precisamente ese y, por mucho que te pida su amo, págaselo sin regatear. Después llévalo a tu casa, condúcelo a pastar doce tardes y doce mañanas a los prados verdes cuando los baña el rocío..., y entonces verás.

Iván agradeció su consejo al anciano y continuó hacia la ciudad. En el mercado de caballerías vio a un hombrecillo con un caballo muy flaco y canijo.

—¿Vendes el caballo?

—Sí.

—¿Cuánto pides por él?

—Cien rublos sin regatear.

Iván, hijo de un campesino, sacó cien rublos, se los entregó al hombrecillo y volvió a su casa con el caballo.

—Eso es tirar el dinero —dijo el padre con ademán de fastidio.

—Aguarda un poco, padre. ¿Y si tengo la suerte de que se ponga rollizo?

Iván comenzó a llevar a su caballo todas las mañanas y todas las tardes a pastar a los prados verdes. Transcurridos así doce crepúsculos matutinos y doce crepúsculos vespertinos, su caballo se hizo tan fuerte, recio y hermoso, que no es para dicho, sino para contado como algo maravilloso. Además, era tan listo que apenas le pasaba a Iván una idea por el pensamiento, ya la había adivinado él.

Iván, hijo de un campesino, se compró entonces unos arneses dignos de un *bogatir*, montó en su magnífico corcel, se despidió de sus padres y fue a la capital a presentarse ante el zar, su soberano.

Después de cabalgar, no sé si poco o mucho, si despacio o aprisa, se encontró ante el palacio real. Echó pie a tierra, ató su recio caballo a la anilla de un poste de roble y mandó que se informara al zar de su llegada. El zar dio orden de que se le franqueara el paso, sin el menor obstáculo, hasta los salones. Iván penetró en los reales aposentos, oró ante los santos iconos, hizo una reverencia y le dijo al zar:

—Salud tenga vuestra Majestad.

—Hola, ahijado —contestó el zar.

Luego le hizo sentar a la mesa, y mientras le agasajaba con toda clase de bebidas y manjares, le contemplaba admirándose de encontrarle hecho ya todo un mozo de facciones atractivas, despierta inteligencia y estatura aventajada. Además, nadie le habría echado diez años, sino veinte, y bien cumplidos.

«A juzgar por las apariencias —decíase el zar—, Dios me ha dado en este ahijado un recio *bogatir* y no un simple guerrero».

En vista de lo cual, le confirió un grado de oficial y le destinó a servir cerca de su persona.

Iván, hijo de un campesino, inició su servicio con todo celo: no rehuía ningún esfuerzo, defendía la verdad con alma y vida... Por todo ello, el zar llegó a cobrarle más afecto que a cualquiera de sus generales y sus ministros, y en ninguno de estos confiaba tanto como en su ahijado. Por eso mismo, los generales y los ministros le tomaron ojeriza a Iván, y se concertaron para denigrarle ante el propio soberano. Pronto se presentó la ocasión. Habiendo invitado el zar a todos los nobles y los cortesanos a un almuerzo, les preguntó cuando estuvieron sentados a la mesa:

—Quisiera saber, señores generales y ministros, lo que pensáis de mi ahijado.

—Sería difícil emitir un juicio, majestad, pues no hemos visto en él nada malo, pero tampoco nada bueno. Lo grave es su gran jactancia. Por ejemplo, le hemos oído decir infinidad de veces que en cierto reino, allá en los confines de la tierra, hay un gran palacio de mármol rodeado de una muralla muy alta que nadie puede trasponer, ni a pie ni a caballo. En él vive la princesa Nastasia la Bella. Nadie puede llegar hasta ella. Pues bien: Iván se jacta de que conseguirá penetrar en el palacio y desposar a la princesa.

El zar escuchó aquellas palabras, y luego mandó llamar a su ahijado para decirle:

—¿Por qué te jactas ante los generales y los ministros de llegar hasta la princesa Nastasia y no me dices nada a mí?

—¡Por Dios, majestad! —protestó Iván, hijo de un campesino—. A mí no se me ha ocurrido eso ni en sueños...

—Ya es tarde para echarse atrás. Aquí, el que presume de algo debe demostrar que es capaz de hacerlo. Si no, tengo una espada a siniestra que te quitará la testa.

Muy triste, y con la cabeza gacha entre los recios hombros, Iván caminó hasta donde estaba su buen caballo. Y el caballo le habló con palabra humana.

—¿Cuáles son tus pesares, mi amo —le preguntó—, y por qué no te sinceras conmigo?

—Es verdad, caballo mío, que no tengo ninguna razón para estar contento. Mis superiores me han denigrado ante el zar, diciendo que yo me jacto de penetrar en el palacio de la bella princesa Nastasia y desposarla. Conque el zar me ha ordenado que así lo cumpla, o me cortará la cabeza.

—No te preocupes, mi amo. Haz tus oraciones y acuéstate a dormir, que la noche es buena consejera. Haremos lo que te manda el zar, pero tú pídele dinero en cantidad para que lo pasemos bien por el camino y tengamos de sobra para comer y beber a nuestro antojo.

Iván durmió aquella noche y, cuando se levantó por la mañana, fue a ver al zar y le pidió dinero para el viaje. El zar ordenó que le diesen cuanto necesitara. Nuestro bravo muchacho recogió el dinero, montó en su caballo después de ensillarlo con pesados arneses y se puso en camino.

Así cabalgó, no sé si poco o mucho, no sé si rápido o lento, hasta llegar a los confines de la tierra, al más lejano de los reinos, y allí se detuvo frente a un palacio de mármol. Lo rodeaban altas murallas donde no se veían puertas ni postigos. ¿De qué modo se podrían trasponer?

—Aguardemos a que sea de noche —le dijo el caballo a Iván—. En cuanto oscurezca, me convertiré en águila de alas grises y pasaré contigo por encima de la muralla. La bella princesa estará dormida en su blando lecho. Tú debes entrar en su alcoba, tomarla en brazos con mucho cuidado y llevártela audazmente.

Conque aguardaron a que cayera la noche. El caballo pegó entonces contra la tierra húmeda, convirtiéndose en águila de alas grises, y dijo:

—Ha llegado el momento de poner manos a la obra. ¡Cuidado, no falles!

Iván, hijo de un campesino, se montó en el águila, que, volando muy alto, pasó por encima de la muralla y dejó a Iván en el centro de un amplio patio.

El apuesto mancebo penetró en los aposentos, que encontró silenciosos, con todos los servidores profundamente dormidos. En una alcoba vio a la bella princesa Nastasia acostada. Durante el sueño, había desplazado las finas sábanas y el cobertor de martas cebellinas. Admirado el apuesto mancebo ante su belleza indescriptible y su blanco cuerpo, ciego de ardiente amor, no pudo resistir a la tentación de besar los dulces labios de la princesa. La hermosa doncella despertó sobresaltada y se puso a dar gritos. Acudieron sus fieles servidores y cayeron sobre Iván, hijo de un campesino, atándole de pies y manos. La princesa ordenó que fuese encerrado en una mazmorra, sin más alimento que un vaso de agua y una libra de pan de centeno al día.

«Parece que aquí reposará para siempre mi inquieta cabeza», pensaba tristemente Iván en su prisión inexpugnable.

Pero su buen caballo pegó contra el suelo y, convertido en pajarillo, penetró por el cristal roto del ventanuco y le dijo:

—Escucha, mi amo: mañana haré saltar esta puerta y te liberaré. Tú te escondes detrás de tal arbusto. La bella princesa Nastasia irá a pasear por allí y yo le pediré limosna convertido en un pobrecito anciano. Actúa entonces con decisión, o lo pasaremos mal.

El pajarillo escapó por el cristal roto, dejando a Iván más animado.

Al día siguiente, el recio caballo arremetió contra la puerta de la prisión y la echó abajo con sus cascos. Iván, hijo de un campesino, escapó hacia el jardín y se ocultó detrás de un arbusto verde. Cuando la bella princesa llegó justamente hasta allí paseando, se le acercó un pobre viejecito que se inclinó delante de ella llorando y le pidió una santa limosna. Mientras la hermosa doncella buscaba su escarcela, Iván, hijo de un campesino, surgió de detrás del arbusto y la tomó en sus brazos, tapándole la boca de manera que no podía exhalar ni el menor grito.

El anciano se transformó al instante en águila de alas grises, voló muy alto con la princesa y el apuesto mancebo, pasó por encima de la muralla y se posó en el suelo, donde recobró su forma de recio corcel. Iván, hijo de un campesino, montó a caballo y, acomodando a la princesa Nastasia en la misma silla, le preguntó:

—¿También piensas ahora encerrarme en una oscura prisión, bella princesa?

—El destino parece haber dispuesto que sea tuya —contestó ella—. Puedes hacer de mí lo que quieras.

Recorriendo así su camino —ignoro si largo o corto, ignoro si pronto o no—, llegaron hasta una vasta pradera verde donde dos gigantes estaban dándose de puñetazos. Tanto se habían atizado, que los dos estaban sangrando, pero ninguno podía con el otro. A su lado, sobre la hierba, yacían un escobón y un cayado.

—¿Por qué os pegáis así, muchachos? —preguntó Iván.

—Somos hermanos —contestaron los gigantes, dejando de pegarse—. Nuestro padre ha muerto y todos los bienes que nos ha dejado son este escobón y este cayado. Hemos regañado al hacer la partición, porque cada uno quiere quedarse con las dos cosas. Conque hemos decidido pelearnos a vida o muerte, y el que sobreviva se quedará con todo.

—¿Y lleváis mucho tiempo así?

—Pues hace ya tres años que peleamos sin conseguir nada.

—Parece mentira que peleéis a vida o muerte por un escobón y un cayado. ¡Ni que se tratara de algún tesoro!

—No juzgues de lo que ignoras, hermano. Con este escobón y este cayado puede uno vencer a todas las fuerzas que se le pongan por delante. Por muchas tropas que emplace el enemigo, no hay más que salir audazmente contra ellas porque, cada vez que se lo enarbola, el escobón abre un camino en ellas, lo mismo en una dirección que en otra. Y también el cayado es muy útil, porque puede uno hacer prisioneros a todos los soldados que toca.

«Pues sí que tienen su mérito las dos cosas —pensó Iván—. Creo que tampoco me vendrían mal a mí». Y dijo en voz alta:

—Si queréis, haré yo la partición por igual.

—Ten la bondad, hombre...

Iván, hijo de un campesino, se apeó de su recio caballo, tomó un puñado de arenilla, se internó con los gigantes en un bosque y allí arrojó la arena a los cuatro vientos.

—Ahora, recoged la arena —les dijo—, y para el que más recoja serán el cayado y el escobón.

Mientras ellos se lanzaban a recoger la arena, Iván agarró el cayado y el escobón, montó en su caballo, y ¡adiós, muy buenas!

Así cabalgando, no sé si mucho tiempo o no, llegó al país de donde había partido, y vio que su padrino se hallaba en un gran apuro: todo el reino había sido invadido, y un ejército incalculable asediaba la capital, amenazando con prenderle fuego a todo y darle al propio zar una muerte espantosa.

Iván, hijo de un campesino, dejó a la princesa en un bosquecillo próximo y se lanzó contra las tropas enemigas, abriendo brechas en ellas, en una dirección o en otra, cada vez que enarbolaba el esco-

bón. En nada de tiempo, los enemigos cayeron a cientos, a miles...
En cuanto a los que quedaron con vida, los rozó con el cayado y los
hizo entrar prisioneros en la ciudad.

El zar acogió con gran júbilo a Iván, ordenó que redoblaran los
tambores y sonaran las trompetas, le concedió el grado de general, y
le recompensó con una fortuna. Entonces se acordó Iván de la bella
princesa Nastasia y, con la venia del soberano, fue a buscarla para
traerla al palacio. El zar elogió el gran arrojo de Iván, y ordenó que
le construyeran una casa y se hicieran los preparativos para la boda.

Iván, hijo de un campesino, se casó con la bella princesa y, después de la boda, que se celebró con un gran banquete, vivió feliz y en
la opulencia. Ahora que el cuento ha terminado, me daréis unas rosquillas de regalo.

El caballo, el mantel y la flauta

Érase una vieja que tenía un hijo bobo. Conque el bobo se encontró un día tres guisantes y los plantó en el campo, fuera del pueblo. Cuando las matas empezaron a crecer, él se puso a vigilarlas. De ese modo, sorprendió una vez a una cigüeña que estaba picoteándolas. El bobo se acercó sigilosamente y echó mano a la cigüeña.

—¡Ahora te mato! —le dijo.

—No me mates, no, y te haré un regalo —rogó la cigüeña.

—¡Venga! —accedió el bobo.

La cigüeña le regaló entonces un caballo con estas palabras:

—Cuando quieras dinero, dile a este caballo «¡So!». Y cuando tengas ya bastante, le dices «¡Arre!».

El bobo agarró al caballo por la brida y, para montarse en él, le dijo «¡So!». El caballo se desbarató entonces, convirtiéndose en monedas de plata. El bobo soltó la carcajada, gritó «¡Arre!», y las monedas de plata se convirtieron nuevamente en caballo. El bobo se despidió de la cigüeña, condujo al caballo hacia su casa y, después de cruzar el patio, lo metió en la isba donde vivía con su madre.

—*Mátushka* —recomendó con mucha seriedad—, a este caballo no le digas «¡So!». Dile «¡Arre!» —y se marchó de nuevo a vigilar las matas de guisantes.

La madre se quedó un buen rato preguntándose por qué le habría hecho aquella recomendación su hijo.

—¿Y si dijera «¡So!» a pesar de todo?

No hizo más que pronunciar aquella palabra, cuando el caballo se desbarató, convirtiéndose en monedas de plata. La mujer, que apenas podía creer lo que veía, se apresuró a recoger el dinero y guardarlo en un cofrecillo. Cuando le pareció suficiente, dijo «¡Arre!».

El bobo, entre tanto, sorprendió de nuevo a la cigüeña picoteando los guisantes, la agarró y la amenazó de muerte.

Pero la cigüeña dijo:

—No me mates, y te haré un regalo.

Esta vez le ofreció un mantel, explicándole:

—Cuando quieras comer, tienes que decir «¡Despliégate!». Y cuando hayas terminado, «¡Recógete!».

El bobo hizo en seguida la prueba, y en cuanto dijo «¡Despliégate!», se extendió el mantel cubierto de manjares y de bebidas.

Sació su hambre y su sed, dijo «¡Recógete!», y el mantel se enrolló él solo. El bobo lo llevó a su casa, advirtiéndole a la madre:

—A este mantel, *mátushka,* no le digas «¡Despliégate!», sino «¡Recógete!».

Luego volvió el bobo al cuidado de sus matas de guisantes. La madre hizo con el mantel lo mismo que con el caballo. Dijo «¡Despliégate!», y se dio el gran festín. Luego dijo «¡Recógete!», y el mantel se enrolló él solo.

Una vez más, pescó el bobo a la cigüeña picoteando los guisantes, y la cigüeña le regaló una flauta, diciéndole cuando ya remontaba el vuelo:

—¡Oye, bobo! Tienes que decir «¡Que salgan de la flauta!».

Así lo hizo el bobo, para desgracia suya, porque apenas pronunció aquellas palabras, salieron de la flauta dos mocetones, armados con sendas estacas, y se liaron a atizarle al bobo hasta que el pobre se desplomó. La cigüeña gritó desde arriba «¡Que vuelvan a la flauta!», y los dos mocetones desaparecieron.

El bobo llegó a su casa y le dijo a la madre:

—No digas «¡Que salgan de la flauta!», *mátushka.* Debes decir «¡Que vuelvan a la flauta!».

Pero apenas salió el bobo a casa de unos vecinos, la madre cerró la puerta con el pestillo, y dijo «¡Que salgan de la flauta!». Al instante, surgieron los dos mocetones con las estacas y se liaron a pegar a la vieja, que gritaba a voz en cuello.

Al oírla , volvió el bobo a todo correr, pero se encontró con que estaba echado el pestillo de la puerta. Sin embargo, se le ocurrió gritar «¡Que vuelvan a la flauta!, ¡que vuelvan a la flauta!».

Cuando la vieja se repuso un poco de la paliza, abrió la puerta al bobo, que entró diciendo:

—¿Estás viendo, *mátushka*? Ya te advertí lo que tenías que decir...

Al bobo se le ocurrió un día dar un festín, invitando a grandes señores y boyardos. Cuando todos llegaron y estuvieron ya sentados, el bobo metió el caballo en la isba y le dijo:

—¡So, mi buen caballo!

El caballo se desbarató al instante, convirtiéndose en monedas de plata. Los invitados se sorprendieron mucho, pero en seguida se lanzaron sobre el dinero, metiéndoselo en los bolsillos. El bobo dijo entonces «¡Arre!», y el caballo volvió a aparecer, pero sin cola.

Viendo el bobo que era hora de agasajar a los invitados, sacó el mantel y dijo «¡Despliégate!». El mantel se desplegó, cubierto de un sinfín de manjares y bebidas. Encantados, los invitados se pusieron a beber y comer. Cuando consideró que todos estaban satisfechos, el bobo dijo «¡Recógete!», y el mantel se enrolló él solo.

Los invitados empezaron a bostezar, y le pidieron con sorna al bobo:

—¿Por qué no nos enseñas alguna otra maravilla?

—Con mucho gusto —contestó el bobo, y trajo la flauta.

A los invitados se les ocurrió gritar «¡Que salga algo de la flauta!». Al instante, surgieron los dos mocetones con sus estacas y empezaron a atizarlos a más y mejor. Tanto los pegaron, que los invitados se vieron obligados a devolver el dinero robado y escapar de allí a toda prisa.

En cuanto al bobo y su madre, se quedaron con el caballo, el mantel y la flauta, y vivieron sin que les faltara de nada.

Que salgan dos del zurrón

Érase un viejo que vivía con su mujer. Pero la vieja estaba siempre regañándole y midiéndole las costillas a diario, tan pronto con el palo de la escoba como con el atizador. En fin, que le traía mártir...

Conque se fue el viejo al campo a colocar unos lazos y capturó a un cigüeño.

—¿Quieres hacer de hijo mío? —le preguntó el viejo—. Te llevaría a casa y quizá deje entonces de refunfuñar la vieja.

—Mejor será que vayamos primero a mi casa, *bátiushka* —contestó el cigüeño.

Así lo hicieron. Entraron en la casa y el cigüeño dijo, descolgando un zurrón de la pared:

—¡Que salgan dos del zurrón!

Al instante, salieron del zurrón dos mocetones y empezaron a disponer mesas de roble, cubriéndolas con finos manteles y manjares y bebidas de toda clase. El viejo se puso contentísimo ante aquella abundancia, que nunca había visto en su vida.

—Toma este zurrón y llévaselo a la vieja —dijo entonces el cigüeño.

El viejo agarró el zurrón y se puso en camino. Pero dio un gran rodeo y se quedó a pasar la noche en casa de una comadre suya, que tenía tres hijas. Le ofrecieron de cenar con lo que buenamente tenían, pero el viejo le dijo a su comadre después de picotear un poco:

—No puede decirse que esto sea muy bueno.

—Es lo que tenemos, *bátiushka* —replicó la comadre.

—Bueno, pues recógelo todo, anda —pidió el viejo al tiempo que, agarrando el zurrón, ordenó, según le había explicado el cigüeño—: ¡Que salgan dos del zurrón!

Los dos mocetones salieron al instante del zurrón y empezaron a disponer mesas de roble, cubriéndolas con finos manteles y manjares y bebidas de toda clase.

La comadre, lo mismo que sus hijas, se quedó sorprendida y empezó a cavilar en el modo de apropiarse el zurrón del viejo.

—¿Por qué no calentáis el baño? —les dijo finalmente a sus hijas—. Quizá quiera mi compadre relajarse un poco con el vapor.

Apenas se marchó al baño el viejo, la comadre ordenó a sus hijas que hicieran un zurrón exactamente igual. Ellas obedecieron y cambiaron el zurrón del viejo por el que acababan de hacer.

Cuando el viejo salió del baño, agarró el zurrón cambiado y se marchó tan campante a su casa. Nada más llegar, gritó desde el patio:

—¡Eh, mujer! He cazado un cigüeño que hará de hijo nuestro...

La vieja le miró de reojo, murmurando entre dientes:

—Tú acércate, so pellejo, y verás la que te doy con el atizador.

Mientras, el viejo repetía:

—¡Mujer! Escucha: he cazado un cigüeño que hará de hijo nuestro...

Entró por fin en la isba y gritó «¡Que salgan dos del zurrón!», pero del zurrón no salió nadie. Repitió lo mismo, y como si tal cosa... Al oír que su marido andaba diciendo cosas raras, la vieja echó mano de un escobón y empezó a sacudirle con él.

Asustado y lloroso, el viejo se marchó de nuevo al campo. De repente, apareció el mismo cigüeño y dijo, al verle tan triste:

—Vamos otra vez a mi casa, *bátiushka*.

El viejo le siguió. En casa del cigüeño había, colgado de la pared, otro zurrón como el primero.

—¡Que salgan dos del zurrón! —dijo el cigüeño.

Y al instante aparecieron dos mocetones que dispusieron una comida como las anteriores.

—Llévate ahora ese zurrón —dijo el cigüeño.

El viejo agarró el zurrón y se puso en camino. Anduvo un buen rato, hasta que le entraron ganas de comer y dijo, lo mismo que el cigüeño:

—¡Que salgan dos del zurrón!

Al instante, aparecieron dos mocetones con sendas estacas y empezaron a apalearle, repitiendo:

—¡No vayas a casa de tu comadre! ¡No te metas en el baño!...

Estuvieron dándole estacazos, hasta que se le ocurrió decir, ya con un hilo de voz:

—¡Que vuelvan los dos al zurrón!

Apenas pronunció estas palabras, desaparecieron los dos mocetones.

El viejo agarró entonces el zurrón y echó a andar hasta que llegó a casa de la misma comadre. Entró, colgó el zurrón de un gancho, le pidió a su comadre que le calentara el baño, y allá se metió cuando estuvo listo. Luego, dejó que pasara el tiempo, bien relajado con el vapor.

La comadre, que ya sentía apetito, llamó a sus hijas, hizo que se sentaran a la mesa y dijo:

—¡Que salgan dos del zurrón!

Aparecieron los dos mocetones con sus estacas y ¡venga a apalear a la comadre! Al mismo tiempo, no cesaban de repetir:

—¡Devuélvele al viejo el zurrón!

Y siguieron pegándola, hasta que la mujer pidió a la mayor de las hijas:

—Llama a mi compadre, que está en el baño, y dile que estos dos me están dando una paliza.

—Todavía no me he relajado bien con el vapor —contestó el viejo.

Los mocetones siguieron pegando a la comadre y repitiendo:

—¡Devuélvele al viejo el zurrón!

Hasta que la comadre mandó a la otra hija:

—Dile al compadre que venga corriendo.

—Todavía no me he lavado la cabeza —contestó el viejo.

La comadre hizo que fuera a llamarle la menor de las hijas.

—Todavía no me he enjabonado —contestó el viejo.

Hasta que la comadre no pudo aguantar más. Hizo traer el zurrón robado. Entonces volvió el viejo del baño y, al ver su zurrón verdadero, ordenó:

—¡Que vuelvan los dos al zurrón!

Los dos mocetones desaparecieron con sus estacas.

El viejo agarró los dos zurrones —el de las estacas y el de los manjares— y emprendió el regreso a su casa. Al entrar en el patio, gritó:

—¡Eh, mujer! He cazado un cigüeño que hará de hijo nuestro...

Ella le lanzó una ojeada.

—Entra en casa y verás la que te atizo —dijo.

Pero el viejo entró en la casa, invitó a su mujer a sentarse a la mesa, dijo «¡Que salgan dos del zurrón!», y los dos mocetones les sirvieron de beber y de comer. Cuando la mujer hubo bebido y comido cuanto deseaba, le dijo con mejores modales al marido:

—Bueno, viejo: ya no volveré a pegarte.

Bien comido, el viejo salió a tomar el aire llevándose el zurrón de los manjares, que guardó en la despensa, pero dejando el de las estacas colgado de un gancho. Se puso a ir y venir, sólo por pasar el tiempo.

Al cabo de un rato, la vieja quiso tomarse una copita más, y repitió las palabras del viejo:

—¡Que salgan dos del zurrón!

Aparecieron los dos mocetones de las estacas y se pusieron a apalear a la vieja hasta que, casi sin fuerzas, llamó al marido:

—¡Ay! ¡Ven corriendo, que estos dos me van a matar!

Pero él continuaba sus paseos murmurando:

—¡Esos te van a escarmentar!

Y los dos mocetones seguían a estacazo limpio, al mismo tiempo que decían:

—¡No le pegues al viejo! ¡No le pegues al viejo!

Por fin se compadeció el viejo de su mujer, entró en la isba y ordenó:

—¡Que vuelvan los dos al zurrón!

Los dos mocetones desaparecieron.

Desde entonces, vivieron el viejo y la vieja en tan buena armonía y tan conformes que el buen hombre no cesa de alabarla. Conque aquí termina la historia, y no hay por qué alargarla.

El gallo y las piedras de moler

É ranse una vez un viejo y una vieja muy pobres, muy pobres. Ni siquiera tenían pan. Conque fueron al bosque a recoger bellotas, las trajeron a su casa y se pusieron a comerlas. No sé si llevarían mucho tiempo comiéndolas, pero el caso es que a la vieja se le cayó una a la cueva.

La bellota echó tallo y, en nada de tiempo, creció hasta el suelo de la casa. La vieja, que se dio cuenta, le dijo a su marido:

—Oye, ¿por qué no haces un agujero en el suelo? Así crecerá más el roble y, cuando esté grande, no necesitaremos ir al bosque a recoger bellotas, sino que las arrancaremos aquí mismo.

El hombre hizo un agujero en el suelo, y el árbol creció y creció hasta pegar en el techo. El viejo abrió un boquete en el techo, luego otro en el tejado... Y el árbol siguió crece que te crece, hasta que llegó al cielo. Cuando a los pobres viejos se les terminaron las bellotas, el marido agarró un saco y trepó por el roble. A fuerza de trepar, se encaramó hasta el cielo. Anduvo de un lado a otro por el cielo hasta que vio un gallo —con la cresta de oro y la cabeza de azabache— y, a su lado, unas piedras de moler.

Sin pensárselo poco ni mucho, el viejo agarró al gallo, agarró las piedras de moler, y se bajó del cielo. Ya en su casa, le preguntó a la vieja:

—¿Cómo nos arreglaremos? ¿Qué vamos a comer?

—Espera que pruebe si giran las piedras de moler.

Hizo girar las piedras de moler, y a cada vuelta que daban, dejaban caer una oblea o un pastelillo..., una oblea y luego un pastelillo... Y así le dio de comer a su viejo.

Un *barin** que pasaba por allí entró en casa de los viejos preguntando si no podrían ofrecerle algo de comer.

—¿Y qué podemos ofrecerte nosotros, querido? Si acaso, unas obleas... —contestó la vieja.

Agarró las piedras de moler y empezó a hacerlas girar. A cada vuelta que daban, caía una oblea o un pastelillo. Después de comer, dijo el viajero:

—Véndeme estas piedras, abuela.

—No, no las puedo vender —contestó la vieja.

Entonces, el viajero robó las piedras de moler. Cuando el viejo y la vieja se dieron cuenta de ello, se pusieron muy tristes.

—No os preocupéis —dijo el gallo de la cresta de oro—, que yo le alcanzaré volando.

En efecto, llegó volando hasta la casa señorial y se puso a gritar, posado en lo alto del portón:

—¡Quiquiriquí! ¡Señor boyardo, tienes que devolver nuestras piedras de oro, nuestras piedras azules, nuestras piedras de moler!

Nada más oír las palabras del gallo, el señor aquel ordenó a uno de sus criados:

—¡Eh, tú! ¡Agárralo y tíralo al agua!

Agarraron al gallo y lo echaron al pozo. Pero él se puso a repetir:

—Piquito, piquito mío, bébete el agua... Piquito, piquito mío, bébete el agua...

Hasta que apuró toda el agua del pozo. Entonces volvió volando a la casa señorial, se posó en un balcón y empezó a gritar:

—¡Quiquiriquí! ¡Señor boyardo, tienes que devolver nuestras piedras de oro, nuestras piedras azules, nuestras piedras de moler!

El señor aquel ordenó a su cocinero que lo echara a la lumbre. Conque agarraron al gallo y lo echaron a la lumbre, pero él se puso a repetir:

—Piquito, piquito mío, suelta el agua... Piquito, piquito mío, suelta el agua...

Hasta que apagó la lumbre. Entonces remontó el vuelo, se metió en el aposento del boyardo y gritó como la otra vez:

—¡Quiquiriquí! ¡Señor boyardo, tienes que devolver nuestras piedras de oro, nuestras piedras azules, nuestras piedras de moler!

Las personas que estaban de visita en casa del boyardo se marcharon rápidamente al oír las palabras del gallo. El boyardo salió corriendo detrás de sus invitados, y entonces el gallo de la cresta de oro agarró las piedras de moler y volvió con ellas donde el viejo y la vieja.

El cofrecillo maravilloso

É ranse un viejo y una vieja que tenían un hijo ya mayorcito. Pensando en el oficio que podría darle, se le ocurrió al padre que lo mejor sería ponerle a trabajar con algún artesano que le enseñara a hacer toda clase de obras. Fue a la ciudad y cerró trato con un artesano para que su hijo estuviera de aprendiz con él durante tres años y, en esos tres años, sólo fuera una vez a su casa.

Llevó el padre al hijo a casa del artesano, y allí vivió el muchacho un año, luego otro... En poco tiempo aprendió a hacer objetos de valor, aventajando incluso a su maestro. Una vez hizo un reloj de quinientos rublos y se lo mandó a su padre. «Así podrá venderlo y remediar un poco su pobreza», pensó.

Pero ¡cómo iba a vender el padre aquel reloj! Lo contemplaba embelesado, pensando que lo había hecho su hijo.

Llegó por fin el plazo convenido para que el muchacho fuera a visitar a sus padres. El amo, que era muy entendido, le dijo:

—Puedes marcharte. Tienes tres horas y tres minutos de plazo. Si no regresas a tiempo, te costará la vida.

«¿Cómo voy a arreglarme yo para recorrer en tan poco tiempo toda la distancia que hay de aquí a casa de mi padre?», pensó el muchacho. Pero el artesano añadió:

—Ahí tienes esa carroza. En cuanto te montes en ella, cierra los ojos un instante.

Así lo hizo nuestro muchacho: cerró los ojos un instante y, al abrirlos, se encontró delante de la casa de su padre. Se apeó, entró en la isba, pero no había nadie: sus padres, al ver llegar una carroza hasta su casa, se asustaron y fueron a esconderse detrás de la estufa. Al hijo le costó mucho trabajo hacerles salir de allí.

Se abrazaron. La madre lloraba de emoción después de no verle en tanto tiempo. El hijo les había traído muchos regalos. Mientras se abrazaban y charlaban, el tiempo iba corriendo. Pasaron tres horas. Solo quedaban tres minutos. Luego, entre unas cosas y otras, solo un minuto... El demonio le murmuró al oído:

—Márchate ya, o lo pasarás mal con tu amo.

El muchacho, que era muy cumplidor, se despidió de sus padres y emprendió el regreso.

En seguida se encontró en casa de su maestro; pero a este ya estaba el demonio azuzándole contra el muchacho por haberse retrasado.

Después de disculparse una y mil veces, el muchacho cayó a los pies de su amo, diciendo:

—Perdóname: nunca más volverá a ocurrir...

El amo se limitó a regañarlo, y lo perdonó de corazón.

Reanudó nuestro muchacho su vida de costumbre, llegando a ser el que mejor lo hacía todo. Pensando en que si el muchacho se marchaba, le quitaría todo el trabajo, puesto que se había convertido en el operario más hábil, un día le mandó su amo:

—Baja al reino subterráneo y tráeme un cofrecillo que está encima del trono del zar.

Prepararon una escala empalmando muchas correas, y en cada empalme ataron una campanillita. El amo empezó a bajarle por un barranco y le recomendó que tirase de la correa en cuanto se hiciera con el cofrecillo, porque así oiría él las campanillas.

Cuando descendió bajo tierra, el muchacho vio una casa y entró en ella. Unos veinte hombres que había allí se pusieron en pie, le saludaron inclinándose y dijeron todos a una:

—Salud te deseamos, zarevich Iván.

Sorprendido al ver que le trataban con tanta deferencia, el muchacho entró en otro aposento que estaba lleno de mujeres. También ellas se levantaron, le saludaron inclinándose y dijeron:

—Salud te deseamos, zarevich Iván.

Toda aquella gente había sido descendida por el mismo artesano. El muchacho entró en otro aposento: allí estaba el trono y, encima del trono, el cofrecillo. Conque agarró el cofrecillo y emprendió el camino de vuelta, llevándose a toda la gente con él.

Llegaron a donde colgaba el extremo de las correas, lo sacudieron para avisar, ataron a uno de los hombres, y el amo lo sacó tirando de las correas. El muchacho pensaba quedarse el último con el cofrecillo. El amo había sacado ya a la mitad de la gente, cuando otro de los obreros vino a avisarle de pronto que volviera en seguida a su casa, porque había ocurrido un percance. El amo se marchó, pero antes ordenó que sacaran a toda la gente que quedaba abajo. Sin embargo, no mencionó al hijo del campesino.

Efectivamente, fueron sacando a todos los demás, atados a las correas, pero al muchacho lo dejaron abajo. Anduvo por aquel reino subterráneo hasta que, sin querer, sacudió el cofrecillo. Al instante, aparecieron doce mocetones preguntando:

—¿Qué ordenáis, zarevich Iván?

—Quiero que me saquéis de aquí.

Fue inmediatamente obedecido; pero al encontrarse sobre la tierra, no volvió a casa de su amo, sino a casa de sus padres.

Entre tanto, el amo notó la falta del cofrecillo, corrió al barranco y se puso a sacudir las correas. ¡No aparecía su operario! «Se habrá alejado un poco. Tengo que mandar a alguien en su busca», pensó.

El hijo del campesino vivió algún tiempo en casa de su padre, eligió un lugar que le pareció hermoso y fértil, y se pasó el cofrecillo de una mano a otra. Al punto aparecieron veinticuatro mocetones:

—¿Qué ordenáis, zarevich Iván? —preguntaron.

—Quiero que vayáis a este sitio y construyáis un reino mejor que cuantos han existido.

¡Y el reino apareció al momento! El muchacho se instaló allí, tomó esposa y fue viviendo tan a gusto.

En su reino vivía un palurdo todo desgarbado cuya madre solía ir a pedir limosna al zarevich Iván. Dijo el palurdo a su madre:

—Róbale el cofrecillo a nuestro zar.

Una vez que el zarevich Iván no estaba en casa, su esposa dio limosna a la madre del palurdo y salió del aposento. La vieja agarró el cofrecillo, lo metió en un saco y corrió a llevárselo a su hijo. El palurdo sacudió el cofrecillo, aparecieron los mocetones, y les ordenó que arrojaran al zarevich Iván a un hoyo muy profundo donde la gente solía tirar los animales muertos. A la esposa y los padres del zarevich Iván los puso a servirle, y él se convirtió en zar.

El hijo del campesino se pasó en aquel hoyo un día, luego otro y otro más, sin encontrar el modo de salir de allí. De pronto, vio un pájaro muy grande que planeaba buscando alguna presa. Precisamente habían tirado poco antes una vaca muerta en aquel hoyo. El muchacho se acercó y se ató a ella. El pájaro bajó, agarró la vaca, remontó el vuelo y fue a posarse en lo alto de un pino. El zarevich quedó colgando en el aire, sin poderse desatar.

De repente, apareció un arquero y disparó una flecha. El pájaro agitó las alas, remontó el vuelo, pero aflojó las garras. La vaca cayó al suelo y con ella el zarevich Iván, que echó a andar pensando en cómo recuperar su reino. De pronto, metió la mano en el bolsillo y allí encontró la llave del cofrecillo. No hizo más que darle unas vueltas entre los dedos cuando aparecieron dos mocetones.

—¿Qué ordenáis, zarevich Iván? —preguntaron.

—Me ha ocurrido una gran desgracia.

—Ya lo sabemos. Y puedes darte por contento de que hayamos quedado nosotros dos con la llave.

—¿Y no podríais traerme el cofrecillo?

El zarevich Iván no había terminado de hablar cuando los dos mocetones se presentaron con el cofrecillo. Recobrado su poder, ordenó que la vieja pordiosera y su hijo fueran ejecutados, y él volvió a ser el zar, como antes.

El anillo mágico

En cierto reino, en cierto país, vivía un viejo con su mujer y un hijo llamado Martinka. Toda la vida se había dedicado el viejo a la caza de animales de pelo y de pluma, obteniendo así alimento para él y su familia.

Llegada su hora, el viejo cayó enfermo y falleció. Martinka y su madre le lloraron y padecieron mucho, aunque ya se sabe que a un muerto no se le puede resucitar. Así transcurrió alrededor de una semana, y entonces se dieron cuenta de que habían agotado todo el grano que les quedaba. Viendo la vieja que no tenían comida, se dijo que había llegado el momento de echar mano de los ahorros. Porque el viejo les había dejado doscientos rublos. Le daba pena descabalar aquella cantidad tan redonda, pero no tuvo más remedio. No iban a morirse de hambre, ¿verdad? De modo que sacó cien rublos y le dijo a Martinka:

—Aquí tienes cien rublos, hijo mío. Pídele prestado un caballo a algún vecino y ve a la ciudad a comprar grano. Pasaremos el invierno como podamos y, en cuanto llegue la primavera, buscaremos trabajo.

Martinka pidió prestados un carro y un caballo, y se fue a la ciudad. Al pasar por delante de unos puestos de carniceros, vio que se había juntado mucha gente chillando y alborotando. ¿Qué sería? Pues era que los carniceros habían agarrado a un perro de caza y lo estaban apaleando, después de atarlo a un poste. El perro se debatía, aullaba, enseñaba los dientes...

171

—¿Qué ocurre, hermanos? —preguntó Martinka, corriendo hacia los carniceros aquellos—. ¿Por qué os ensañáis de tal manera con ese pobre perro?

—¿Y cómo no vamos a ensañarnos con el muy canalla, si ha echado a perder toda una pieza de vaca? —le contestaron.

—Bueno, hermanos, ya basta. ¿Por qué no me lo vendéis, en vez de pegarle?

—Cómpralo si quieres —replicó uno de los hombres en broma—. ¡Vengan cien rublos!

Martinka sacó los cien rublos que llevaba entre la camisa y el cuerpo, los entregó a los carniceros, desató al perro y se lo llevó. El animalito se puso a hacerle fiestas y a mover el rabo: ¡demasiado comprendía que le había salvado de la muerte!

Conque llegó Martinka a su casa, y la madre le preguntó en seguida:

—¿Qué has comprado, hijo mío?

—Pues he comprado lo que por primera vez hace mi felicidad.

—¿Qué historias son esas? ¿A qué felicidad te refieres?

—A este: mírale. Se llama Zhurka —contestó señalando el perro.

—¿Y no has comprado nada más?

—De quedarme dinero, algo habría comprado. Pero el caso es que me he gastado los cien rublos en el perro.

—Y nosotros sin tener qué llevarnos a la boca —le reprendió la madre enfadada—. Hoy he podido cocer una torta husmeando por todo el granero. Pero mañana no tendremos ni eso.

Al día siguiente, le dio la madre otros cien rublos a Martinka, y le dijo:

—Toma, hijito: anda a la ciudad y compra grano, pero no te gastes el dinero sin ton ni son.

Allá fue Martinka y, caminando por las calles de la ciudad, tropezó con un chico malvado que, después de cazar un gato, le había echado una cuerda al cuello y se lo llevaba a rastras hacia el río.

—¡Eh! Espera —gritó Martinka—. ¿Adónde llevas a ese pobre gato?

—A ahogarlo, maldito sea...

—¿Qué ha hecho?

—Ha robado un pastelillo de encima de la mesa.

—En vez de ahogarlo, véndemelo.

—Si quieres comprarlo..., ¡vengan cien rublos!

Sin pensarlo poco ni mucho, Martinka sacó los cien rublos que llevaba entre la camisa y el cuerpo, se los dio al chico, y se llevó el gato a su casa metido en un saco.

—¿Qué has comprado, hijito? —le preguntó la madre.

—A este gato que se llama Vaska.

—¿Y nada más?

—De quedarme dinero, algo más habría comprado.

—¡Habráse visto estúpido! —gritó la madre—. ¡Márchate ahora mismo de casa y búscate la pitanza donde puedas!

Martinka se marchó al pueblo de al lado a buscar trabajo. Zhurka y Vaska le siguieron. En esto, se cruzó con un pope.

—¿Adónde vas, muchacho? —le preguntó.

—A emplearme como bracero.

—Yo puedo emplearte. Solo que yo, a mis braceros, no les pongo salario al contratarlos. Pero el que trabaja tres años para mí, luego no tiene queja.

Martinka aceptó, y estuvo trabajando tres veranos y tres inviernos sin descanso para el pope. Llegada la hora de ajustar cuentas, le llamó el pope.

—¡Eh, Martinka! Ven a cobrar tu trabajo.

Luego le condujo hasta un cobertizo y, mostrándole dos sacos llenos, añadió:

—Llévate el que quieras.

Martinka se acercó a los sacos, vio que uno estaba lleno de monedas de plata y el otro de arena, y se quedó pensando: «Esto tiene que estar hecho con su cuenta y razón. Aunque luego resulte que he trabajado de balde, me llevaré el saco de arena para ver lo que pasa». Y así se lo dijo a su amo:

—Me llevaré el saco de arena fina, *bátiushka*.

—A tu gusto, muchacho. Llévatelo, puesto que le haces ascos a la plata.

Martinka se cargó el saco a la espalda y se marchó en busca de otro empleo. Anda que te anda, se metió en un bosque oscuro y muy frondoso. En medio del bosque había un pequeño prado, en el prado una hoguera, y en el centro de la hoguera una doncella tan linda como nadie podría imaginársela: algo de ensueño.

—Martín, hijo de una viuda —dijo la doncella—: si quieres alcanzar la felicidad, sálvame a mí. Apaga las llamas con esa arena que te ha costado tres años de trabajo.

«Verdaderamente —pensó Martinka—, en lugar de ir cargado con este peso, más vale salvar a una persona. La arena no es ningún tesoro. Hay de sobra en todas partes».

Soltó el saco, lo desató, y empezó a cubrir de arena las llamas, que al instante se extinguieron. La linda doncella pegó contra el suelo, se transformó en serpiente, y saltando sobre el pecho del apuesto mancebo, se enroscó en torno a su cuello lo mismo que un dogal. Martinka se sobresaltó.

—No temas —profirió la serpiente—. Ve ahora hasta los confines de la tierra, hasta el más lejano de los países, al reino subterráneo que gobierna mi padre. Cuando llegues a su corte, te ofrecerá mucho oro, plata y piedras preciosas, pero tú no aceptes nada: pídele tan solo la sortija que lleva en el dedo meñique. No es una sortija cualquiera, pues basta pasarla de una mano a otra para que se presenten doce mocetones y hagan en una noche todo lo que se les pida.

Nuestro Martinka se puso en camino y, anda que te anda, no sé si poco o mucho, no sé si despacio o aprisa, llegó al más lejano de los reinos y se encontró frente a una roca muy grande. La serpiente se soltó de su cuello, pegó contra la tierra húmeda y se convirtió de nuevo en una linda doncella.

—Sígueme —le dijo a Martinka, y se deslizó por debajo de la roca señalándole el camino.

Anduvieron mucho rato por un túnel, cuando de pronto vieron a lo lejos una claridad que empezó a aumentar, aumentar, hasta que se encontraron en un vasto campo, bajo el cielo límpido. En aquel campo se alzaba un magnífico palacio, y en el palacio habitaba el padre de la linda doncella, que era el zar de aquel lugar subterráneo.

Los caminantes penetraron en unos aposentos de mármol blanco, y el zar los acogió cariñosamente.

—Amada hija mía, ¿dónde has estado oculta tantos años? —preguntó.

—¡Padre y señor mío! Jamás me habrías visto ya, de no ser por este hombre que me salvó de una muerte espantosa y luego me ha traído a mis lugares natales.

—Gracias, valeroso joven —dijo el zar—. Tu buena acción merece recompensa. Puedes coger toda la cantidad que quieras de oro, plata y piedras preciosas.

Pero Martín, el hijo de una viuda, contestó:

—No necesito oro, plata ni piedras preciosas, majestad. Si alguna recompensa quieres darme, sea un anillo de tu real mano: el del meñique. Yo estoy soltero y la soledad se me hará más llevadera contemplando tu anillo mientras pienso en una prometida.

El zar se quitó inmediatamente el anillo y se lo entregó a Martinka con estas palabras:

—Tómalo y disfrútalo en buena hora, pero a nadie le hables de él si no quieres padecer una gran desgracia.

Martín, hijo de una viuda, le dio las gracias al zar, tomó el anillo y una pequeña cantidad de dinero para el camino, y regresó por don-

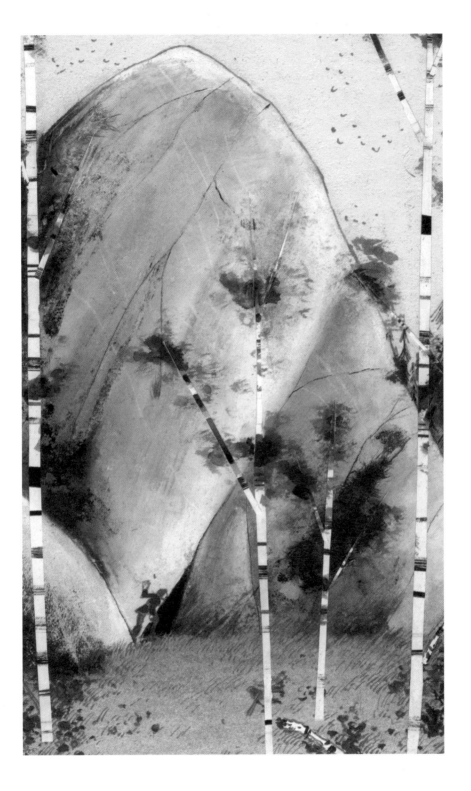

de había venido. Así volvió a su tierra, no sé si tardando poco o mucho, no sé si andando deprisa o despacio; buscó a su vieja madre y fueron viviendo sin penas ni necesidades. Pero le entró a Martinka el deseo de casarse y se empeñó en que su madre se ocupara de ese menester.

—Preséntate al rey —le dijo— y pídele para mí la mano de su hija, la linda princesa.

—¡Pero, hijo! —protestó la vieja—. Mejor será que elijas a una joven de tu condición. ¡Valiente ocurrencia! ¿Para qué voy a presentarme yo al rey? Se enfadará, claro, y ordenará que nos maten a ti y a mí.

—No te preocupes, *mátushka*. Si te digo yo que vayas, por algo será. Tú ven a decirme lo que haya contestado el rey, pero no vuelvas a casa sin una respuesta.

La vieja se vistió, y allá fue al palacio real. Nada más llegar, se dispuso a subir por la escalera principal sin hacerse anunciar siquiera. En seguida le echaron mano los centinelas:

—¡Alto, vieja bruja! ¿Adónde demonios vas? Por aquí no entran ni siquiera los generales sin hacerse anunciar...

—¡Habrase visto, los muy...! —replicó la vieja a gritos—. Quiero pedir la mano de la princesa para mi hijo. ¿Vais a cortarme vosotros el paso?

Armó un alboroto terrible. Hasta el punto de que el rey, al escuchar sus gritos, se asomó a una ventana y ordenó que la dejaran pasar. Conque entró la vieja en los aposentos del soberano, rezó delante de los iconos, y luego saludó al rey.

—He venido a decir, con la venia y sin ánimo de ofender, que tengo comprador para la prenda que vos tenéis. El comprador es mi hijo Martinka, un chico inteligentísimo, y la prenda es vuestra hija, la linda princesa. ¿No querríais casarla con mi Martinka? Harían una pareja perfecta.

—¿Pero qué estás diciendo? ¿Te has vuelto loca? —se indignó el rey.

—En absoluto, majestad. Sólo espero vuestra respuesta.

El rey convocó al instante a todos los señores ministros, y se pusieron a cavilar, y venga a cavilar, sobre qué respuesta darle a aquella vieja. Hasta que se les ocurrió lo siguiente: que Martinka construyera, en el transcurso de veinticuatro horas, un espléndido palacio unido al palacio del rey por un puente de cristal, flanqueado a ambos lados por árboles cuajados de manzanas de oro y plata, en cuyas ramas cantasen aves de toda clase, y, además, una catedral de cinco cúpulas, de manera que hubiese lugares adecuados donde celebrar la ceremonia y donde festejar la boda. Si Martinka lograba hacer todo aquello, se le concedería la mano de la princesa como recompensa a su mucho talento. Si no lo hacía, a la vieja y a él se les condenaría a ser decapitados.

Con estas palabras despidieron a la vieja, que se encaminó a su casa tambaleándose y anegada en amargo llanto. Cuando vio a Martinka, exclamó:

—¡Hijo mío! Razón tenía yo al decirte que era una ocurrencia descabellada. Y tú sin hacerme caso. Pues caro lo vamos a pagar, porque mañana nos cortarán la cabeza a los dos.

—Tranquilízate, *mátushka*. Verás cómo no sucede nada. Haz tus oraciones y acuéstate a descansar, que la noche es buena consejera.

A medianoche se levantó Martinka de la cama, salió al patio, que era muy espacioso, y se cambió el anillo de una mano a la otra. Al instante se presentaron doce mocetones, todos igualitos: las mismas facciones, el mismo cabello, la misma voz...

—¿Qué se te ofrece, Martin, hijo de una viuda?

—Pues se me ofrece que para cuando amanezca, hayáis construido en este patio un palacio espléndido, unido al palacio del rey por un puente de cristal, flanqueado a ambos lados por árboles cuajados de manzanas de oro y plata en cuyas ramas canten aves de toda clase, y, además, una catedral de cinco cúpulas para tener lugares adecuados donde celebrar la ceremonia y donde festejar la boda.

—Mañana estará todo listo —dijeron los doce mocetones.

Se dispersaron en distintas direcciones, trajeron de todas partes operarios y carpinteros, y empezaron las obras a una velocidad vertiginosa.

A la mañana siguiente, Martinka no se despertó en su isba, sino en unos bellos y lujosos aposentos. Salió y, desde lo alto del porche, vio que todo estaba listo: el palacio, la catedral, el puente de cristal, los árboles cargados de manzanas de oro y plata. También por entonces salió el rey a su balcón, miró con un catalejo y se quedó pasmado al ver que todo se había hecho según sus órdenes. Entonces llamó a la linda princesa y le dijo que se dispusiera a desposarse.

—No pensaba yo, ni por lo más remoto, casarte con un hijo de campesinos —lamentó—; pero no se puede evitar ya.

Conque, mientras la princesa se aseaba, se perfumaba y ataviaba lujosamente, Martinka, hijo de una viuda, salió al espacioso patio y se cambió el anillo de una mano a otra, haciendo aparecer al punto a los doce mocetones como si surgieran de bajo tierra.

—¿Qué se te ofrece? ¿Qué deseas? —preguntaron.

—Quiero que me traigáis una casaca de boyardo, muchachos, y me preparéis una carroza dorada con un tronco de seis caballos.

—Ahora mismo estará todo.

En un abrir y cerrar de ojos, le trajeron la casaca. Martinka se la puso, y le quedaba como si se la hubieran hecho a la medida. Miró hacia afuera, y ya estaba al pie de la escalinata una carroza con un tronco de seis caballos maravillosos, cuyas crines eran mitad de plata y mitad de oro.

Martinka subió a la carroza y se dirigió hacia la catedral, donde las campanas llevaban repicando ya mucho tiempo y se había juntado una multitud de gente. Poco después, llegaron la novia con sus damas y sus doncellas, y el rey con sus ministros.

Se celebró la ceremonia, y Martinka, hijo de una viuda, tomó la mano de la linda princesa, convertida ya en su esposa. El rey entregó una generosa dote a su hija, confirió un alto cargo a su yerno y dio un gran festín.

Así vivieron los recién casados un mes, y dos, y tres, durante los cuales Martinka hacía construir a diario nuevos palacios y nuevos jardines. Pero la princesa no estaba nada conforme con que la hubiesen casado con un simple campesino y no con un zarevich o un príncipe. Y se puso a pensar en el modo de deshacerse de él. Pero, eso sí, fingiendo todo lo contrario. Le colmaba de atenciones, procuraba agradarle en todo, aunque tratando de sonsacarle su secreto. Claro que Martinka callaba, sin dejarse embaucar.

Sin embargo, una vez que se acostó a descansar después de una visita al rey, durante la cual había bebido bastante, la princesa se acercó a él con muchos mimos y caricias y, a fuerza de palabras dulces, logró sonsacar a Martinka la historia del anillo mágico.

«Bien, hombre —se dijo la princesa—; pues ahora verás». Y, en cuanto se quedó profundamente dormido, le quitó el anillo del dedo meñique, salió al patio y se lo cambió de una mano a la otra. Al instante, se presentaron los doce mocetones preguntando:

—¿Qué deseas y qué se te ofrece, linda princesa?

—Oídme, muchachos: quiero que mañana por la mañana no haya aquí palacio ni catedral ni puente de cristal, sino la vieja y pequeña isba de antes. Quiero que mi marido vuelva a su miseria y que a mí me llevéis a los confines de la tierra, al más lejano de los reinos, al país de los ratones. La vergüenza me impide vivir aquí por más tiempo.

—Acatamos tus órdenes y todo se hará según tus deseos.

Un ramalazo de viento arrebató al instante a la princesa y se la llevó a los confines de la tierra, al país de los ratones.

Cuando el rey se despertó al día siguiente y miró con el catalejo desde el balcón, no vio ya el palacio, el puente de cristal ni la catedral de cinco cúpulas, sino tan solo una vieja y pequeña isba.

«¿Qué habrá sucedido? —se preguntó—. ¿Cómo habrá desaparecido todo?».

Sin pérdida de tiempo, envió a un ayudante a enterarse de lo que allí había pasado. El ayudante partió al galope, lo observó todo y regresó para informar a su soberano:

—Majestad: allí donde estaba el fastuoso palacio no hay más que la vieja isba destartalada de antes. En ella habitan vuestro yerno y su madre, pero no hay ni rastro de la linda princesa ni sabe nadie dónde se encuentra actualmente.

El rey convocó su gran consejo para juzgar a Martinka por haber seducido a la linda princesa con sus malas artes, y por haberla hecho desaparecer. El consejo sentenció que Martinka sería emparedado en un pilar muy alto, sin pan ni agua, hasta que se muriese allí de hambre.

Llegaron unos albañiles y levantaron un pilar, dentro del cual emparedaron a Martinka sin dejarle más que un huequecito por donde entrara la luz. Allí quedó el pobre, encerrado sin pan ni agua, anegado en llanto. Pasó un día, luego otro y otro más...

Pero Zhurka, el perro, se enteró de la desgracia y corrió a la isba de Martinka. Allí encontró a Vaska, ronroneando tan feliz.

—¡Vaska, eres un canalla! —le gritó indignado—. Estás aquí tumbado, so gandul, sin enterarte de que a nuestro amo lo han emparedado en un pilar de ladrillos... Por lo visto no te acuerdas ya de su buena acción, de que dio cien rublos para salvarte de la muerte. ¡De no ser por él, te habrían comido ya los gusanos, maldito! ¡Levántate ahora mismo! Debemos ayudarle con todas nuestras fuerzas.

El gato Vaska se tiró de un salto desde el rellano de la estufa y corrió con Zhurka en busca de su amo. Cuando llegaron al pilar, trepó hasta arriba y se metió por el agujero.

—¡Hola, mi amo! ¿Aún estás con vida?

—Poca me queda ya —contestó Martinka—. Sin pan ni agua, pronto moriré de inanición.

—Aguarda y no te apures, que nosotros te traeremos de comer y de beber —prometió Vaska, y volvió a salir por el agujero.

—Amigo Zhurka —le dijo entonces al perro—, nuestro amo está a punto de morirse de hambre. ¿Qué podemos hacer por él?

—Si no se te ocurre una solución, tú eres tonto, Vaska. Vamos a andar por ahí, y en cuanto veamos a un panadero con su cesta de panecillos, yo me meteré entre sus piernas para que tropiece y se le caiga la cesta de la cabeza. Entonces espabílate tú, agarra todos los panecillos y los bollos que puedas, y llévaselos a nuestro amo.

En efecto, llegaron a la calle principal y vieron venir hacia ellos a un panadero con su cesta. Zhurka se le metió entre las piernas, el panadero se tambaleó y dejó caer la cesta, de la que se desperdigaron todos los panecillos. Del susto, echó a correr hacia otro lado, porque ¿y si estaba rabioso el perro, verdad? Un accidente puede ocurrir en cualquier momento.

El gato Vaska le echó en seguida la garra a un panecillo y lo llevó corriendo a su amo. Volvió a buscar otro, y otro más... Del mismo modo asustaron a un hombre que llevaba tarteras con sopas de col, y también consiguieron algunas botellas para su amo.

Vaska y Zhurka hicieron luego el propósito de llegar hasta los confines de la tierra, al país de los ratones, para recuperar el anillo mágico. Como el viaje era largo y exigiría mucho tiempo, le llevaron a Martinka galletas, rosquillas y toda clase de víveres para un año entero, aunque advirtiéndole:

—Ojo, nuestro amo: come y bebe, pero con tiento, para que estas provisiones te alcancen hasta nuestro regreso.

Luego se despidieron de Martinka y emprendieron su viaje.

Fueron caminando, no sé si mucho o poco tiempo, no sé si aprisa o despacio, hasta que llegaron a la orilla del mar.

—Espero llegar nadando hasta la otra orilla. ¿Tú qué crees? —preguntó Zhurka a Vaska.

—Pues... que yo no sé nadar y me ahogaré en seguida.

—Entonces, súbete encima de mí.

Vaska montó a lomos del perro, se agarró con las uñas a sus lanas para no caerse, y así cruzaron el mar hasta la otra orilla, llegando al más lejano de los reinos, al país de los ratones.

Allí no se veía ni una sola persona. La cantidad de ratones, en cambio, era incalculable: por todas partes andaban en bandadas. Zhurka le dijo entonces al gato Vaska:

—¡Manos a la obra, amigo! Tú, a cazar y a matar ratones, que yo iré juntándolos y amontonándolos.

Vaska, para quien ese género de caza era habitual, se lio a zarpazos y, ratón que agarraba, ratón que dejaba tieso. Zhurka, que apenas podía seguir su ritmo para juntarlos, había hecho con ellos una verdadera montaña al cabo de una semana. Era un azote para el país. Viendo el zar de los ratones que su población disminuía a ojos vistas y que muchos de sus súbditos habían sufrido una muerte cruel, salió de su ratonera y les dijo a Zhurka y a Vaska:

—Os saludo humildemente, poderosos *bogatires,* y vengo a pedir compasión para mi pobre pueblo. No lo exterminéis. Decidme lo que deseáis, y haré lo que esté a mi alcance para serviros.

—En tu reino —contestó entonces Zhurka— hay un palacio donde habita una linda princesa, y esa princesa le ha robado a nuestro amo un anillo mágico. Si no rescatas ese anillo, morirás tú y desaparecerá tu reino, porque lo arrasaremos todo.

—Esperad un momento —rogó el zar de los ratones—: convocaré a mis súbditos y les preguntaré lo que saben ellos.

Inmediatamente, convocó a los ratones, grandes y pequeños, inquiriendo si no se atrevería alguno a entrar en palacio, llegar hasta la princesa y rescatar el anillo mágico. Se ofreció un ratoncito.

—Yo voy a menudo a palacio —dijo—. He observado que la princesa lleva el anillo puesto en el meñique durante el día y que, cuando se acuesta a dormir por la noche, se lo mete en la boca.

—Bueno, pues procura quitárselo. Si lo consigues, sabré recompensarte como lo que soy.

El ratoncillo aguardó a que se hiciera de noche, se coló en palacio y llegó sigilosamente hasta los aposentos de la princesa, que estaba profundamente dormida. Trepó a la cama, le metió el extremo del rabo a la princesa en la nariz, y se puso a hacerle cosquillas. La princesa estornudó, dejando escapar el anillo, que cayó a la alfombra. El ratoncillo saltó bajo la cama, agarró el anillo entre los dientes, y se lo llevó a su zar.

El zar, a su vez, entregó el anillo a los poderosos *bogatires,* que eran el gato Vaska y el perro Zhurka. Ellos le dieron las gracias y luego se pusieron a pensar en poder de cuál de los dos estaría más seguro el anillo.

—Déjamelo a mí y te aseguro que no lo perderé —dijo Vaska.

—De acuerdo —accedió Zhurka—. Pero cuídalo más que a las niñas de tus ojos.

El gato se metió el anillo en la boca y los dos emprendieron el camino de vuelta.

Llegaron a la orilla del mar, Vaska se montó a lomos de Zhurka, agarrándose bien con las uñas a sus lanas; Zhurka se metió en el agua y empezó a nadar. Así nadó una hora, luego otra... Pero, de repente, apareció un cuervo negro y se lio a darle picotazos a Vaska en la cabeza. El pobre gato no sabía qué hacer ni cómo defenderse. Si le pegaba un zarpazo, podía perder el equilibrio, caerse al mar y ahogarse. Si le bufaba, quizá dejase escapar el anillo. ¡Nada, que no encontraba salida! Aguantó mucho rato, pero al fin estalló: el cuervo había convertido su pobre cabeza en una pura llaga. Furioso, Vaska se defendió a dentelladas, pero el anillo cayó al mar. El cuervo remontó el vuelo y escapó hacia unos bosques oscuros.

Nada más llegar a la orilla, Zhurka le preguntó a Vaska por el anillo.

—Perdóname, Zhurka —contestó el gato con la cabeza gacha—: se me ha caído al mar.

—¡Maldito estúpido! —arremetió contra él Zhurka—. Ya puedes dar gracias a Dios de que no me enterase antes, porque te habría echado al mar para que te ahogaras. ¿Cómo nos presentamos ahora a nuestro amo? Tírate inmediatamente al agua y saca el anillo, o muérete tú.

—¿Y qué adelantamos con que me muera yo? Mejor será recurrir otra vez a la astucia: vamos a cazar a los cangrejos, como antes cazamos a los ratones, y quizá tengamos la suerte de que nos ayuden a encontrar el anillo.

Aceptó Zhurka la idea, y juntos se pusieron a recorrer la orilla, matando cangrejos y juntándolos hasta que hicieron un montón tremendo. En esto, salió del mar un cangrejo muy grande a tomar un poco el aire. Zhurka y Vaska cayeron en seguida sobre él, acometiéndole desde todas partes.

—No me matéis, poderosos *bogatires* —rogó el cangrejo—. Yo soy el zar de todos los cangrejos. Decidme lo que queréis, y cumpliré vuestros deseos.

—Se nos ha caído un anillo al mar. Si deseas nuestra benevolencia, búscalo y tráelo. De lo contrario, devastaremos todo tu reino.

El zar de los cangrejos convocó inmediatamente a sus súbditos y les preguntó si sabían algo del anillo.

—Yo sé dónde está —aseguró un cangrejo pequeñito—: en cuanto el anillo cayó al mar azul, un pez *beluga** lo agarró y se lo tragó delante de mí.

Todos los cangrejos se lanzaron al instante en busca del pez *beluga* por el mar. Cuando dieron con él, lo acorralaron y la emprendieron a pellizcos. Acosándole con sus pinzas, no le daban ni un momento de respiro. El pez trataba de escapar de un lado para otro, daba vueltas y más vueltas, hasta que terminó varado en la playa. El zar de los cangrejos salió del agua, y les dijo al gato Vaska y al perro Zhurka:

—Aquí tenéis al pez *beluga*, poderosos *bogatires*. Tratadlo sin compasión, porque él se tragó vuestro anillo.

Zhurka corrió al pez y empezó a devorarlo por la cola. «¡Menudo atracón voy a darme!», pensaba.

Pero el pícaro del gato, que se imaginaba muy bien dónde podría estar el anillo, dio muy pronto con él abriéndole un agujero en el vientre al pez y sacándole los intestinos. Agarró el anillo entre los dientes y escapó a toda prisa, pensando: «Ahora llego donde el amo, le devuelvo el anillo y le digo que todo ha sido obra mía. Y entonces me querrá a mí más que a Zhurka».

Entre tanto, Zhurka había terminado de comer y, cuando miró a su alrededor, no vio a Vaska. En seguida adivinó la treta de su compañero, y que quería ganarse los favores del amo con malas artes.

—¡Te equivocas, bandido! —exclamó—. En cuanto te alcance, te hago pedazos.

Corrió Zhurka detrás de Vaska hasta que lo alcanzó, profiriendo terribles amenazas. Pero Vaska descubrió un abedul en medio del campo, trepó por el tronco y se agazapó en lo más alto.

—¡Allá tú! —dijo Zhurka—. No vas a pasarte la vida allá arriba. Algún día querrás bajar. Yo no pienso moverme de aquí.

Tres días se pasó Vaska en lo alto del abedul, y tres días estuvo Zhurka acechándole, sin quitarle el ojo de encima... Hasta que el hambre los obligó a hacer las paces.

Así que hicieron las paces, marcharon juntos a ver a su amo. Llegaron al pie del pilar, Vaska se metió por el agujero y preguntó:

—¿Estás vivo, mi amo?

—¡Hola, Vaska! Ya pensaba que no volveríais. Llevo tres días sin una miga de pan.

El gato le entregó el anillo mágico. Martinka esperó la medianoche, se pasó el anillo de una mano a otra, y al instante se le presentaron los doce mocetones preguntando:

—¿Qué deseas? ¿Qué se te ofrece?

—Muchachos: quiero que levantéis de nuevo mi palacio, el puente de cristal y la catedral de cinco cúpulas, y que llevéis allí a mi malvada esposa. Y que todo esté listo por la mañana.

Dicho y hecho. Cuando el rey se despertó a la mañana siguiente, salió al balcón y miró con el catalejo: vio que, en lugar de la pequeña isba, se alzaba un fastuoso palacio unido con el suyo por un puente de cristal y flanqueado de árboles cubiertos de manzanas de oro y plata.

El rey pidió su carroza y fue a enterarse en persona de si todo volvía a estar como antes, o eran figuraciones suyas.

Martinka salió a recibirle a la puerta y, tomando sus augustas manos, le condujo a los lujosos aposentos. Allí, le puso al corriente de todo.

—Esto es lo que ha hecho la princesa conmigo —terminó.

El rey ordenó entonces que fuera ejecutada. En cumplimiento de su augusto mandato, la malvada esposa fue atada a la cola de un potro salvaje que soltaron luego en pleno campo. El potro partió como una flecha por trochas y barrancos, despedazando así el blanco cuerpo de la princesa.

En cuanto a Martinka, sigue viviendo tan campante.

Los cuernos

Érase un bracero a quien el Señor había dotado de una gran fuerza. Un día se enteró de que un culebrón tenía asustada a la hija del zar, y se jactó:

—Nadie es capaz de terminar con ese maldito culebrón, pero yo sí.

Alguien de palacio le oyó hablar de esa manera, y se empeñó en que debía hacerlo.

—Sí, hombre: tienes que librar a la *zarevna* de esa pesadilla.

Y como los jactanciosos llevan en el pecado la penitencia, el bracero acabó yendo a decirle al zar:

—Yo podría salvar a la *zarevna*. ¿Cuál sería la recompensa?

—Te daría a la *zarevna* por esposa —contestó el zar encantado.

El bracero pidió entonces que le llevaran siete pellejos de buey y que le hicieran avellanas de hierro, uñas de hierro y una maza de hierro. Cuando se lo llevaron todo, se metió dentro de los siete pellejos de buey, se encajó en los dedos las uñas de hierro, se echó al bolsillo avellanas corrientes y avellanas de hierro, empuñó la maza y fue al aposento de la *zarevna*. Llegó el culebrón que tenía asustada a la *zarevna* y, al ver al bracero, rechinó los dientes.

—¿Qué haces aquí?

—Lo mismo que tú —contestó el bracero mientras se entretenía en comer avellanas.

Viendo el culebrón que no conseguiría nada por la fuerza, quiso ganarle por la astucia. Empezó por pedirle avellanas, y el bracero le

185

dio un puñado de las de hierro. El culebrón estuvo un buen rato intentando partirlas, hasta que terminó escupiéndolas.

—Estas avellanas tuyas son una porquería —dijo al fin—. Mejor será que juguemos a las cartas, ¿quieres?

—Bueno. ¿Y qué nos vamos a jugar?

Después de discutirlo un poco, decidieron que el ganador le daría un mamporro al otro. Se pusieron a jugar y perdió el culebrón. El bracero sacó la maza y le atizó un golpe que casi le dejó sin sentido.

—Mejor será que nos juguemos el pellejo. Al que pierda, lo desollará el ganador.

Esa vez perdió el bracero, y el culebrón le arrancó uno de los pellejos de buey.

—Vamos a seguir.

Perdió el culebrón, y el bracero le clavó entonces las uñas de hierro y lo desolló. El culebrón expiró allí mismo.

El zar se enteró de lo ocurrido, y se puso tan contento que casó a su hija con el bracero. Pero la *zarevna* estaba a disgusto viviendo con aquel campesino. Conque al poco tiempo ordenó que lo llevaran al bosque y allí lo mataran. Los servidores lo apresaron y lo llevaron al bosque, pero les dio lástima y no lo mataron.

Andaba el bracero llorando por el bosque cuando vio venir a tres hombres que discutían. Cuando se cruzaron, corrieron a él para contarle su apuro.

—Mira, buen hombre: hemos encontrado unas botas que andan solas, una alfombra voladora y un mantel siempre servido, pero no sabemos cómo repartir estas cosas. ¿Qué nos aconsejas?

—Yo creo que debía ser todo para el primero que trepe a ese roble.

Los tres pánfilos aceptaron y corrieron hacia el árbol. En cuanto estuvieron arriba, el bracero se puso las botas que andaban solas, tomó asiento sobre la alfombra voladora llevando el mantel siempre servido, y dijo:

—Quiero encontrarme junto a la ciudad del zar.

Al instante, estuvo donde deseaba. Montó una tienda, ordenó al mantel que sirviera una comida y envió una invitación al zar y a su hija. Cuando estos llegaron, no le reconocieron. El bracero los colmó de atenciones, mostró a la *zarevna* la alfombra voladora y, sin que ella se diera cuenta, la hizo sentarse encima, agarró el mantel siempre servido y formuló el deseo de ser trasladado a un bosque tenebroso. Cuando se encontró allí, le dijo a la *zarevna* quién era. Ella empezó a hacerle carantoñas y arrumacos hasta conseguir que la perdonara. Pero en cuanto le vio dormido, agarró el mantel siempre servido, se montó en la alfombra voladora... ¡y adiós, muy buenas!

El bracero se despertó y vio que no estaba allí la *zarevna*, y que faltaban la alfombra voladora y el mantel siempre servido. Solo le quedaban las botas que andaban solas. Vagando por el bosque, se encontró delante de dos manzanos y, como tenía hambre, arrancó un fruto de uno de ellos y se lo comió. Nada más comérselo, le creció un cuerno a un lado de la frente. Se comió otra manzana, y le creció otro cuerno. Entonces probó los frutos del otro árbol. Se comió una manzana y, al instante, desaparecieron los cuernos y él quedó transformado en un apuesto mancebo.

El bracero se llenó los bolsillos de manzanas de los dos árboles y volvió a la ciudad donde vivía el zar. Andaba rondando alrededor de palacio cuando vio a una de las criadas de la *zarevna*, una chica muy fea, medio gitana.

—¿Quieres una manzana, muchacha? —le ofreció.

La criada aceptó la manzana, se la comió y se convirtió en una auténtica belleza. La *zarevna* se quedó pasmada al verla, y le ordenó:

—Corre a comprarme a mí manzanas de esas.

La criada obedeció; pero cuando la *zarevna* se comió las manzanas, le crecieron cuernos en la frente.

Al día siguiente, se presentó el bracero diciendo que él podía devolver su belleza a la *zarevna*. Ella, claro, le pidió encarecidamente que lo hiciera.

El bracero le ordenó que fuera al baño, y cuando la *zarevna* estuvo desnuda, se puso a azotarla con unas varillas metálicas. Le pegó una paliza que no olvidaría la *zarevna* en mucho tiempo. Luego, le descubrió que era su esposo y la *zarevna* le pidió humildemente perdón, y le devolvió la alfombra voladora y el mantel siempre servido.

El bracero le dio manzanas de las buenas y, desde entonces, vivieron en buena armonía y en la opulencia.

Cuento de la oca de los huevos de oro

Éranse dos hermanos, el uno rico y el otro pobre. El pobre tenía esposa e hijos, mientras que el rico vivía solo. Un día fue el pobre a ver al rico y le dijo:

—Hermano mío, dales hoy de comer a mis pobres hijos, porque no tenemos nada que llevarnos a la boca.

—Hoy no puedo ocuparme de ti —contestó el hermano rico—. Vendrán invitados de alto linaje, y la gente como vosotros no tiene nada que hacer entre ellos.

Llorando amargamente, el hermano pobre se fue entonces al río.

—Si pesco algo —pensaba—, mis hijos tendrán por lo menos una sopa.

Nada más echar la red, sacó una vasija de barro y oyó una voz que decía:

—Llévame a la orilla y rómpeme allí.

El hermano pobre así lo hizo. Al instante, salió de la vasija un joven desconocido que le habló de esta manera:

—Hay aquí cerca un prado verde, en ese prado un abedul y entre las raíces de ese abedul una oca. Córtale las raíces al abedul y llévate la oca a tu casa. Ella te dará un huevo cada día, y uno será de oro y el otro de plata.

El hermano fue donde estaba el abedul, sacó a la oca y se la llevó a su casa. En efecto, la oca empezó a poner un día un huevo de oro y al otro día un huevo de plata. Él los vendía a los mercaderes y a los boyardos, de manera que pronto se hizo rico.

—Hijos míos —dijo—: demos gracias a Dios, que se ha compadecido de nosotros.

El hermano rico estaba furioso de envidia. «¿Cómo ha podido prosperar así mi hermano? —se preguntaba—. Ahora resulta que él es rico y yo más pobre que él. Algún negocio sucio habrá hecho».

Y fue a denunciarle.

El asunto llegó hasta el zar. El hermano pobre que se había enriquecido fue convocado a palacio. ¿Qué hacer con la oca? Como los hijos eran pequeños, hubo de dejarla al cuidado de su mujer. Desde entonces, ella se encargó de llevar los huevos al mercado, donde los vendía a muy buen precio. Era una mujer bien parecida y se dejó seducir por un *barin* que la requirió de amores. Este le preguntó un día:

—¿Y cómo habéis hecho tanto dinero?

—Porque así lo ha querido Dios.

Pero él insistió:

—Dime la verdad. Si no me la dices, no volveré a verte.

En efecto, dejó de ir por su casa un par de días, hasta que la mujer le llamó y le confesó:

—Tenemos una oca que pone un día un huevo de oro, y al otro un huevo de plata.

—Me gustaría verla. Tráela y enséñame esa oca.

El *barin* se puso a palpar la oca y descubrió que tenía escrito, en letras doradas sobre el vientre, que quien se comiera su cabeza llegaría a zar, y quien se comiera su corazón escupiría oro al hablar.

Esperanzado con semejante perspectiva, el *barin* se empeñó en que la mujer matara a la oca. Ella se resistió cuanto pudo, pero terminó degollando al animal y metiéndolo en el horno. Luego, como era día de fiesta, se marchó a misa.

Entre tanto, regresaron sus dos hijos a casa y, como tenían hambre, abrieron el horno y sacaron la oca asada. El mayor se comió la cabeza, y el menor el corazón.

Volvió la madre de misa, y cuando llegó el *barin*, se sentaron a comer. Entonces descubrió él que faltaban el corazón y la cabeza de la oca.

—¿Quién se los ha comido? —inquirió, y finalmente se enteró de que habían sido los dos niños.

—Tienes que matarlos —exigió a la madre—, y sacarle a uno los sesos y al otro el corazón. Si no lo haces, se acabaron nuestras relaciones.

Después de estas palabras, se marchó. La mujer aguantó una semana, hasta que no pudo más y le mandó recado al *barin:*

—Vuelve. Si no hay otro remedio, sacrificaré incluso a mis hijos por ti.

Se puso a afilar un cuchillo. Al ver lo que hacía, el mayor de los hijos estalló en amargo llanto y suplicó:

—Déjanos salir un ratito al jardín, *mátushka.*

—Bueno, pero no os alejéis.

En cuanto salieron, lo que hicieron los chicos fue escapar corriendo.

Cuando estaban ya rendidos y famélicos de tanto correr, vieron a un pastor que andaba por el campo con un rebaño de vacas.

—Oye, pastor: danos un poco de pan.

—Aquí tenéis este cantero. Es todo lo que me queda —contestó el pastor—. Que os aproveche.

El hermano mayor se lo cedió al pequeño:

—Cómetelo tú, hermanito. Yo soy más fuerte y puedo aguantar todavía.

—No, no. Tú me has llevado todo el tiempo de la mano tirando de mí y estarás más cansado. Nos lo comeremos a medias.

Conque partieron el cantero por la mitad, se lo comieron y los dos saciaron el hambre.

Siguieron adelante y adelante por un ancho camino hasta llegar a un sitio donde se dividía en dos. En la encrucijada había un poste con una inscripción, diciendo que quien fuera hacia la derecha llegaría a zar, y quien fuera hacia la izquierda se haría rico.

El hermano pequeño le dijo al mayor:

—Ve tú hacia la derecha: tú sabes más que yo y eres capaz de soportar más.

Conque el hermano mayor tiró hacia la derecha, y el menor hacia la izquierda.

El mayor fue anda que te anda y llegó a un reino distinto. Llamó en casa de una viejecita pidiendo albergue, y allí pasó la noche. A la mañana siguiente, se levantó, se lavó, y después de vestirse, hizo sus oraciones.

Precisamente acababa de morir el zar que reinaba allí, y todos los habitantes se dirigían hacia la iglesia llevando cirios. Según la ley que se practicaba allí, se coronaría zar a aquel cuyo cirio fuera el primero en encenderse él solo.

—Ve tú también, hijito —le dijo la vieja a nuestro muchacho—. ¿Quién sabe si no será tu cirio el primero que se encienda?

La viejecita le dio un cirio, y también él fue a la iglesia. No hizo más que entrar en el templo, y precisamente su cirio se encendió solo. Llenos de envidia, los nobles y los boyardos presentes se lanzaron a apagar la llama y a echar fuera al muchacho. Pero la *zarevna*, que lo veía todo desde lo alto de su trono, ordenó:

—No le hagáis nada. Para bien o para mal, está visto que es mi destino.

Unos servidores agarraron al chico por debajo de los brazos y le condujeron hasta la *zarevna*, que le marcó en la frente con el sello de su sortija de oro. Luego, lo llevó con ella a palacio, lo educó, lo proclamó zar y se casó con él.

Llevaban algún tiempo casados, no sé si mucho o poco, cuando el nuevo zar le dijo a su esposa:

—Quisiera tu venia para ir en busca de mi hermano.

—Ve, y que Dios te acompañe.

El hermano mayor anduvo mucho tiempo por tierras distintas, hasta que se encontró al menor viviendo en la opulencia. Tenía montones de oro en los graneros porque, cada vez que escupía, la saliva se convertía en oro y no sabía dónde guardar tanto.

—Hermano mío —le dijo el pequeño al mayor—, ¿por qué no hacemos una visita a nuestro padre para ver cómo vive?

—Por mí, ¡ahora mismo!

Llegaron, pues, a casa de su padre, y pidieron entrar a descansar un rato, pero sin decir quiénes eran.

Se sentaron a comer, y el hermano mayor se puso a hablar de la oca de los huevos de oro y del mal comportamiento de la madre. Esta, claro, se empeñaba en cortarle la palabra y cambiar de conversación. Hasta que el padre cayó en la cuenta de lo que ocurría, y preguntó:

—¿Pero sois vosotros, hijos míos?

—Sí, *bátiushka*.

Se abrazaron, se besaron, y se contaron todo lo que les había ocurrido. Luego, el hermano mayor se llevó al padre a vivir a su reino, y el menor se marchó a buscar novia para casarse.

En cuanto a la madre, allí la dejaron, sola.

La gallina prodigiosa

Allá en los confines de la tierra, en el más lejano de los reinos, en un país que no era el nuestro, vivían muy pobremente un viejo y su mujer. Tenían dos hijos, pero aún no podían trabajar, debido a sus pocos años.

Un día, salió el viejo en busca de algún trabajo, y después de mucho ir de un lado para otro, sólo pudo ganarse veinte kopeks.

Regresaba a su casa, cuando se encontró con un borrachín que llevaba una gallina en las manos.

—Oye, viejo, cómprame esta gallina.

—¿Cuánto pides por ella?

—Dame medio rublo.

—No lo tengo, hermano. Si quieres, toma veinte kopeks. Con eso tendrás bastante para otro trago, y para dormir la mona después.

El borrachín agarró los veinte kopeks y le dio la gallina al viejo, que volvió a su casa, donde llevaban no sé cuánto tiempo pasando hambre, sin un trozo de pan.

—Mira —le dijo a su mujer—: he comprado una gallina para criarla.

La mujer se puso a gritarle, furiosa:

—¡Habrase visto el viejo del demonio! ¡Ha perdido totalmente la chaveta! Están los chicos sin nada que llevarse a la boca, y él compra una gallina para criarla...

—¡Calla, estúpida! ¡Ni que hiciera falta mucho para criar a una gallina! En cambio, cuando empiece a poner y luego saque polluelos, nosotros los venderemos y compraremos pan...

El viejo hizo un cesto para la gallina y la metió debajo de la estufa. A la mañana siguiente, fue a mirar, y se encontró con que la gallina había puesto una piedrecilla brillante en lugar de un huevo.

—¡Pues sí que hemos tenido suerte! —se lamentó a su mujer—. A todo el mundo le ponen huevos las gallinas, pero la nuestra pone piedras. ¿Qué hacemos ahora?

—Llévala a la ciudad por si te la compra alguien.

Así lo hizo el viejo, y anduvo por la posada ofreciendo la brillante piedrecita. Todos los mercaderes que había por allí se acercaron a él y se pusieron a tasarla —que si tanto, que si cuanto...—, hasta que uno de ellos la compró por quinientos rublos.

Desde entonces, el viejo empezó a vender las valiosas piedrecitas que ponía la gallina. Muy pronto se hizo rico, entró en la corporación de los comerciantes, abrió muchas tiendas, tomó dependientes y se dedicó a cruzar los mares con barcos llenos de mercaderías y a negociar en otras tierras.

Una vez que partía para uno de esos viajes le recomendó, como siempre, a su mujer:

—Vigila la gallina y cuídala más que a las niñas de tus ojos. Mira que si algo le ocurre, te costará la cabeza.

Pero, apenas se marchó el mercader, la mujer tiró por mal camino y se hizo amante de uno de los jóvenes dependientes.

—¿De dónde sacáis esas piedras preciosas? —preguntó el dependiente.

—Las pone una gallina que tenemos.

El dependiente agarró la gallina, se puso a mirarla y descubrió que, debajo del ala derecha, tenía escrito en letras de oro que quien se comiera su cabeza llegaría a ser rey, y quien se comiera los menudillos escupiría oro en vez de saliva. Entonces dijo:

—Ásame esta gallina para el almuerzo.

—¿Cómo voy a hacer eso, querido? Me mataría mi marido cuando volviese.

Pero el joven dependiente seguía en sus trece:

—La asas, y se acabó.

La vieja llamó al día siguiente a su cocinero, y le ordenó que degollara la gallina y la asara para el almuerzo, sin quitarle la cabeza ni los menudillos.

El cocinero obedeció, degolló a la gallina, la metió en el horno y salió a un recado.

En esto, volvieron de la escuela los hijos de la vieja, abrieron el horno y se les ocurrió probar el asado: el mayor se comió la cabeza de la gallina, y el otro los menudillos.

Llegó la hora del almuerzo y sirvieron la gallina. Cuando el dependiente vio que faltaban la cabeza y los menudillos, se puso furioso, regañó con la vieja y se marchó a su casa. La vieja corrió tras él, procurando ablandarle de alguna manera, pero él repetía siempre lo mismo:

—Mata a tus hijos, sácales la asadura y los sesos y sírvemelos de cena. De lo contrario, no quiero saber nada de ti.

La vieja acostó a los hijos, llamó al cocinero y le mandó que se los llevara al bosque, conforme estaban dormidos, y allí los matara y les sacara la asadura y los sesos, que guisaría luego para la cena.

El cocinero se llevó los chicos a un bosque tenebroso y se puso a afilar un cuchillo.

—¿Para qué afilas ese cuchillo? —preguntaron los niños despertándose.

—Para sacaros la asadura y los sesos, según me ha ordenado vuestra madre, y guisarlos como cena.

—¡Por favor, no nos mates! Tú eres bueno. Ten compasión de nosotros. Deja que nos marchemos, y te daremos todo el oro que quieras.

El hermano pequeño escupió un montón de oro. El cocinero consintió entonces dejarlos marchar. Los abandonó en el bosque tenebroso y volvió a casa de sus amos. Por suerte, había parido una perra. El cocinero mató dos cachorros, les sacó la asadura y los sesos, los guisó y los sirvió de cena. El dependiente cayó sobre aquel plato, se lo zampó todo, pero no se convirtió en rey ni en príncipe, sino que siguió siendo sencillamente un palurdo.

Los niños salieron del bosque a un camino, y echaron a andar a la buena de Dios. Anda que te anda, llegaron a una encrucijada donde había un poste con una inscripción, diciendo que quien tirase hacia la derecha obtendría un reino, mientras que quien tirase hacia la izquierda pasaría muchos apuros y calamidades, pero se casaría con una bella *zarevna*.

Los hermanos leyeron la inscripción y optaron por tirar cada uno hacia un lado: el mayor hacia la derecha, y el menor hacia la izquierda.

Andando a más andar, llegó el mayor a una capital desconocida donde había muchísima gente, pero toda vestida de luto y muy afligida.

Llamó en casa de una vieja y le pidió albergue.

—Acoge a este pobre caminante en una noche tan oscura —rogó.

—Lo haría encantada, pero de verdad que no hay sitio.

—Déjame entrar, abuela. Soy una criatura de Dios lo mismo que tú. Necesito poco sitio. Puedo acurrucarme en cualquier rincón.

La vieja le franqueó por fin la entrada. Se pusieron a charlar.

—Y dime, abuela —preguntó el chico—, ¿por qué hay tantísima gente en vuestra ciudad, por qué están llenas las posadas y todo el mundo anda de luto y afligido?

—Verás: nuestro rey ha muerto, ¿sabes? Así que los boyardos han pregonado un bando para que acuda todo el mundo, desde los viejos hasta los niños. A todo el que llega le dan un cirio y le mandan ir a la catedral, porque en cuanto uno de los cirios se encienda solo, su dueño será coronado rey.

El mayor de los hermanos se levantó al día siguiente, se aseó, hizo sus oraciones, le dio las gracias al ama de la casa por el pan y la sal y por el blando lecho. Luego se dirigió a la catedral. Había allí tanta gente, que ni en tres años habría sido posible contarla. El chico tomó un cirio, que se encendió al instante entre sus manos. Toda la gente corrió entonces hacia él tratando de apagar el cirio, pero la llama no hacía más que incrementarse. No les quedó otro remedio que reconocerle como rey: le pusieron ropas de brocado de oro y le condujeron a palacio.

En cuanto al hermano menor, el que había tomado el camino de la izquierda, se enteró de que en cierto reino vivía una bella *zarevna* que era un dechado de hermosura, pero que también era muy ansiosa para el dinero. Por eso, hizo pregonar en todas partes que se casaría con el hombre capaz de mantener su ejército durante tres años.

¿Cómo no iba a probar fortuna nuestro muchacho? Echó a andar por un ancho camino y, para entretenerse, fue escupiendo trozos de oro puro en un saquito. Al cabo de cierto tiempo —no sé si mucho o poco—, llegó hasta donde vivía la bella *zarevna* y se comprometió a cumplir su exigencia. A él, desde luego, no le costaba gran trabajo obtener dinero: con escupir, lo tenía todo resuelto.

Mantuvo, pues, al ejército alimentado y vestido durante tres años. Había llegado el momento de celebrar la boda con un gran banquete, pero la *zarevna* desplegó toda su astucia para enterarse de quién le proporcionaba tanto dinero. Entonces le invitó a comer, le agasajó a más y mejor, pero echó un revulsivo en su plato. Al muchacho le dio una náusea y escupió los menudillos de la gallina. La *zarevna* se apoderó en seguida de ellos, y desde ese momento empezó a escupir oro, mientras que su pretendiente se quedaba sin nada.

—¿Qué haría yo con este palurdo? —preguntó la *zarevna* a sus boyardos y sus generales—. ¡Tiene la desfachatez de querer casarse conmigo!

Los boyardos opinaron que debía ser ahorcado, y los generales que debía ser fusilado. Pero a la *zarevna* se le ocurrió otra cosa: ordenó que fuera arrojado a las letrinas.

El pobre muchacho salió de allí como pudo y de nuevo se puso en camino, dándole vueltas a la idea de cómo hacerle pagar a la *zarevna* aquella mala jugada.

Al cabo de mucho andar, penetró en un bosque tenebroso y se encontró con tres hombres que estaban dándose trompadas.

—¿Por qué os pegáis de esa manera? —les preguntó.

—Pues porque hemos encontrado tres objetos en el bosque y no sabemos cómo repartírnoslos. El caso es que cada uno de nosotros se quiere quedar con los tres.

—¿Y qué objetos son esos? ¿Merece la pena pelearse por ellos?

—¡Ya lo creo! Mira: uno es este barrilito, del que sale una compañía de soldados en cuanto se le golpea; otro es esta alfombra voladora, que le lleva a uno por los aires adonde quiera; y la tercera es esta fusta, que a cualquier muchacha convierte en cabalgadura si se la pega con ella, diciendo: «Eras doncella y ahora serás yegua».

—Efectivamente, resulta difícil repartir objetos tan valiosos. Pero se me ocurre una idea. Voy a disparar una flecha hacia aquella parte, y vosotros corréis detrás de ella. Para el primero que llegue donde caiga, será el barrilito; para el que llegue segundo, será la alfombra voladora, y al tercero le corresponderá la fusta.

—Bueno, dispara la flecha.

El muchacho preparó una flecha y la disparó lo más lejos que pudo. Los tres corrieron a buscarla sin mirar hacia atrás. El muchacho agarró entonces el barrilito y la fusta, se montó en la alfombra voladora y sólo tuvo que agitar una de las puntas para encontrarse volando hacia donde él deseaba, por encima de los altos bosques, a ras de las nubes andarinas...

Se posó en los prados acotados de la bella *zarevna* y golpeó el barrilito, de donde fue saliendo un número incalculable de tropas: soldados de a pie y de caballería, artilleros con sus cañones y sus cajas de pólvora... Cuando le pareció suficiente, pidió un caballo y, montado en él, saludó a las tropas, les pasó revista y dio orden de ponerse en campaña. Redoblaron los tambores, sonaron las trompetas y todos abrieron un fuego atronador.

La *zarevna*, que vio todas aquellas tropas desde sus aposentos,

se llevó un susto de muerte, y mandó a sus boyardos y sus generales a negociar la paz.

El apuesto muchacho ordenó que apresaran a aquellos emisarios, y después de hacerles sufrir un duro castigo, les dejó volver a palacio con estas palabras:

—Que venga la propia *zarevna* a negociar la paz.

La *zarevna* no tuvo más remedio que acceder. Cuando se apeó de su carroza y reconoció al apuesto muchacho, se quedó como quien ve visiones. Entonces él empuñó la fusta y la pegó con ella en la espalda diciendo: «Eras doncella y ahora serás yegua», y en el momento quedó convertida la *zarevna* en yegua. El muchacho le puso la brida y el arzón, montó en ella y partió al galope hacia el reino de su hermano mayor. Seguido por su ejército incalculable, iba a galope tendido, espoleando a la yegua y arreándola con tres varitas de hierro.

Cabalgando a más cabalgar, llegaron a la frontera. Antes de entrar en la ciudad, el apuesto muchacho volvió a meter a todo su ejército en el barrilito. Pasaba por delante de palacio y, cuando le vio, el rey quedó admirado de la yegua.

—¿Quién será ese gran señor? Va montado en una yegua como no he visto otra en mi vida —exclamó, y envió a sus generales a negociar la compra de aquella montura.

—¡Vaya con vuestro rey! —replicó el muchacho—. Si es tan caprichoso y se le antoja la primera cabalgadura que ve, me imagino que no va a poder uno pasear con una esposa joven y agraciada por miedo a que también la quiera para él.

Luego se dirigió a palacio, y dijo al entrar:

—¡Hola, hermano! ¿Cómo estás?

—¡Eres tú! Si no te había reconocido...

Se abrazaron, llenos de alegría, y luego preguntó el mayor:

—¿Qué barrilito es ese?

—Lo llevo para el agua cuando viajo.

—¿Y la alfombra?

—Siéntate en ella y te lo explicaré.

El hermano mayor se sentó en la alfombra voladora, el menor agitó uno de los picos, y juntos se remontaron por encima de los altos bosques, a ras de las nubes andarinas, en dirección a su país.

Cuando llegaron, se hospedaron en casa de su padre, pero sin decir quiénes eran. Al cabo de algún tiempo, se les ocurrió dar un banquete para todo el que quisiera asistir. Acudió infinidad de gente. Todos los comensales fueron agasajados y atendidos durante tres días a pedir de boca. Luego preguntaron los muchachos si no conocía nadie alguna historia curiosa, para que la contara. Pero no hubo quien se ofreciera.

—Nosotros somos gente de poco mundo —objetaban.

—Bueno, pues contaré yo una —dijo el hermano pequeño—. Pero con la condición de que nadie me interrumpa. Y a quien interrumpa tres veces, se le castigará sin piedad.

Todos se mostraron conformes, y entonces empezó el hermano menor la historia de un viejo y una vieja que tenían una gallina que ponía piedras preciosas en lugar de huevos, y de cómo tuvo la vieja relaciones ilícitas con un dependiente...

—Eso es mentira —interrumpió la vieja.

Pero el hijo siguió contando cómo degollaron a la gallina. La madre le interrumpió otra vez. Tampoco pudo aguantarse cuando llegó el relato al momento en que la vieja quiso matar a sus hijos.

—¡Mentira! —dijo—. ¿Dónde se ha visto que una madre quiera matar a sus hijos?

—Pues se ha visto. ¿O es que no nos reconoces, *mátushka*? Somos nosotros, tus hijos...

Así se descubrió todo.

El padre mandó despedazar a la vieja. Al dependiente lo ataron a la cola de unos caballos, que salieron galopando en distintas direcciones y dispersaron sus huesos por el campo.

—Al perro, muerte de perro —sentenció el viejo.

El padre repartió luego todos sus bienes entre los pobres, y se fue a vivir con el hijo mayor a su reino.

El hijo menor le pegó un fustazo a la yegua, diciendo: «Eras yegua y ahora serás doncella», y la yegua volvió a convertirse en una bella *zarevna*. Entonces hicieron las paces y se casaron.

La boda fue muy sonada. Yo estuve allí también. Bebí hidromiel que por las barbas me chorreó, pero en la boca no me entró.

El bogatir sin piernas y el bogatir ciego

En cierto reino, en cierto país, vivían un zar y una zarina con su hijo, el zarevich Iván. Al cuidado del zarevich estaba un hombre a quien llamaban Escudero-Katomo gorro-de-olmo.

Llegados a una edad avanzada, los padres del zarevich Iván enfermaron, y viendo que no sanarían ya, llamaron a su hijo para decirle:

—Cuando nos hayamos muerto, obedece siempre en todo a Escudero-Katomo y respétale. De que atiendas sus consejos depende tu felicidad; si le desobedeces, morirás como una mosca.

Al día siguiente, fallecieron el zar y su esposa. El zarevich Iván les dio sepultura, y siguiendo la recomendación que le habían hecho, desde entonces siempre le pidió consejo a su escudero para todos los asuntos. Así pasó el tiempo —poco o mucho, no lo sé—, el zarevich alcanzó la mayoría de edad y pensó que debía casarse. Fue a ver al escudero y le dijo:

—Escudero-Katomo gorro-de-olmo: me aburro de vivir solo, y quisiera casarme.

—Me parece muy bien, y no tienes por qué esperar. Has llegado precisamente a la edad en que conviene pensar en buscar novia. Ve al salón grande, donde están los retratos de todas las *zarevnas* y princesas, elige la que más te guste y pide su mano.

El zarevich Iván fue al salón grande, se puso a contemplar los retratos, y le gustó el de Ana la Hermosa, una princesa tan linda que

no había otra igual en el mundo. En su retrato estaba escrito que sería su esposo el pretendiente que le planteara una adivinanza y ella
no acertara la respuesta; pero que, si ella acertaba, al pretendiente le
cortarían la cabeza. El zarevich Iván leyó aquella inscripción, se quedó muy preocupado y fue a ver a su escudero.

—He estado en el salón grande —le dijo— y me ha gustado Ana
la Hermosa para novia; pero no sé si debo pedir su mano.

—Tienes razón, zarevich —contestó el escudero—. Es difícil obtener su mano y, si vas tú solo, no creo que lo consigas. Pero si me llevas a mí y haces lo que yo te diga, puede salir bien.

Entonces el zarevich Iván rogó a Katomo que le acompañara,
prometiendo obedecerle en todo.

Hicieron sus preparativos y se pusieron en camino para ir a pedir la mano de la princesa Ana la Hermosa. Viajaron un año, luego
otro, después un tercero, dejando atrás muchas tierras, y entonces
dijo el zarevich Iván:

—Llevamos tanto tiempo de viaje, nos aproximamos ya a las tierras de la princesa Ana la Hermosa, y no hemos pensado en la adivinanza que le vamos a dar.

—Todavía tenemos tiempo de idear algo.

Siguieron adelante y, de pronto, el Escudero-Katomo gorro-de-
olmo vio una bolsa tirada en el camino. La cogió, sacó todo el dinero que contenía, lo metió en su propia bolsa y dijo:

—Ahí tienes la adivinanza, zarevich Iván. Cuando te halles en
presencia de la princesa, le dices lo siguiente: yendo de camino, un
bien encontramos, por las buenas ese bien cogimos, y con nuestro
bien lo pusimos. Seguro que no acierta en toda su vida la respuesta.
Cualquier otra adivinanza la acertaría al instante con solo consultar
su libro mágico, y en cuanto acertase, mandaría que te cortaran la
cabeza.

Por fin llegaron el zarevich y su escudero al espléndido palacio
donde vivía la hermosa princesa. Precisamente estaba ella en su balcón. Vio a los dos forasteros y mandó que les preguntasen de dónde
eran y qué les traía.

—Vengo de tal reino y quiero pedir la mano de la princesa Ana
la Hermosa —contestó el zarevich Iván.

Enterada la princesa de la respuesta, ordenó que el zarevich se
trasladara al palacio y le dijera una adivinanza delante de todos los
príncipes y los boyardos del consejo.

—Tengo hecho el voto —explicó— de casarme con quien me
diga una adivinanza que yo no acierte, o de hacerle morir si acier-
to.

—Entonces, hermosa princesa, escucha esta —replicó el zarevich Iván—. Yendo de camino, un bien encontramos, por las buenas ese bien cogimos, y con nuestro bien lo pusimos.

La princesa tomó su libro mágico y lo consultó buscando la respuesta, pero no encontró nada, aunque repasó hoja por hoja.

Los príncipes y los boyardos del consejo decidieron entonces que la princesa debía casarse con el zarevich Iván. Y aunque a ella no le agradaba la idea, no tuvo más remedio que prepararse para la boda, pero sin dejar de pensar en cómo podría darle largas y deshacerse del pretendiente. Y se le ocurrió exigirle cosas difíciles de hacer.

—Zarevich Iván, amable prometido mío: debemos hacer los preparativos para la boda y quisiera pedirte un pequeño favor. Hay en mi reino, en tal y tal sitio, una gran columna de hierro: tráela a la cocina de palacio y hazla astillas para que no le falte leña al cocinero.

—¿Pero qué dices, princesa? Yo no he venido aquí a partir leña. Eso no es asunto mío. Para eso tengo a mi servidor, el Escudero-Katomo gorro-de-olmo.

El zarevich llamó en seguida al escudero y le ordenó llevar a la cocina la columna de hierro, y hacerla astillas para que no le faltara leña al cocinero.

El Escudero-Katomo fue al lugar indicado, agarró la columna, la llevó a la cocina y la hizo astillas, pero se guardó en el bolsillo cuatro leños por si los necesitaba más adelante.

Al día siguiente, le dijo la princesa al zarevich Iván:

—Zarevich Iván, amable prometido mío: mañana iremos a desposarnos. Yo iré en carroza y tu cabalgarás un recio corcel. Pero debes adiestrarlo primero.

—Adiestrar caballos no es asunto mío. Para eso tengo a mi servidor.

A renglón seguido, llamó al Escudero-Katomo gorro-de-olmo y le dijo:

—Ve a las cuadras, diles a los mozos que saquen el corcel destinado para mí, móntalo y adiéstralo, porque mañana debo cabalgarlo yo.

El Escudero-Katomo adivinó la astucia de la princesa. Sin replicar, fue a las cuadras y ordenó a los mozos que sacaran el corcel destinado al zarevich. Se juntaron doce palafreneros, abrieron doce puertas quitando doce candados, y sacaron a un corcel mágico sujeto por doce cadenas. El Escudero-Katomo gorro-de-olmo se acercó, y no hizo más que montarse en él, cuando el corcel mágico se remontó por los aires, más arriba del alto bosque, a ras de la nube andarina.

Katomo se mantenía firme en la silla, agarrado con una mano a las crines. Con la otra mano sacó un leño del bolsillo y se puso a des-

cargarlo entre las orejas del caballo. Cuando desgastó un leño, agarró otro, cuando desgastó el segundo, agarró el tercero, y cuando desgastó el tercero, echó mano del cuarto. Tanto le golpeó, que el recio corcel no pudo aguantar más y profirió, con palabra humana:

—*Bátiushka* Katomo: no acabes conmigo y haré lo que quieras. Todos tus deseos serán cumplidos.

—Pues escúchame bien, carne de perro —replicó el Escudero-Katomo gorro-de-olmo—: mañana te montará el zarevich Iván para ir a casarse. Atiende lo que debes hacer. Cuando los mozos de cuadra te saquen al patio, el zarevich se acercará a ti y te pondrá una mano en el lomo. Tú debes estarte quieto, sin pestañear siquiera. Luego, cuando haya montado en la silla, hundes los cascos en la tierra hasta las cernejas y caminas a paso lento, como si te hubieran echado encima un peso tremendo.

El recio corcel escuchó aquellas órdenes y se posó en tierra, medio muerto. Katomo lo agarró por el rabo y lo tiró junto a las cuadras.

—¡Eh, vosotros! —gritó a los mozos y los cocheros—. Llevaos esta carne de perro a su pesebre.

Amaneció el día siguiente. Llegada la hora de celebrar el casamiento, unos servidores condujeron hasta la puerta de palacio una carroza para la princesa, y el recio corcel para el zarevich Iván. Alrededor se había juntado una multitud incalculable. Los novios salieron de los regios aposentos.

La princesa montó en su carroza y aguardó con curiosidad, pensando que el caballo mágico partiría como una flecha, con el zarevich Iván todo desgreñado, hasta esparcir sus huesos por los campos.

Pero el zarevich Iván llegó hasta el corcel, le puso una mano en el lomo, metió un pie en el estribo, y el animal no hizo el menor movimiento. El zarevich montó en la silla y el corcel mágico hundió los cascos en la tierra hasta las cernejas. Le quitaron las doce cadenas y echó a andar a paso lento y pesado, sudando a mares.

—¡Eso es un gigante! ¡Qué fuerza tan tremenda! —exclamaba la gente contemplando al zarevich.

Los novios salían de la iglesia, ya desposados y cogidos del brazo, cuando se le ocurrió a la princesa probar una vez más la fuerza del zarevich Iván, y le apretó la mano con tanta fuerza que él no pudo soportarlo: la sangre se le subió al rostro y puso los ojos en blanco.

«Ahora veo lo fuerte que eres —se dijo la princesa—. Bien me ha embaucado tu escudero... Pero me las pagaréis».

Vivía la princesa Ana la Hermosa con el zarevich Iván, como le cuadra a una mujer vivir con el esposo que Dios le ha dado, halagándole de palabra, pero con una idea fija en la mente: deshacerse de algún modo del Escudero-Katomo gorro-de-olmo, pues faltando el escudero podría ella fácilmente acabar con el zarevich. Sin embargo, por muy ingeniosas que fueran sus insidias, el zarevich Iván las rechazaba, confiando en su escudero.

Al cabo de un año, dijo el zarevich:

—Amable esposa mía y hermosa princesa: me gustaría ir contigo a mi país.

—Pues vamos: hace tiempo que también deseo yo conocerlo.

Conque hicieron los preparativos y se pusieron en camino. El Escudero-Katomo conducía el carruaje. Al cabo de cierto tiempo, el zarevich se quedó dormido. De pronto le despertó la princesa, quejándose así:

—Escucha zarevich: tú vas dormido y no te das cuenta de nada. Pero tu escudero no atiende mis órdenes y mete adrede a los caballos por todos los baches, como si quisiera acabar con nosotros. He intentado advertírselo por las buenas, pero se ríe de mí. Si no le castigas, me muero.

El zarevich Iván, medio dormido todavía, se enfadó mucho con su escudero y lo dejó a merced de la princesa.

—Haz con él lo que quieras —dijo.

La princesa ordenó que le cortaran las piernas. Katomo no se defendió. «Yo sufriré —pensó—; pero también se enterará el zarevich de lo que son calamidades».

Conque le cortaron las dos piernas al Escudero-Katomo. La princesa miró luego a su alrededor, y viendo un tocón bastante alto a un lado, ordenó a sus servidores que sentaran al escudero en él. Luego, hizo atar al zarevich a la trasera de la carroza, dio media vuelta y regresó a su reino.

El Escudero-Katomo gorro-de-olmo se quedó sentado en lo alto del tocón, anegado en llanto y diciendo:

—Adiós, zarevich Iván. Ya te acordarás de mí.

En cuanto al zarevich, corría arrastrado por la carroza, dándose cuenta de que había cometido un error y ya no tenía remedio.

La princesa Ana la Hermosa volvió a su reino y puso al zarevich Iván a pastar las vacas: todas las mañanas salía al campo con el rebaño, y por las tardes lo conducía de vuelta al corral del palacio. La princesa salía entonces a un balcón y contaba las vacas para comprobar que estaban todas. Después de contarlas, mandaba al zarevich que las encerrara en el cobertizo, y a la última le diera un beso debajo del rabo. Como que la última vaca sabía ya lo que debía hacer y, al llegar al portón, se detenía y levantaba el rabo...

Entre tanto, el Escudero-Katomo llevaba ya un día, y otro, y otro más, sentado en su tocón sin comer ni beber, y como no podía bajarse, esperaba a que le llegara la muerte por inanición. Cerca de aquel lugar se alzaba un frondoso bosque, y en ese bosque vivía un *bogatir* muy fuerte, pero ciego, que se sustentaba de una manera muy original. En cuanto olía que pasaba por allí cerca cualquier animal —lo mismo una liebre, un zorro que un oso—, se lanzaba detrás, y ya tenía almuerzo. Tenía el *bogatir* el pie ligero, y ningún animal se le escapaba.

Ocurrió, pues, que un zorro se deslizó por delante del *bogatir*, este lo olió y salió corriendo detrás. Al llegar cerca del tocón, el zorro tiró hacia un lado, pero al *bogatir* ciego no le dio tiempo de hacer lo mismo. Con todo el ímpetu de la carrera, pegó un cabezazo contra el tronco, desgajándolo de cuajo. Al caer el tocón, también cayó al suelo Katomo.

—¿Quién eres? —preguntó entonces.

—Un *bogatir* ciego. Vivo en este bosque desde hace treinta años, y sólo me alimento de los animales que cazo y aso en una hoguera. De no ser por eso, hace mucho tiempo que me habría muerto de hambre.

—¿Eres ciego de nacimiento?

—No, no es de nacimiento. Estoy ciego porque la princesa Ana la Hermosa hizo que me saltaran los ojos.

—Pues también por culpa suya estoy yo sin piernas —refirió el Escudero-Katomo gorro-de-olmo—: la maldita me ha cortado las dos.

Los *bogatires* charlaron un rato y llegaron a la conclusión de que debían vivir juntos, y juntos buscarse el sustento.

—Tú te montas sobre mis hombros —dijo el ciego— y me vas indicando el camino. De este modo, yo te serviré con mis piernas y tú a mí con tus ojos.

Conque el ciego cargó con el cojo, que le guiaba diciendo:

—¡A la derecha! ¡A la izquierda! ¡Todo derecho!...

Así vivieron cierto tiempo en el bosque, cazando liebres, zorros y osos para alimentarse. Una vez, dijo el que no tenía piernas:

—¿Vamos a pasarnos toda la vida sin nadie más a nuestro lado? Tengo entendido que en cierta ciudad vive un rico mercader con su hija, y que esta es muy compasiva con los pobres y los impedidos. Ella misma les reparte limosnas. ¿Y si la trajéramos aquí, hermano? Viviría con nosotros haciendo de ama de casa...

El ciego agarró un carro, montó al cojo en él y lo condujo a la ciudad, justamente hasta delante de la casa del rico mercader. La hija, que los vio desde una ventana, salió inmediatamente a darles limosna. Se acercó al cojo.

—Toma, pobrecito, por el amor de Dios.

Al tomar la limosna, el cojo agarró a la joven de la mano, la metió en el carro y avisó al ciego. Este emprendió una carrera tan veloz que ni a caballo habrían podido darle alcance. Los *bogatires* llevaron a la hija del mercader a la pequeña isba que tenían en el bosque.

—Quédate aquí a vivir y atiende la casa como si fueras hermana nuestra. Impedidos como estamos, no tenemos a nadie que nos haga las comidas ni nos lave las camisas. Dios te lo pagará.

Así se quedó la hija del mercader con ellos. Los *bogatires* la querían y la respetaban, y la tenían por hermana. Mientras ellos salían de caza, la hermana adoptiva se quedaba siempre en casa y todo lo gobernaba, guisaba, lavaba...

En esto, tomó la querencia de ir por la pequeña isba una bruja Yagá pata-de-hueso y robarle las fuerzas, a través de sus blancos pechos, a la linda doncella hija del mercader. En cuanto los *bogatires* salían de caza, ya estaba allí la bruja Yagá. Al cabo de algún tiempo —no sé si poco o mucho—, quedó demacrada, perdió peso y fuerzas. El ciego no veía nada, pero el Escudero-Katomo gorro-de-olmo se dio cuenta de que algo extraño pasaba. Se lo dijo al ciego, y juntos estrecharon a preguntas a su hermanita adoptiva. Pero la bruja Yagá le había prohibido terminantemente contar nada. Por miedo, la muchacha se resistió mucho tiempo a contar lo que le sucedía, hasta que por fin la convencieron y ella lo refirió todo:

—Cada vez que os marcháis de caza, aparece inmediatamente una vieja muy vieja con cara feroz, con el pelo largo, gris, y me obliga a rebuscarle en la cabeza mientras ella me absorbe las fuerzas a través de los pechos.

—¡Esa es la bruja Yagá! —exclamó el ciego—. Espera y verás la que vamos a darle. Mañana no saldremos de caza, sino que procuraremos acecharla y echarle el guante...

A la mañana siguiente no salieron de caza los *bogatires*.

—Tú, que estás sin piernas —dijo el ciego—, métete debajo del banco y estate ahí quieto mientras yo me quedo en el patio al pie de la ventana. En cuanto a ti, hermanita, siéntate junto a esta ventana cuando venga la bruja Yagá, búscale en la cabeza, pero separa un mechón de pelo y déjalo asomar al patio por encima del poyo de la ventana sin que ella se dé cuenta. Yo la sujetaré por las greñas.

Dicho y hecho. En cuanto el ciego agarró las greñas de la bruja Yagá, se puso a gritar:

—¡Eh, Katomo! Sal de debajo del banco y sujeta a esta maldita mujer mientras entro yo en casa.

Al darse cuenta del apuro en que estaba, la bruja Yagá quiso levantar la cabeza y escapar; pero como si nada... Por mucho que se debatió, fue inútil. En esto, salió Katomo de debajo del banco, cayó sobre ella como una mole de piedra, le echó las manos al cuello, y apretó de tal manera que hasta se le nubló la vista.

El ciego irrumpió en la isba y le dijo al cojo:

—Ahora debemos hacer una buena hoguera para quemar a esta maldita y echar sus cenizas al viento.

—¡Muchachos, por lo que más queráis...! —suplicó la bruja Yagá—. Perdonadme... y haré que se cumplan todos vuestros deseos.

—Está bien, vieja lagarta —accedieron los *bogatires*—. Llévanos al pozo del agua de la salud y de la vida.

—Ahora mismo. Pero no me peguéis.

El Escudero-Katomo gorro-de-olmo se subió a hombros del ciego, el ciego agarró a la bruja Yagá de las greñas, y la bruja Yagá los guio por la espesura del bosque hasta un pozo.

—Este es el pozo del agua de la salud y de la vida —dijo.

—Mucho cuidado, Katomo —profirió el ciego—. No falles, porque si ahora nos engaña, nunca sanaremos.

El Escudero-Katomo gorro-de-olmo partió una ramita verde de un árbol y la arrojó al pozo: no había rozado aún la superficie del agua cuando se convirtió en una llamarada.

—¡Todavía eres capaz de engañarnos!...

Los *bogatires* estaban dispuestos a ahogar a la maldita bruja Yagá y arrojarla al pozo de las llamas, pero ella les suplicó todavía más que la primera vez, jurando a más jurar que no emplearía ya más astucias.

—Os doy firme palabra de llevaros hasta el agua que buscáis.

Accedieron los *bogatires* a probar una vez más, y la bruja Yagá los condujo hasta otro pozo. El Escudero-Katomo partió una ramita seca de un árbol y la arrojó al pozo. No había rozado aún la superficie del agua cuando la ramita seca empezó a echar brotes, luego hojas y flores.

—Esta sí que es el agua buena —dijo Katomo.

El ciego se humedeció los ojos con ella, y al instante recobró la vista. Luego descendió al cojo hasta el agua y le volvieron a crecer las piernas. Muy contentos, los dos se decían:

—¡Ahora sí que cambiará nuestro destino! Todo volverá a ser como antes. Para empezar, debemos decidir lo que se hace con la bruja Yagá. Si la perdonamos ahora, no tendremos ni un momento de tranquilidad, porque se pasará la vida inventando jugarretas contra nosotros...

Conque regresaron hacia el pozo de las llamas y allá arrojaron a la bruja Yagá, que ardió para siempre.

El Escudero-Katomo gorro-de-olmo se casó luego con la hija del mercader, y los tres volvieron al reino de Ana la Hermosa para salvar al zarevich Iván. Estaban ya cerca de la capital cuando vieron al zarevich conduciendo un rebaño.

—Oye, pastor —le preguntó el Escudero-Katomo—, ¿adónde conduces ese rebaño?

—Al corral de palacio —contestó el zarevich—. La propia princesa comprueba todos los días que no falta ninguna vaca.

—Mira, pastor: vamos a cambiar nuestras ropas y yo conduciré el rebaño.

—No, amigo. Eso no puede ser: si la princesa se entera, yo lo pasaré mal.

—No temas, que no ocurrirá nada. A fe del Escudero-Katomo gorro-de-olmo.

—¡Ay! —suspiró el zarevich Iván—. Si el Escudero-Katomo estuviera vivo, no tendría yo que llevar estas vacas al campo.

El Escudero-Katomo gorro-de-olmo se dio entonces a conocer. El zarevich Iván le abrazó muy fuerte, anegado en llanto.

—No pensaba que volvería a verte.

Cambiaron sus ropas, y el escudero condujo el rebaño al corral de palacio. Ana la Hermosa salió al balcón, comprobó que estaban todas las vacas y ordenó que fueran encerradas en el cobertizo. Todas entraron por el portón, menos la última, que se detuvo y levantó el rabo. Katomo corrió a ella:

—¿Tú que esperas, carne de perro? —gritó y, agarrándola por el rabo, la dejó desollada.

Al verlo, la princesa puso el grito en el cielo.

—¿Qué hace ese maldito pastor? ¡Traedle aquí inmediatamente!

Unos criados agarraron en seguida a Katomo y lo llevaron al palacio. Seguro de sí mismo, él se dejó conducir sin protestar. Cuando le tuvo delante, la princesa le miró y preguntó:

—¿Quién eres? ¿De dónde vienes?

—Soy el hombre a quien le cortaste las dos piernas y dejaste sentado en lo alto de un tocón. Me llamo Escudero-Katomo gorro-de-olmo.

La princesa se dijo que de nada servirían las astucias con un hombre que había logrado recuperar las piernas cortadas, y optó por pedirles perdón al zarevich y a él. Se arrepintió de sus pecados y juró amar eternamente al zarevich y obedecerle en todo.

El zarevich Iván la perdonó y, desde entonces, vivieron en paz y buena armonía. El *bogatir*, que había recobrado la vista, se quedó junto a ellos, mientras que el Escudero-Katomo volvió con su esposa a casa del rico mercader.

El zar-oso

Éranse un zar y una zarina que no tenían hijos. El zar salió un día a cazar animales de pelo y aves de paso. Estaba acalorado y tenía sed, cuando vio un pozo allí cerca. Fue hasta él, se inclinó para beber, pero el zar-oso le agarró de la barba.

—Suéltame —rogó el zar.

—Te soltaré si me das lo que hay en tu casa y tú no lo sabes.

«¿Qué puede haber en mi casa que yo no sepa? —se dijo el zar—. Me parece que nada...». Y luego ofreció en voz alta:

—Mejor será que te dé un rebaño de vacas.

—No. No quiero un rebaño ni dos.

—Entonces, llévate una yeguada.

—No. Ni una yeguada ni dos. Quiero lo que hay en tu casa y tú no lo sabes.

El zar aceptó, liberó la barba y volvió a su casa. Nada más entrar en palacio, se enteró de que su esposa había dado a luz dos mellizos: el zarevich Iván y la *zarevna* María. ¡Eso era lo que había en su casa sin que él lo supiera! Se llevó las manos a la cabeza, llorando amargamente.

—¿Por qué te afliges tanto? —preguntó la zarina.

—¿Cómo no voy a afligirme? Le he entregado al zar-oso mis propios hijos.

—¿Cómo ha sido eso?

El zar se lo explicó todo a su esposa.

—¡No se los daremos!

—¡Imposible! Asolará nuestro reino, y de todas maneras se los llevará.

Estuvieron pensando en lo que podrían hacer, hasta que se les ocurrió una idea. Excavaron un hoyo muy profundo, lo amueblaron y adornaron como los más lujosos aposentos, llevaron provisiones de todas clases para que no faltara comida ni bebida, instalaron allí a sus hijos, techaron el hoyo y lo recubrieron de tierra que alisaron muy bien.

Al poco tiempo fallecieron el zar y su esposa, pero los niños siguieron creciendo. Llegó por fin a buscarlos el zar-oso, y miró por todas partes sin encontrar a nadie. El palacio estaba desierto. Anduvo de un lado para otro, recorrió la casa entera preguntándose quién podría decirle lo que había sido de los hijos del zar. En esto, vio un buril clavado en una pared.

—Dime, buril: ¿sabes dónde están los hijos del zar? —preguntó el zar-oso.

—Sácame fuera, tírame al suelo y cava la tierra donde yo me clave.

El zar-oso tomó el buril, salió y lo tiró al suelo. El buril giró sobre sí mismo, dio unas vueltas y fue a clavarse precisamente donde estaban escondidos el zarevich y su hermana María. El zar-oso escarbó la tierra con las patas, arrancó el techo, y exclamó:

—¡Ah! Conque aquí están el zarevich Iván y la *zarevna* María, ¿eh? ¡Os escondíais de mi! Vuestros padres me engañaron y por eso os voy a devorar.

—No nos devores, zar-oso. Han quedado muchas gallinas, muchos gansos y otros animales en los corrales que tenía nuestro padre. Hay comida de sobra para ti.

—Bueno, así sea. Ahora montaos encima de mí, que os llevaré a mi casa para que me sirváis de criados.

Los dos se montaron en el zar-oso, que los llevó hasta unas montañas abruptas, y tan altas que llegaban hasta el cielo. Todo alrededor estaba desierto. No vivía nadie por allí.

—Tenemos hambre y sed —dijeron los hermanos.

—Iré a buscar comida y bebida mientras descansáis aquí un poco —contestó el zar-oso; y se fue, dejando al zarevich y a la *zarevna* anegados en llanto.

En esto, apareció un hermoso halcón que agitó las alas y pronunció estas palabras:

—¡Oh, zarevich Iván, *zarevna* María! ¿Cómo habéis llegado hasta aquí?

Ellos se lo contaron todo.

—¿Y para qué os ha traído el oso?

—Para que le sirvamos de criados.

—¿Queréis que os saque de aquí? Subíos a mis alas.

Ellos obedecieron, el halcón se remontó por encima de los altos árboles, a ras de la nube andarina, dirigiéndose hacia países lejanos. Pero en esto regresó el zar-oso, descubrió al halcón allá en lo alto, pegó con la cabeza contra la tierra húmeda y lanzó una llamarada que le chamuscó las alas. El halcón tuvo que dejar al zarevich y a la *zarevna* en tierra.

—¿Queríais huir de mí? —dijo el oso—. Pues ahora os devoraré sin dejar ni los huesos.

—No nos devores, y te serviremos fielmente.

El oso los perdonó, y continuó el camino hacia su reino por montañas más altas y más abruptas aún. Pasó algún tiempo —no sé si poco o mucho—, y el zarevich Iván suspiró:

—Tengo hambre.

—Yo también —quejose la *zarevna* María.

El zar-oso partió en busca de comida, ordenándoles terminantemente que no se movieran de aquel sitio. Estaban los dos sentados sobre la hierba verde y llorando a todo llorar, cuando apareció de pronto un águila, bajó desde más allá de las nubes, y les preguntó:

—Zarevich Iván, *zarevna* María, ¿cómo habéis llegado hasta aquí?

Ellos se lo contaron todo.

—¿Queréis que os saque de aquí?

—¡No podrás! El halcón quiso sacarnos y no lo consiguió. Conque tampoco tú lo conseguirás.

—El halcón es un pájaro pequeño. Yo me remontaré más alto que él. Subíos en mis alas.

El zarevich y la *zarevna* obedecieron, el águila agitó las alas y se remontó más alto todavía. En esto regresó el oso, descubrió al águila allá en el cielo, pegó con la cabeza contra la tierra húmeda y lanzó una llamarada que le chamuscó las alas. El águila tuvo que dejar al zarevich y a la *zarevna* en tierra.

—¿Queríais escaparos otra vez? —preguntó el oso—. Pues ahora os devoraré.

—No nos devores, por favor. Ha sido cosa del águila. Nosotros te serviremos con toda fidelidad.

El zar-oso los perdonó por última vez, les dio de comer y de beber, y siguió adelante con ellos...

Pasó algún tiempo —no sé si poco o mucho—, y el zarevich Iván suspiró:

—Tengo hambre.

—Yo también —quejose la *zarevna* María.

El zar-oso los dejó allí y fue en busca de comida. Estaban sentados sobre la hierba verde y llorando a todo llorar, cuando apareció un novillo-cagalón que les preguntó, sacudiendo la cabeza:

—Zarevich Iván, *zarevna* María, ¿cómo habéis llegado hasta aquí?

Ellos se lo contaron todo.

—¿Queréis que os saque de aquí?

—¡No podrás! El halcón y el águila quisieron sacarnos y no lo consiguieron. Conque menos lo conseguirás tú —contestaron, y tanto lloraban que apenas se entendían sus palabras.

—Si esos pájaros no lo consiguieron, lo conseguiré yo. Subíos encima de mí.

Ellos obedecieron, y el novillo-cagalón echó a correr, aunque no muy deprisa. El oso se dio cuenta de que el zarevich y la *zarevna* se escapaban, y se lanzó tras ellos.

—Novillo-cagalón —gritaron los hijos del zar—: el oso viene detrás de nosotros.

—¿Está lejos?

—No. ¡Está muy cerca!

El oso iba ya a dar un salto para echarles la garra, cuando el novillo-cagalón pegó un apretón... y le dejó los dos ojos tapados. El oso corrió al mar azul a lavarse los ojos, y el novillo-cagalón siguió adelante. Después de lavarse, el zar-oso se lanzó de nuevo tras él.

—Novillo-cagalón: el oso viene detrás de nosotros.

—¿Está lejos?

—No. ¡Está muy cerca!

El oso les alcanzaba ya, cuando el novillo pegó otro apretón... y le dejó los dos ojos tapados. Mientras el oso corría a lavarse los ojos, el novillo siguió adelante. A la tercera vez, también le dejó los ojos tapados al oso, pero después le dio al zarevich Iván un peine y una toalla, diciéndole:

—Si ves que nos alcanza el zar-oso, tira primero el peine; a la segunda vez, agita la toalla.

El novillo-cagalón siguió adelante. Volvió la cabeza el zarevich Iván y vio que el oso corría tras ellos y estaba a punto de alcanzarles. Entonces agarró el peine y lo arrojó hacia atrás. De pronto, surgió un bosque tan tupido y frondoso que no habría podido cruzarlo ningún animal, ni volando ni a rastras, como tampoco ningún hombre, ni a pie ni a caballo. A fuerza de dentelladas se abrió el oso una trocha, atravesó aquel bosque virgen y reanudó su carrera en pos de los hijos

del zar, que estaban ya muy lejos, muy lejos. Poco a poco iba dándoles alcance, cuando el zarevich Iván miró hacia atrás y agitó la toalla a sus espaldas, haciendo surgir de pronto un lago de fuego muy ancho, anchísimo, con olas que iban de una orilla a otra. El zar-oso permaneció allí unos instantes y dio media vuelta, mientras el novillo-cagalón llegaba a una pradera con el zarevich Iván y la *zarevna* María.

En aquella pradera se alzaba una gran casa espléndida.

—Esta es vuestra casa —dijo el novillo—. Aquí viviréis sin preocupaciones. Ahora debéis hacer una hoguera en el patio y quemarme a mí en ella después de degollarme.

—¡Oh! —protestaron los hijos del zar—. ¿Por qué vamos a degollarte? Mejor será que te quedes a vivir con nosotros. Te cuidaremos muy bien, te traeremos hierba fresca y agua de la fuente.

—No. Tenéis que quemarme y sembrar luego mis cenizas en tres surcos. De uno surgirá un caballo, de otro un perro y del tercero crecerá un manzano. Ese caballo lo montarás tú, zarevich Iván, y con ese perro irás de caza.

Todo se hizo de esa manera.

Una vez, se le ocurrió al zarevich Iván salir de caza. Se despidió de su hermana, montó en el caballo y se marchó al bosque. Mató un ganso, mató una pata y capturó a un lobato vivo, que llevó a su casa. Viendo el zarevich que estaba en vena para la caza, se marchó otra vez, mató diversas aves y capturó a un osezno vivo. A la tercera vez que el zarevich Iván salió de caza, se le olvidó llevarse al perro.

Mientras tanto, fue la *zarevna* María a lavar la ropa. Caminaba junto al lago de fuego, cuando en la otra orilla se posó un culebrón de seis cabezas que se transformó en un gallardo muchacho, y saludó muy dulcemente a la *zarevna*:

—Hola, hermosa doncella.

—Hola, buen mozo.

—He oído contar a personas ancianas que este lago no existía en otros tiempos. Si hubiera un puente bastante alto para cruzarlo, yo pasaría a esa orilla y me casaría contigo.

—Espera, que en seguida habrá un puente —contestó la *zarevna* María, y agitó la toalla, que al instante formó un arco sobre el lago, transformándose en bello puente.

El culebrón pasó por el puente, recobró su forma anterior, encerró al perro del zarevich Iván bajo candado y arrojó la llave al lago. Después, agarró a la *zarevna* y se la llevó.

Volvió el zarevich Iván de la caza y se encontró con que su hermana había desaparecido y el perro aullaba, encerrado. Luego vio el puente sobre el lago, y se dijo:

«Seguro que el culebrón se ha llevado a mi hermana».

Partió en su busca y, al cabo de mucho andar, encontró en medio del campo una casita montada sobre patas de gallina.

—Casita, casita —le dijo—: vuélvete de espaldas al bosque y de cara hacia mí.

La casita giró sobre sí misma. El zarevich entró, y allí vio a la bruja Yagá acostada, con la pata de hueso estirada de una esquina a otra y la nariz clavada en el techo.

—Fff... Fff... —exclamó la bruja—. Nunca se había notado aquí el olor a ruso, pero ahora se palpa y se mete por la nariz. ¿A qué has venido, zarevich Iván?

—He venido por si puedes remediar mi pena.

—¿Y qué pena es esa?

El zarevich se lo contó todo.

—Bueno, pues vuelve a tu casa. Al manzano que crece en el huerto, arráncale tres varitas verdes y trénzalas. Luego pega con ellas en el candado de la puerta donde está encerrado el perro, y el candado saltará hecho pedazos. Marcha entonces valientemente contra el culebrón, que no podrá nada contra ti.

El zarevich Iván volvió a su casa, liberó al perro, que salió de su encierro hecho una fiera, y, llevándose también al lobato y al osezno, fue a luchar contra el culebrón. Los tres animales se lanzaron sobre él y lo despedazaron. El zarevich Iván se llevó a la *zarevna* María, y los hermanos vivieron desde entonces tan tranquilos y en la opulencia.

La leche de fieras

Habéis oído hablar del Culebrón Culebrero? Pues entonces ya sabéis cómo es y cuáles son sus artimañas. Pero si no habéis oído hablar de él, os contaré la historia de cómo solía visitar a una hermosa princesa, fingiéndose el más apuesto de los galanes y el más gallardo de los jóvenes.

La princesa tenía las cejas negras y era hermosa, en efecto, pero excesivamente altiva. Apenas se dignaba hablar con sus iguales. En cuanto a la gente del pueblo, ni podía acercarse a ella. Únicamente con el Culebrón Culebrero andaba siempre de cuchicheos. ¿De qué hablarían? ¡Cualquiera sabe!...

En cuanto a su esposo, el muy noble príncipe Iván, solía dedicarse a la caza según los hábitos cortesanos. Y la verdad es que sus jaurías eran algo regio. Aparte de los perros, los halcones y los azores, que le servían fielmente, también los zorros y las liebres, al igual que todos los demás animales de pelo y de pluma, le rendían tributo, cada cual según sus artes: el zorro con su astucia, la liebre con su agilidad, el águila con el ala y el cuervo con el pico...

En una palabra, que el muy noble príncipe Iván era invencible en la caza y le podía incluso al Culebrón Culebrero. Y eso, a pesar de todas las artimañas que conocía el Culebrón. Por mucho que se las ingeniaba, por muchas vueltas que le daba, no conseguía terminar con el príncipe. Pero le ayudó la princesa. Puso sus límpidos ojos en blanco, dejó caer sus manos delicadas y se acostó, fingiéndose enferma. El príncipe, muy preocupado, buscaba remedios para ella.

—Lo único que podría sanarme —dijo la princesa— es leche de loba: tengo que lavarme y enjuagarme con ella.

El marido partió en seguida con sus jaurías en busca de una loba que le diera leche. Encontraron una; pero, en cuanto vio al muy noble príncipe, el animal se echó a sus pies, rogando lastimeramente:

—Ten compasión de mí, noble príncipe Iván, y cumpliré todas tus órdenes.

—Necesito leche tuya.

La loba obedeció inmediatamente y, además de la leche, le regaló un lobato en prueba de gratitud.

El príncipe Iván dejó el lobato en sus jaurías y le llevó la leche de loba a su mujer, que acariciaba la esperanza de que pereciese en aquella cacería. Pero cuando llegó el príncipe, no le quedó otro remedio que lavarse y enjuagarse con la leche de la loba, y abandonar luego el lecho como si no hubiera estado enferma. El príncipe se llevó una gran alegría.

Al cabo de cierto tiempo —no sé si mucho o poco—, la princesa cayó nuevamente en cama.

—Lo único que puedes hacer por mí —dijo— es traerme leche de osa.

El príncipe Iván reunió sus jaurías y fue en busca de una osa que le diera leche. Encontró una; pero el animal, barruntando una desgracia, cayó a sus plantas y le pidió llorando:

—Ten compasión de mí y cumpliré todas tus órdenes.

—Bueno. Pues dame leche de la tuya.

La osa obedeció y le regaló un osezno como prueba de gratitud.

El príncipe Iván regresó una vez más sano y salvo junto a su esposa.

—Querido mío —le dijo entonces la princesa—, hazme un último favor para demostrarme tu cariño; tráeme leche de leona, y ya no enfermaré, sino que estaré siempre cantando y me pasaré los días divirtiéndote.

Quiso el más noble de los príncipes ver a su esposa alegre y sana, y salió en busca de una leona. La empresa no era fácil, por tratarse de un animal de países lejanos. Partió con todos los animales que le ayudaban en sus cacerías. Los lobos y los osos se dispersaron por montes y valles, los halcones y los azores se remontaron hasta los cielos, revolotearon por los matorrales y los bosques... Y una leona se tendió a los pies del príncipe Iván con la humildad de una esclava.

El príncipe Iván trajo leche de leona a su esposa, que así sanó y recobró su alegría, pero al poco tiempo pidió otra vez:

—Esposo mío, esposo amado: ahora he recobrado la salud y la alegría, pero sería aún más bella si tú me trajeras unos polvos mágicos que se encuentran detrás de doce puertas y de doce candados en los doce rincones del molino del diablo.

Y allá fue el príncipe... Se conoce que tal era su destino. Cuando llegó al molino, los candados y las puertas fueron abriéndose delante de él. Cogió polvos mágicos de los doce rincones y volvió para atrás. Conforme se marchaba, las puertas y los candados iban cerrándose detrás de él. Salió el príncipe, pero todos los animales que le acompañaban se quedaron dentro, rugiendo y gritando, arremetiendo contra las puertas con uñas y dientes.

El príncipe Iván se quedó allí un buen rato por ver si salían, hasta que emprendió el camino de vuelta, triste y solo, con dolor de corazón y frío en el alma. Cuando llegó a su casa, se encontró a su mujer tan campante, yendo de un lado para otro, joven y alegre, y al Culebrón Culebrero mangoneando como si fuera el amo.

—¡Hola, príncipe Iván! Mira el regalo que te tengo preparado: un nudo de seda para el cuello.

—Aguarda un poco Culebrón —objetó el príncipe—. Comprendo que estoy a merced tuya, pero no quisiera morir tristemente. Deja que te cante tres canciones.

El príncipe cantó una canción y el Culebrón la escuchó. Un cuervo que se había quedado picoteando una carroña, y por eso no cayó en la trampa con los demás animales, le gritó entonces:

—¡Canta, canta, príncipe Iván! ¡Tus jaurías han destrozado ya tres puertas!

Cantó el príncipe otra canción, y el cuervo gritó:

—¡Canta, canta, que tus jaurías destrozan ya la novena puerta!

—¡Basta ya! ¡Se acabó! —silbó el Culebrón—. ¡Alarga el cuello y mete la cabeza por el nudo!

—Escucha esta otra, Culebrón Culebrero. La canté cuando iba a casarme y ahora la cantaré antes de bajar a la tumba.

El príncipe entonó la tercera canción, y el cuervo gritó:

—¡Canta, canta, príncipe Iván! ¡Tus jaurías están echando abajo el último candado!

El príncipe Iván terminó de cantar, alargó el cuello y gritó por última vez:

—¡Adiós, luz del día! ¡Adiós, jaurías mías!

Pero las jaurías llegaban tan a punto, amenazadoras como un nubarrón, tan numerosas como un regimiento. Las fieras despedazaron al Culebrón, las aves mataron a picotazos a la princesa, y así se quedó el noble príncipe Iván hasta el final de sus días, solo con sus jaurías y sus tristes recuerdos, aunque hubiera merecido mejor suerte.

Cuenta la gente que en otros tiempos abundaban los hombres tan gallardos, pero a nosotros solo nos han llegado en los cuentos.

La dolencia fingida

En cierto reino, en cierto país, vivían un zar y su esposa. Como no tenían hijos y los deseaban mucho, rogaron fervorosamente a Dios para que les diera aunque solo fuera una criatura. El Señor atendió sus plegarias, y la zarina se quedó embarazada.

Precisamente por entonces tuvo que emprender el zar un largo viaje. Se despidió, pues, de su esposa y partió.

Transcurrido el debido tiempo, la zarina dio a luz un varón, el zarevich Iván, tan hermoso que nadie podría imaginarlo ni describirlo. El zarevich crecía a ojos vistas, no por años ni por días, sino por horas y por minutos, como sube la masa con buena levadura. Llegó a convertirse en un *bogatir* tan fuerte que ninguna silla aguantaba su peso, y hubo de pedirle a su madre que mandara hacer para él una silla de hierro con puntales.

En esto, volvió el zar de su viaje y su esposa le dio albricias contándole el hijo tan fuerte que le había dado: un auténtico *bogatir*.

Pero el zar se resistía a creer que fuese suyo aquel hijo. Entonces, dio un banquete al que invitó a todos los nobles, los boyardos y los consejeros para preguntarles:

—Decidme lo que debo hacer con mi esposa infiel: si ejecutarla con el hacha o ahorcarla.

—En vez de ejecutarla o ahorcarla —opinó uno de los senadores—, preferible sería desterrarlos a ella y al hijo a países remotos y que no se vuelva a saber de ellos.

El zar aceptó la idea, y al instante desterró a la madre y al hijo.

Estaban ya fuera del recinto de la ciudad, cuando el zarevich Iván dijo:

—*Mátushka* querida: siéntate aquí a descansar y espérame, porque yo no pienso salir a pie del reino de mi padre.

El zarevich volvió entonces al palacio y le pidió un caballo a su padre.

—Llégate a los prados reales, donde pastan mis yeguadas, y elige el caballo que quieras.

Llegó el zarevich Iván a los prados y se puso a elegir caballo, pero a todos los derrengaba en cuanto les ponía la mano en el lomo. Uno de los mozos que los guardaban acudió corriendo y dijo:

—Óyeme, zarevich Iván: aquí no hay ningún caballo que te sirva. Llévate este para tu madre, pero tú búscalo para ti en aquella isla. Allí encontrarás doce robles, y debajo de ellos un pasadizo. En ese pasadizo hay un caballo sujeto por doce cadenas, y encerrado detrás de doce puertas con doce candados de cincuenta *puds* cada uno.

El zarevich Iván le dio las gracias al mozo, agarró el caballo que le había indicado, y volvió donde le esperaba su madre. A ella la hizo montar en el caballo y él fue caminando a su lado.

Al cabo del tiempo —no sé si poco o mucho—, vieron los doce robles. El zarevich corrió hacia ellos, descubrió el pasadizo y empezó a derribar puertas y arrancar candados, y el caballo se puso a ayudarle con los cascos en cuanto barruntó que llegaba un jinete digno de él. Por fin, llegó el zarevich junto al caballo, le puso unos arneses a su tenor y lo sacó al campo, donde cabalgó en él para probarlo.

—¡Hijo mío querido! —exclamó la madre—. ¿Quieres abandonarme ahora que me has traído a estos lugares tan inhóspitos y tan desiertos?

—No, *mátushka*. No te pienso abandonar. Es que estoy probando mi caballo.

Montaron una tienda en la isla y allí se quedaron a vivir, alimentándose con lo que Dios quería mandarles.

—Madre y señora mía —dijo el zarevich Iván al cabo de algún tiempo—: dame tu bendición para emprender un largo camino. Antes que seguir viviendo aquí, prefiero partir en busca de mi suerte.

Así partió el zarevich por valles, por montes y por bosques oscuros, hasta desembocar en una llanura donde se vislumbraba a lo lejos una especie de montaña. Intrigado, se acercó de una carrera y vio que era un *bogatir* muerto.

—Parece haber sido un recio *bogatir* —meditó el zarevich—, y quizá le haya dado muerte quien no valía más que una uña suya.

Permaneció allí pensativo unos instantes, y ya quería reanudar la marcha cuando el *bogatir* muerto le habló así, de pronto:

—¿Cómo es eso, zarevich Iván? ¿Te basta con mirarme y no vas a pronunciar ni una palabra? Si me lo pidieras, quizá pudiera darte un buen consejo. Eres joven, caminas a la buena de Dios, no te imaginas que vas derechito hacia el reino del Zar del Fuego, y que todo el que se aproxima a menos de treinta verstas muere abrasado. Empuja mi cuerpo y coge mi escudo y mi espada mágica. Cuando vayas aproximándote al reino del fuego y notes que te abrasas, protégete con mi escudo y no temas al calor. Luego, al hallarte ante el zar, no te dejes embaucar. Aséstale un solo golpe, y si le matas, no me olvides.

El zarevich Iván cogió el escudo y la espada mágica, llegó al galope hasta el Zar del Fuego y, conforme iba lanzado, le descargó un solo golpe. El Zar del Fuego cayó al suelo, gritando:

—¡Pega otra vez!

—Un *bogatir* ruso pega una sola vez, porque con una basta.

Cuando el Zar del Fuego estuvo muerto, el zarevich le registró hasta encontrar un frasquito que contenía el agua de la muerte y de la vida. Volvió donde yacía el *bogatir* muerto, echó pie a tierra, levantó la cabeza del *bogatir*, la juntó al cuerpo y luego la humedeció con el agua de la muerte y de la vida. El *bogatir* revivió, ambos se dieron el nombre de hermanos y juntos se pusieron en marcha.

Al cabo de un rato, dijo el *bogatir* resucitado:

—Vamos a medir nuestras fuerzas para ver quién puede más.

—¡Hermano! Cualquiera diría que no te basta con haber estado treinta y tres años tendido en pleno campo... Pero yo, por mi parte, no quiero pasarme ahí ni uno solo. Conque mejor será que nos separemos y tiremos cada uno por un lado.

Y de esa manera tomaron caminos distintos.

El zarevich Iván regresó donde estaba su madre, le refirió cómo había vencido al Zar del Fuego y propuso:

—Ahora podríamos ir a lo que era su reino, madre y señora.

—Pero, hijo, ¿por qué le has matado? El Zar del Fuego era compadre mío...

Marcharon, sin embargo, a aquel reino y vivieron allí cierto tiempo hasta que al zarevich se le ocurrió salir un día de caza. La madre sustrajo entonces el frasco del agua de la muerte y de la vida, fue hasta donde yacía el Zar del Fuego, juntó su cabeza con el cuerpo y los humedeció con el agua maravillosa. El Zar del Fuego abrió los ojos, diciendo:

—¡Amable comadre! Me parece que he dormido mucho tiempo...

—Y habrías dormido hasta la eternidad, porque el malvado de mi hijo te mató. ¿Qué podríamos hacer para acabar con él?

—Tengo una idea. En cuanto vuelva, simula que estás enferma y dile que en tal reino, allá donde ni siquiera llega el cuervo con sus huesos, crecen todos los meses unas manzanas que curan cualquier dolencia. Pídele que vaya a buscarlas.

Regresó el zarevich, y la madre enferma le pidió manzanas de las que crecían todos los meses. El hijo ensilló su recio caballo y partió como una flecha al lejano reino, adonde ni siquiera llegaba el cuervo con sus huesos.

Reinaba en aquel país una hermosa doncella que precisamente daba entonces un gran banquete. Uno de los invitados miró casualmente por la ventana, y dijo:

—Acaba de llegar un mancebo montado en un caballo que parece una fiera. El arnés y la armadura son dignos de un *bogatir* y brillan como el oro.

Salió la *zarevna* a recibirle hasta en medio del patio, ella misma le sostuvo el estribo, y cogidos de las blancas manos entraron juntos en el palacio. La *zarevna* ocupó su silla de oro, dejando al *bogatir* ruso que tomara asiento a su gusto.

—Con tu venia —dijo el zarevich Iván al cabo de un rato—, debo confesar que he venido a pedirte un favor.

—Di lo que deseas, y atenderé tu ruego con sumo gusto.

El zarevich se lo explicó. Siguió el banquete, siguieron las diversiones, y luego se prometieron en matrimonio, jurándose que ninguno de los dos se desposaría con otra persona.

Llegado el momento de que el zarevich emprendiera el camino de regreso, su bella prometida le regaló manzanas de las que crecían todos los meses, salió a despedirle y le dijo:

—Tengo entendido que eres un gran cazador y voy a ofrecerte dos perros. ¡Eh, Pesado! ¡Eh, Ligero! Servid al zarevich igual que me habéis servido a mí y cuidad de que no le suceda nada, porque si algo le pasa, no quiero volver a veros.

Estaba el zarevich Iván cerca ya de su casa cuando le vio su madre.

—Ahí viene nuestro enemigo —le dijo al Zar del Fuego, y en seguida le encerró detrás de una puerta de madera de ciprés.

El zarevich Iván entró en palacio, encontró a su madre acostada y le dio las manzanas que crecían todos los meses. De repente, los perros se lanzaron contra la puerta de ciprés y empezaron a dentelladas con ella.

—¡Hijo mío, querido! —exclamó la madre—. ¿Qué jauría es esta?

Con lo enferma que estoy, y esos perros escandalizan arremetiendo contra la puerta...

El zarevich Iván regañó a los perros, y se echaron a sus pies.

Al día siguiente, salió el zarevich de caza para distraerse, y la madre corrió a abrir la puerta al Zar del Fuego, pidiéndole que acabara de alguna manera con su hijo. El Zar del Fuego se marchó entonces a un lago, en cuyas orillas solía descansar un malvado culebrón. Llevaba un rato acechando —no sé si poco o mucho—, cuando el culebrón salió del agua y se quedó dormido en la arena.

El Zar del Fuego le cortó la cabeza de un solo tajo, le sacó el veneno y se lo llevó a su comadre.

—Toma —le dijo—: haz unas tortas para tu hijo y échale esto a la masa.

Volvió el zarevich a casa y le pidió a su madre algo de comer.

—Me encuentro tan mal —contestó la madre— que solo he podido cocer estas tortas. Cómetelas y que te aprovechen.

En cuanto el zarevich cogió una torta, uno de los perros se la arrancó de las manos.

—¿Qué perros son estos, que ni siquiera te dejan comer? —exclamó la madre.

—No importa. Cogeré otra.

Así lo hizo, pero el otro perro se la arrebató. Cogió otra torta, y al primer bocado cayó muerto. La madre abandonó el lecho de un salto, abrió la puerta de ciprés y dejó salir a su compadre.

—¡Por fin hemos terminado con este malvado! —gritaba.

Luego le sacaron los ojos al zarevich, arrojaron su cuerpo a un pozo y ellos se dedicaron a darse la gran vida.

Los perros anduvieron dando vueltas alrededor del pozo hasta que lograron sacar al zarevich Iván y se lo llevaron a su prometida. Ella tenía ya la corazonada de que había muerto. Salió a su encuentro hasta muy lejos, lo tomó en sus amantes brazos y, después de acostarlo en el palacio, escribió a una hermana suya pidiéndole unos ojos mejores todavía y un frasco de agua de la vida y de la muerte. Con ella estuvieron curándole hasta que el zarevich se incorporó.

—¡Amada mía! Me parece que he dormido mucho tiempo.

—Y gracias a mí no has dormido el sueño eterno —contestó su prometida, contándole luego todo lo que había hecho su madre.

Después de vivir allí algún tiempo, quiso el zarevich volver a su casa.

—No te dejes engañar por tu madre, zarevich Iván —le advirtió su bella prometida.

El zarevich ensilló su caballo y se puso en camino. La madre le divisó desde lejos y gritó:

—¡Ahí viene otra vez mi verdugo, y los dos perros con él!

Encerró a su compadre detrás de la puerta de ciprés y fue a sentarse junto a la ventana, llorando a todo llorar.

El zarevich llegó al patio, echó pie a tierra y se dirigió al aposento de su madre. Los perros, que le seguían, se lanzaron contra la puerta.

—Dame la llave de esa puerta, *mátushka* —pidió entonces el hijo.

Ella se resistió cuanto pudo, inventando pretextos: que la llave se había perdido, que no era necesario abrir aquella puerta... Pero el zarevich dio con la llave, abrió la puerta y se encontró con el Zar del Fuego sentado en un sillón.

—¡Pesado! ¡Ligero! —ordenó entonces a sus perros—. ¡Llevaos al Zar del Fuego al campo y despedazadlo!

Los perros obedecieron, y lo hicieron pedazos tan pequeños que ni un pájaro habría tenido dónde picar. El zarevich hizo luego un arco muy tenso y una flecha de arce, y le dijo a su madre:

—Salgamos nosotros al campo.

Cuando llegaron al campo, tensó el arco, se alejó bastante y añadió:

—Ahora, *mátushka*, ponte aquí a mi lado: la flecha de arce se disparará sola y matará al que sea culpable.

La madre se pegó a él todo lo que pudo, pero la flecha se disparó y le pegó en pleno corazón.

Iba el zarevich Iván a reunirse con su prometida cuando le sorprendió la noche por el camino. Entonces vio una luz a lo lejos, y allá se dirigió hasta llegar a una casita donde había una vieja. Se pusieron a hablar de unas cosas y otras, y luego dijo la vieja:

—En nuestro lago habita un feroz culebrón de doce cabezas que devora a la gente. Esta noche le llevarán a la propia *zarevna* para que la devore. Echaron a suertes y salió ella.

En vez de acostarse, el zarevich Iván se encaminó hacia aquel lago al filo de la medianoche. Allí estaba la *zarevna*, diciendo entre lágrimas:

—Devórame de una vez, feroz culebrón, y que terminen mis sufrimientos.

En esto se desplazó el velo que la cubría, y el zarevich reconoció a su prometida. También ella le reconoció.

—¡Vete de aquí! —gritó entonces—. Si te quedas, también te devorará a ti el culebrón.

—No me moveré de aquí —replicó el zarevich—. Estamos prometidos y nos hemos jurado vivir y morir juntos.

En esto salió del lago el culebrón de las doce cabezas.

—¡Oh, linda doncella! Veo que te ha salido un valedor. Me alegro. También hay sitio para él en mi panza.

—¡Maldito culebrón! —exclamó el zarevich—. No te las prometas tan felices...

Desenvainó su afilada espada y, de un tajo, le cercenó seis cabezas. Pegó otro tajo, y le cortó las demás.

Los prometidos volvieron luego juntos al reino de la *zarevna*, donde se desposaron y vivieron muchos años felices.

La camisa milagrosa

Un bravo soldado que servía en un regimiento recibió cien rublos de su casa. Al enterarse, su cabo se los pidió prestados. Pero cuando llegó el momento de hacer cuentas, le pegó cien estacazos en las costillas en lugar de devolverle los cien rublos.

—Yo no he visto siquiera tu dinero, y lo que dices es un infundio.

Muy enfadado, el soldado escapó a un bosque oscuro, y se disponía a descansar debajo de un árbol cuando apareció un culebrón de seis cabezas. Se detuvo junto al soldado, estuvo haciéndole preguntas acerca de su vida y acabó diciéndole:

—En vez de andar pegando tumbos por el bosque, ¿por qué no vienes a trabajar tres años para mí?

—De acuerdo.

—Bueno, pues móntate encima de mí.

El soldado empezó a cargar sobre el culebrón toda su impedimenta.

—¿Para qué quieres llevar toda esa basura contigo, soldado?

—Tú no entiendes de esto. ¿Cómo va a abandonar un soldado nada de su impedimenta si le apalean por un botón que pierda?

El culebrón llevó al soldado hasta sus aposentos y le explicó cuál era su cometido:

—Te pasarás tres años al lado de este caldero, cuidando de la lumbre para que las gachas estén a punto.

Luego se marchó a viajar por el mundo todo ese tiempo, mientras el soldado cumplía con su obligación sin ningún quebradero de cabeza: sólo tenía que mantener el fuego debajo del caldero y tomar algún bocado entre copa y copa de vodka. Por cierto, que el vodka que tenía el culebrón en su casa no estaba bautizado como ocurre por aquí.

Al cabo de tres años, se presentó el culebrón.

—¿Están listas las gachas, soldado?

—Pienso que sí. En estos tres años, nunca se me ha apagado la lumbre.

El culebrón se comió el caldero entero de una vez, felicitó al soldado por su buen trabajo y le apalabró para tres años más.

También transcurrió el plazo, el culebrón se comió el caldero de gachas y apalabró al soldado por otros tres años. Dos de ellos se pasó el soldado cuidando de las gachas, y al tercero se le ocurrió pensar: «Va para nueve años que estoy guisando gachas para el culebrón, y ni siquiera las he probado. Probaré ahora». Levantó la tapadera, y se encontró con que estaba el cabo dentro del caldero.

—¡Vaya, hombre, vaya! Pues ahora verás cómo te cobro los estacazos.

Y metió tanta leña debajo del caldero, que no ya la carne, sino hasta los huesos se deshicieron. Al cumplirse el plazo previsto, llegó el culebrón, se comió las gachas y felicitó al soldado:

—¡Bien, hombre! Si a punto estuvieron antes las gachas, esta vez han quedado aún mejor. Como recompensa, puedes elegir lo que más te guste.

El soldado anduvo husmeando hasta que eligió un recio caballo y una camisa de retor. Pero no se trataba de una simple camisa, pues tenía la virtud de transformar en *bogatir* a quien se la ponía.

Fue el soldado a un país, ayudó al rey en una guerra muy dura que sostenía, y se casó con su hermosa hija. Pero la princesa no estaba conforme con que la hubieran dado como esposa a un simple soldado, y empezó a entenderse con un príncipe vecino. Deseosa de conocer cuál era la fuente de la fuerza extraordinaria que poseía el soldado, estuvo haciéndole carantoñas hasta que se enteró, y entonces se aprovechó de un momento en que estaba dormido para quitarle la camisa y dársela al príncipe. Este se puso la camisa milagrosa, empuñó la espada, despedazó al soldado en trozos muy pequeños, los metió en un saco y ordenó a los mozos de cuadra:

—Tomad este saco. Debéis atarlo a lomos de un rocín que soltaréis luego en el campo.

Los mozos fueron a cumplir sus órdenes, pero el recio caballo del soldado se transformó en rocín y se plantó delante de ellos. Sin buscar más, los mozos ataron a sus lomos el saco y lo soltaron en el campo. El buen caballo partió como una flecha, llegó hasta delante del palacio del culebrón, y allí se pasó tres días y tres noches relinchando sin cesar.

El culebrón estaba entonces profundamente dormido, pero cuando al fin le despertaron los relinchos y las coces del caballo, salió de sus aposentos, abrió el saco y se quedó sobrecogido. En seguida juntó los pedazos, los humedeció con el agua de la muerte, y los pedazos se unieron entre sí; roció el cuerpo con el agua de la vida, y el soldado resucitó.

—¡Sí que he dormido mucho tiempo! —murmuró incorporándose.

—Y más habrías dormido de no ser por tu buen caballo.

El culebrón enseñó entonces al soldado el arte de tomar formas distintas. El soldado se transformó en palomo, fue volando hasta el palacio del príncipe, con quien vivía entonces su esposa infiel, y se posó en el ventanuco de la cocina.

—¡Qué palomo tan bonito! —exclamó una joven cocinera al verlo.

La muchacha abrió el ventanuco y le dejó entrar en la cocina. El palomo pegó contra el suelo, se transformó en un apuesto joven, y habló así:

—Si me prestas tu ayuda, linda muchacha, me casaré contigo.

—¿Y qué debo hacer?

—Conseguirme la camisa de retor que lleva el príncipe.

—¡Pero si nunca se la quita! Si acaso, cuando va al mar a bañarse...

El soldado se enteró de cuándo solía ir el príncipe a bañarse, llegó hasta el borde de un camino y se transformó en florecilla. Al rato, pasaron por allí el príncipe y la princesa camino del mar, seguidos por la joven cocinera que llevaba la ropa limpia. El príncipe vio la florecilla y se quedó mirándola con agrado, pero la princesa adivinó en seguida que era el soldado, arrancó la florecilla y se puso a estrujarla y desgarrarle los pétalos. La florecilla se transformó en una pequeña mosca y, sin ser vista, se escondió en el pecho de la joven cocinera.

Apenas se desnudó el príncipe y se metió en el agua, volvió a salir la mosca, se convirtió en halcón, arrebató la camisa y se la puso, quedando transformado en apuesto mancebo.

El soldado empuñó entonces una espada, dio muerte a la esposa infiel y a su amante, y luego se casó con la joven cocinera, que era una linda muchacha.

El espejito mágico

En cierto reino, en cierto país, vivía un mercader viudo en compañía de un hijo, una hija y un hermano... Una vez que se disponía a partir hacia tierras lejanas con su hijo para comprar toda clase de mercancías, llamó a su hermano y le habló así:

—Querido hermano, a tu cuidado dejo mi casa entera y mi hacienda, y te ruego muy encarecidamente que atiendas a la educación de mi hija, con severidad y sin consentirle ningún capricho.

Y se puso en camino, después de despedirse de su hermano y de su hija.

La hija del mercader era ya una moza, tan bella que habría sido imposible encontrar otra igual ni aun recorriendo el mundo entero. Precisamente esa hermosura inspiró al tío de la muchacha una idea pecadora que no le daba sosiego ni de día ni de noche.

—Si no pecas conmigo —acosaba a la muchacha—, despídete de la vida: te mataré aunque sea mi perdición.

Un día que fue la muchacha al baño, su tío la siguió; pero en cuanto traspuso la puerta, ella le empapó de pies a cabeza con una palangana de agua hirviendo. Tres semanas hubo de pasarse en la cama, y cuando al fin se repuso, mal que bien, un odio feroz había hecho presa en su corazón. Obsesionado por la idea de vengarse, le escribió a su hermano una carta diciéndole que su hija se había descarriado, que rodaba de casa en casa, se pasaba las noches fuera y no le obedecía a él...

El mercader se puso furioso al recibir aquella carta, y le habló así a su hijo:

—Mira: tu hermana ha deshonrado nuestra casa. No quiero perdonarla. Vuelve tú inmediatamente, despedaza a la malvada en trocitos pequeños y tráeme su corazón en la punta de ese mismo cuchillo. ¡Para que las personas decentes no se burlen de nuestro linaje!

El hijo agarró un cuchillo afilado y volvió a su tierra. Una vez en su ciudad, empezó a indagar entre unos y otros, con sigilo y sin descubrirse, la vida que llevaba fulanita de tal, hija de un mercader. Y solo escuchó alabanzas sobre su bondad, su decencia, su piedad y su obediencia para con las buenas gentes. Cuando tuvo todos esos informes, fue a ver a la hermana, que se llevó una gran alegría y corrió a él, abrazándole y besándole.

—¡Hermano mío querido! ¡Alabado sea Dios! ¿Cómo se encuentra nuestro amado *bátiushka*?

—No te alegres tanto, querida hermanita, porque mi visita es de mal agüero. Traigo orden de nuestro padre de despedazarte en trocitos pequeños, arrancarte el corazón y llevárselo en la punta de este cuchillo.

—¡Virgen Santísima! —exclamó la hermana llorando—. ¿A qué viene esa desgracia?

—Ahora lo sabrás —contestó el hermano, y le habló de la carta de su tío.

—¡Yo no tengo ninguna culpa, hermano!

El hijo del mercader escuchó lo que le contó su hermana, y luego dijo:

—No llores. Ya sé que no eres culpable, y aunque nuestro padre me ha ordenado que no acepte ninguna disculpa, no te mataré. Lo mejor será que recojas algunas prendas, salgas de esta casa y busques refugio donde puedas. Dios no te abandonará.

Sin pensárselo más, la hija del mercader reunió algunas prendas, se despidió del hermano y salió de aquella casa sin saber adónde iría. El hermano mató entonces a un perro vagabundo, le arrancó el corazón y se lo llevó a su padre en la punta del cuchillo. Al entregárselo, dijo:

—Padre: siguiendo tu mandato, he matado a mi hermana.

—No quiero saber nada de ella. Una perra no merece otra muerte —replicó el padre.

La linda muchacha anduvo al azar —no sé si poco o mucho— hasta penetrar en un bosque, tan frondoso y oscuro que los altos árboles apenas dejaban ver el cielo. Caminando por aquel bosque, fue a parar a un calvero donde se alzaba un palacio blanco rodeado por una verja verde.

—¿Y si entrara en este palacio? —se dijo la muchacha—. Quizá no me pase nada, porque también tiene que haber gente buena en el mundo...

Entró, pues, en los aposentos, y no encontró ni alma viviente. Iba a marcharse ya cuando llegaron de pronto, al galope, dos recios *bogatires* que entraron en el palacio y, al ver a la muchacha, la saludaron:

—¡Hola, bonita!

—¡Hola, honorables paladines!

—Mira —le dijo uno de los *bogatires* al otro—: nos quejábamos de que no teníamos a nadie para gobernar nuestra casa, y Dios nos manda a una hermanita.

Dejaron los *bogatires* que la hija del mercader se quedase a vivir en el palacio, la reconocieron por hermana suya y, entregándole las llaves, pusieron en sus manos el gobierno de toda su hacienda. Luego desenvainaron sus afilados sables y, apoyando cada uno la punta del suyo en el pecho del otro, pronunciaron estas palabras:

—Si uno de nosotros se atreve a ofender a nuestra hermana, este sable le dará muerte sin compasión.

De esta manera se quedó a vivir la linda muchacha en casa de los dos *bogatires*. Mientras, el padre hizo sus compras en otros países, volvió a su tierra y, al cabo de algún tiempo, tomó esposa por segunda vez.

La mujer con quien se casó era muy bella, y poseía un espejito mágico que, con solo mirarse en él, permitía ver lo que ocurría en cualquier parte.

Un día que los *bogatires* iban a salir de caza, le recomendaron a su hermanita:

—No abras a nadie hasta que volvamos.

Precisamente por entonces, se le ocurrió a la mujer del mercader mirarse en el espejito y decir, mientras contemplaba su belleza:

—No hay nadie más hermosa que yo.

A lo que el espejito replicó:

—Eres hermosa, es verdad. Pero más hermosa todavía es tu hijastra, la que vive en el palacio de los dos *bogatires* en el bosque.

Disgustada por aquellas palabras, la madrastra llamó inmediatamente a una malvada vieja que conocía, y le ordenó:

—Toma este anillo y ve al palacio blanco que hay en medio del bosque oscuro. En ese palacio vive mi hijastra. Salúdala y entrégale este anillo, diciéndole que se lo envía su hermano.

La vieja tomó el anillo y fue adonde le habían mandado. La linda muchacha la vio cuando llegó al blanco palacio, y corrió a su encuentro, deseosa de saber lo que pasaba por su tierra.

—¡Hola, abuelita! ¿Cómo te ha traído Dios hasta aquí? ¿Están todos bien en casa?

—Están bien, sí. Precisamente me ha mandado tu hermano a saber cómo te encuentras tú y a traerte este anillo. Mira qué bonito es...

La muchacha se llevó una alegría tan grande que no se podría ni contar. Hizo pasar a la vieja a los aposentos, la agasajó con los manjares y las bebidas mejores que tenía, y le rogó que transmitiera a su hermano sus recuerdos más cariñosos. Al cabo de una hora, aproximadamente, se marchó la vieja renqueando. La muchacha se quedó un rato admirando el anillo, hasta que se le ocurrió probárselo: nada más ponérselo en el dedo, cayó al suelo sin vida.

Regresaron los dos *bogatires,* y al entrar en los aposentos, se extrañaron de que su hermanita no acudiera a recibirlos. Penetraron en su habitación, y allí la encontraron muerta. ¡Qué pena tan grande la de los *bogatires*! La muerte se había llevado, de pronto, lo más hermoso que tenían...

—Vamos a amortajarla con un traje nuevo antes de depositarla en el ataúd —dijeron.

Iban a amortajarla ya, cuando uno descubrió el anillo que tenía puesto.

—¿Vamos a enterrarla con este anillo? —se preguntó—. Mejor será que se lo quite y me lo quede de recuerdo.

No hizo más que quitarle el anillo cuando la linda muchacha abrió los ojos, exhaló un suspiro y volvió a la vida.

—¿Qué te ha ocurrido, hermanita? ¿Ha venido alguien a verte? —preguntaron los *bogatires.*

—Efectivamente. Ha venido una vieja que yo conocía de mi tierra, y me ha traído un anillo.

—¡Pero qué desobediente eres! ¿No te hemos dicho que no dejes entrar a nadie en nuestra ausencia? No vuelvas a hacerlo nunca más.

Al cabo de algún tiempo, se miró en su espejito la mujer del mercader y se enteró de que su hijastra seguía viva y tan hermosa. Llamó otra vez a la vieja, le dio una cinta y le dijo:

—Ve al palacio blanco donde vive mi hijastra, y dale esta cinta de regalo. Dile que se la manda su hermano.

De nuevo llegó la vieja donde estaba la linda muchacha, le contó un montón de historias y le dio la cinta. La linda muchacha se alegró mucho, se ató la cinta al cuello y, al instante, cayó muerta sobre su lecho.

Volvieron los *bogatires* de caza, encontraron a su hermanita muerta, quisieron amortajarla con ropas nuevas y, nada más desatarle la cinta del cuello, ella abrió los ojos, exhaló un suspiro y recobró la vida.

—¿Qué te ha ocurrido, hermanita? ¿Ha vuelto esa vieja?

—Sí. Ha venido una vieja que yo conocía de mi tierra y me ha traído una cinta.

—¿Pero cómo eres así? ¿No te hemos dicho que no dejes entrar a nadie en nuestra ausencia?

—Perdonadme, queridos hermanos. No he podido resistir a la tentación de tener noticias de casa...

Pasaron unos días, se miró otra vez al espejito la mujer del mercader, y de nuevo descubrió que estaba viva su hijastra. Llamó a la vieja:

—Toma este cabello —le dijo—. Ve donde está mi hijastra y arréglatelas para que se muera.

La vieja aprovechó un momento en que los *bogatires* habían salido de caza para acercarse al palacio blanco. La linda muchacha la vio desde su ventana y no pudo resistir a la tentación de salirle al encuentro.

—Hola, abuelita. Dios te guarde.

—Hasta ahora me conserva la salud, preciosa. Andando por el mundo he llegado hasta aquí a ver cómo estás.

La linda muchacha la hizo pasar a su aposento, la agasajó con toda clase de manjares y bebidas, le preguntó por sus familiares, le dio recuerdos para su hermano...

—Está bien. Se los daré sin falta. Ahora que lo pienso: tú no tendrás aquí a nadie que te asee la cabeza. Ven que te rebusque yo.

—Sí, abuela. Gracias.

La vieja se puso a rebuscarle en la cabeza y aprovechó para trenzarle en su propio pelo el cabello mágico. Y en el mismo instante en que lo trenzó, quedó muerta la linda muchacha. La vieja sonrió malignamente y se apresuró a marcharse, antes de que la descubriera ni la viera nadie allí.

Llegaron los *bogatires*, entraron en el aposento y se encontraron muerta a su hermana. Estuvieron mucho tiempo buscando si no habría alguna prenda ajena en su tocado, pero no encontraron nada. Entonces hicieron un féretro de cristal, tan lindo que nadie podría imaginárselo más que en sueños, ataviaron a la hija del mercader con un vestido resplandeciente, como el de una novia que va a casarse, y la depositaron en el féretro de cristal. Llevaron el féretro al centro de un gran salón, levantaron encima un baldaquín de terciopelo rojo con borlas de brillantes y flecos de oro, y colgaron doce lámparas en doce columnas de cristal. Los *bogatires* lloraron luego amargamente, embargados de tremendo dolor.

—¿Para qué vamos a seguir en este mundo? —se dijeron—. Mejor será que nos quitemos la vida.

Se abrazaron, se despidieron el uno del otro, salieron a un balcón muy alto y, agarrados de las manos, se lanzaron al vacío. Pegaron contra unos riscos agudos y, así, dejaron de existir.

Transcurrieron muchos años hasta que un zarevich, yendo de caza, penetró en aquel bosque frondoso. Soltó a los perros en distintas direcciones, se apartó de su séquito y avanzó él solo por un sendero casi borrado. Al cabo de un rato, desembocó en un calvero donde se alzaba un palacio blanco. El zarevich echó pie a tierra, subió por la escalinata y comenzó a recorrer los aposentos. Los encontró ricamente amueblados, pero sin el calor que presta a las cosas la mano humana: todo se veía desaseado y abandonado desde hacía mucho tiempo. En uno de los salones encontró un féretro de cristal y, dentro del féretro, una doncella muerta, pero de belleza sin igual, con las mejillas sonrosadas y los labios sonrientes, lo mismo que si estuviera dormida.

Se aproximó el zarevich, contempló a la doncella y allí se quedó como si le retuviera una fuerza invisible. Desde por la mañana hasta por la noche, permaneció en el mismo sitio, con el corazón palpitante, sin poder apartar la mirada, bajo el hechizo de aquella belleza maravillosa, inaudita, imposible de igualar en el mundo entero.

Mientras tanto, los cazadores de su séquito andaban buscándole hacía ya mucho tiempo: dieron batidas por el bosque, hicieron sonar los cuernos de caza, le llamaron a voces... Pero el zarevich continuaba junto al féretro de cristal sin oír nada. Sólo se recobró viendo que se espesaban las tinieblas después de ponerse el sol. Entonces le dio un beso a la doncella dormida y se marchó.

—¡Alteza! —exclamaron los cazadores—. Estábamos inquietos sin saber dónde os hallabais.

—Me había extraviado persiguiendo a un animal.

Al día siguiente, apenas amaneció, se dispuso el zarevich a salir de caza. Penetró al galope en el bosque, se apartó de su séquito y llegó, por el mismo sendero, al palacio blanco. De nuevo se pasó el día entero junto al féretro de cristal, sin apartar los ojos de la hermosa doncella muerta, y no regresó a su casa hasta muy entrada la noche.

Lo mismo sucedió al tercer día, al cuarto... y así una semana entera.

—¿Qué le habrá ocurrido a nuestro zarevich? —se preguntaban los señores que cazaban con él—. Debemos estar al tanto y cuidar de que no le pase nada.

Conque el zarevich salió de caza, soltó a los perros por el bosque, se alejó de su séquito y se encaminó hacia el palacio blanco. Los demás cazadores le siguieron inmediatamente, llegaron al calvero del bosque y entraron en el palacio, en uno de cuyos salones vieron el féretro de cristal con la doncella muerta, y al zarevich a su lado.

—¡Con razón os habéis pasado una semana entera rondando por el bosque, alteza! Tampoco nosotros podremos ahora movernos de aquí hasta la noche.

Rodearon el féretro de cristal, y maravillados por la belleza de la doncella, estuvieron contemplándola, sin moverse, desde por la mañana hasta por la noche. Cuando oscureció totalmente, les dijo el zarevich a los señores de su séquito:

—Hacedme un gran favor, hermanos: tomad el féretro con esta doncella muerta y llevadlo a mi dormitorio; pero con sigilo y en secreto, para que nadie se entere. Sabré recompensaros con oro como nadie os recompensaría.

—Podéis recompensarnos si tal es vuestro deseo, pero también sin recompensa estamos dispuestos a serviros.

Con estas palabras, los cazadores levantaron en andas el féretro de cristal, lo acomodaron sobre unos caballos, y lo condujeron al palacio del zar, depositándolo en el dormitorio del zarevich.

Desde aquel día, dejó de interesarse el zarevich por la caza. No salía de palacio, y permanecía en sus aposentos contemplando a la bella muchacha.

—¿Qué le sucederá a nuestro hijo? —se preguntaba la zarina—. Lleva no sé cuánto tiempo metido en palacio, sin salir de sus aposentos ni dejar que entre nadie. ¿A qué se deberá esa melancolía? ¿Estará enfermo? Iré a verle.

Entró la zarina en los aposentos de su hijo y vio el féretro de cristal. Enterada de todo lo ocurrido, ordenó inmediatamente que la doncella fuera sepultada con el debido ceremonial en la tierra húmeda, nuestra madre.

El zarevich salió al jardín sollozando, cortó las flores más bellas que encontró y las llevó a su cuarto para adornar los cabellos de la bella muerta. Pero, cuando se puso a peinar su trenza dorada, el cabello mágico se desprendió. La linda doncella abrió los ojos, exhaló un suspiro y se incorporó en el féretro de cristal, diciendo:

—¡Cuánto tiempo he dormido!

Loco de alegría, el zarevich la tomó de la mano para conducirla delante de sus padres.

—Amado *bátiushka,* querida *mátushka:* esto ha sido un don del Señor y yo no podría vivir ni un minuto sin ella. Os ruego que me permitáis tomarla por esposa.

—Está bien, hijo. Nosotros no nos opondremos a los designios de Dios. Además, quizá no haya una belleza igual en el mundo entero.

Como los zares no encuentran impedimentos para esas cosas, el mismo día se celebró la boda, seguida de un gran banquete.

Casado con la hija del mercader, el zarevich vivía en el séptimo cielo. Al cabo de cierto tiempo, quiso la recién casada ir a su tierra y visitar a su padre y a su hermano. Al zarevich le agradó la idea, y fue a pedirle venia a su padre.

—Está bien —dijo el zar—. Marchaos cuando queráis, queridos hijos. Pero tú, zarevich, irás por tierra dando un rodeo, y aprovecharás la ocasión para recorrer todos nuestros feudos y observar si reina el orden en ellos. En cuanto a tu esposa, irá en barco por el camino más corto.

Se preparó un barco para la travesía, se compuso la tripulación y se nombró a un general para mandarla. La *zarevna* subió al barco, que se hizo a la mar, mientras el zarevich partía por tierra.

Viendo a la *zarevna* tan hermosa, el general en jefe se prendó de su belleza y empezó a enamorarla. «¿Por qué he de temer nada? —pensó—. Ahora está entre mis manos y puedo hacer lo que quiera».

—Dame tu amor —le dijo a la *zarevna*—, o te arrojaré al mar.

La *zarevna* le volvió la espalda, sin contestarle, anegada en lágrimas. Pero un marinerito, que había escuchado la amenaza del general en jefe, se acercó a ella por la noche con estas palabras:

—No llores, *zarevna.* Vamos a cambiar nuestras ropas y tú sube a cubierta mientras yo me quedo en el camarote. De esta manera, el general me arrojará al mar a mí, pero no me importa. Ya me las arreglaré para llegar a nado hasta tierra, ahora que no está lejos.

Así lo hicieron, y la *zarevna* subió a cubierta vestida con la ropa del marinero, mientras este se acostaba en su cama. Por la noche, penetró el general en jefe en el camarote, agarró al marinero y lo arrojó al mar. El marinero se puso a nadar y llegó a tierra por la mañana.

Cuando el barco atracó, la *zarevna* se mezcló con los marineros que descendían a tierra. Corrió al mercado, se compró la ropa adecuada y, vestida de pinche, se puso a servir en casa de su padre.

Poco después, llegó el zarevich a casa del mercader.

—Salud te deseo, *bátiushka*. Has de saber que soy tu yerno, pues me he casado con tu hija. ¿Pero dónde está ella? ¿Acaso no ha llegado aún?

Entonces se presentó el general en jefe a informar:

—Alteza, ha sucedido una desgracia. Estaba la *zarevna* en cubierta cuando estalló una tempestad, el barco empezó a cabecear, a ella le dio un mareo y, antes de que pudiéramos impedirlo, cayó al mar y se ahogó.

El zarevich se llevó un gran disgusto y lloró amargamente, pero no era posible sacarla del fondo del mar. Sería ese su destino... De modo que pasó unos días en casa de su suegro, y luego ordenó a su séquito que se preparase para el regreso.

El mercader dio un gran banquete de despedida. Acudieron otros mercaderes, boyardos y todos los familiares. Entre ellos estaban el hermano del mercader, la vieja malvada y el general en jefe.

Los invitados comieron, bebieron y se solazaron, hasta que dijo uno de ellos:

—Honorables caballeros: no hacemos más que beber, y eso no conduce a nada bueno. Mejor será que nos pongamos a contar cuentos.

—¡Muy bien, muy bien! —gritaron desde todas partes—. ¿Quién empieza?

Entonces resultó que uno no sabía, que el otro no tenía gracia, que al tercero se le había ido la memoria con el vino... ¿Qué hacer? Un dependiente del mercader encontró la solución:

—Tenemos en la cocina —dijo— un pinche nuevo que ha recorrido muchas tierras extrañas, ha visto cosas sorprendentes y es un verdadero artista en eso de contar cuentos.

El mercader hizo que compareciese el pinche.

—Quiero que distraigas a mis invitados —le dijo.

—Y qué debo contar: ¿un cuento o un suceso real? —preguntó la *zarevna*-pinche.

—Un hecho real.

—Vaya por un hecho real. Pero con una condición: al que me interrumpa, le pegaré con la espumadera en la frente.

Todos dijeron que estaban de acuerdo, y la *zarevna* comenzó a referir cuanto le había sucedido a ella.

—Un mercader que tenía una hija emprendió un viaje al otro lado de los mares, y le encomendó a su propio hermano que cuidara de la muchacha. Pero, seducido por la belleza de su sobrina, el tío no la dejaba ni un minuto tranquila...

Dándose cuenta de que se refería a él, interrumpió el tío:

—¡Eso no es cierto, caballeros!

—¡Ah! Conque no es cierto, ¿eh? Pues toma un espumaderazo en la frente.

Siguió el relato, tratando de la madrastra y del espejito mágico al que hacía preguntas, tratando también de la malvada vieja que se presentó varias veces en el palacio blanco de los *bogatires*...

—¡Valiente tontería! —gritaron a una la vieja y la madrastra—. Eso no puede ser.

La *zarevna* les pegó en la frente con la espumadera, y siguió contando cómo había estado acostada en el féretro de cristal, cómo la descubrió el zarevich, le devolvió la vida y la hizo su esposa, y cómo había partido ella a visitar a su padre.

El general barruntó que las cosas se ponían feas para él, y rogó al zarevich:

—Permitidme que me retire: tengo un fuerte dolor de cabeza.

—No será nada. Espera un poco.

Pasó la *zarevna* a contar lo que había hecho el general, y tampoco él pudo reprimirse.

—¡Todo eso es mentira! —exclamó.

La *zarevna* le pegó con la espumadera en la frente y, despojándose de las ropas de pinche, se volvió hacia el zarevich.

—Yo no soy un pinche, sino tu esposa.

El zarevich se llevó una gran alegría, y el mercader también. Corrieron a abrazarla, a besarla, y luego formaron un tribunal. A la vieja malvada y al tío de la *zarevna* los fusilaron a la puerta de la ciudad. La madrastra hechicera fue atada a la cola de un potro que echó a galopar por los campos, esparciendo sus huesos por los matorrales y los barrancos. Al general lo deportó el zarevich, y designó en su lugar al marinero que salvó a la *zarevna*.

Desde entonces, el zarevich, su esposa y el mercader vivieron largos años felices.

Ve no sé adónde y tráeme no sé qué cosa

Vivía en cierto país un rey soltero que tenía una compañía entera de tiradores. Los tiradores salían de caza y disparaban a las aves de paso para que no faltara esa clase de viandas en la real mesa. Formaba parte de esta compañía un joven llamado Fedot, famoso por su buena puntería. Puede decirse que nunca le fallaba un tiro, razón por la cual le estimaba el rey más que a sus compañeros.

Sucedió una vez que, habiendo salido de caza muy temprano, cuando sólo apuntaba el día, penetró en un frondoso bosque oscuro y vio a una tórtola posada en un árbol. Fedot se echó el fusil a la cara, apuntó, disparó y le partió un ala al ave, que cayó del árbol a la tierra húmeda. El tirador la recogió, y cuando iba a arrancarle la cabeza para guardarla en su bolsa, oyó que le decía:

—Joven tirador, no arranques mi pobre cabeza, no acabes con mi vida. Mejor será que hagas lo que voy a decirte: llévame viva a tu casa, ponme en la ventana y espera. En cuanto veas que me entra sueño, pégame un sopapo con la mano derecha y alcanzarás una gran dicha.

«¿Qué será esto? —se preguntó muy sorprendido el tirador—. ¡Parece un ave, pero habla como una persona! Nunca me había ocurrido nada semejante...».

Conque llevó la tórtola a su casa, la puso en la ventana y esperó. Al poco tiempo, la tórtola metió la cabeza bajo el ala y se quedó traspuesta. El tirador levantó la mano derecha y la descargó, no muy fuerte, sobre la tórtola, que cayó al suelo, convirtiéndose en una joven tan bella que nadie podría imaginárselo más que en un cuento fabuloso. Nunca había habido otra belleza igual en el mundo entero.

—Ya que has tenido habilidad para cazarme, habrás de tenerla para vivir conmigo —le dijo al joven tirador del rey—. Tú serás mi esposo prometido y yo la esposa que te envía Dios.

En eso quedaron. Fedot se casó y vivió feliz con su joven esposa, aunque sin descuidar el servicio. Todas las mañanas, apenas despuntaba el alba, se iba al bosque con la escopeta, cazaba algunos animales silvestres y los llevaba a la cocina real.

La esposa vio que se cansaba mucho cazando así, y le dijo:

—Escucha, amigo mío, me da pena de ti. Cada día de Dios andas azacanado, rondando por los bosques y los pantanos, vuelves siempre a casa empapado y no sacas ningún provecho. ¡Valiente oficio! Yo conozco la manera de que ganemos algo. Procura juntar un par de cientos de rublos, y todo marchará bien.

Fedot acudió a todos sus compañeros, pidió a este un rublo, al otro dos, y reunió los doscientos. Se los llevó a su mujer.

—Ahora —le dijo ella—, compra con este dinero toda clase de sedas.

El tirador compró sedas por valor de doscientos rublos.

—Tú no te preocupes —dijo la mujer cuando se las entregó—: haz tus oraciones y acuéstate, que la noche es buena consejera.

Cuando el tirador se durmió, salió su mujer al porche, abrió su libro mágico y, al instante, aparecieron dos mozos con estas palabras:

—¡Ordena lo que desees!

—Tomad esta seda y, en una hora, hacedme un tapiz que sea el más maravilloso del mundo. Quiero que en el tapiz esté bordado el reino entero con sus ciudades y sus aldeas, con sus ríos y sus lagos.

Los mozos pusieron manos a la obra, y no ya en una hora, sino en diez minutos fabricaron un tapiz que era una maravilla. Se lo entregaron a la esposa del tirador y, al momento, desaparecieron sin dejar rastro.

A la mañana siguiente, la mujer le dijo al tirador:

—Toma: llévalo al mercado y véndelo. Pero no le pongas precio. Acepta lo que te ofrezcan.

Fedot tomó el tapiz, lo desplegó, se lo echó al hombro y se puso a rondar por los puestos del mercado. Un mercader que lo vio se acercó en seguida, preguntando:

—¿Lo vendes, buen hombre?

—Sí.

—¿Y cuánto vale?

—Ponle precio tú, que eres hombre entendido en negocios.

El mercader estuvo pensando un rato, pero sin conseguir tasarlo. Acudió otro mercader, luego un tercero, y un cuarto... hasta que se juntó un montón de personas que contemplaban el tapiz admirándolo, pero sin lograr ponerle precio.

Un comandante de palacio, que pasaba precisamente entonces cerca de los puestos del mercado, vio aquella multitud y quiso saber de qué hablaban los mercaderes. Se apeó de su carroza y fue hacia ellos.

—Buenos días, vendedores y mercaderes de otras tierras. ¿De qué negocio tratáis?

—Pues tratamos de tasar un tapiz y no lo conseguimos.

El comandante contempló el tapiz, y también se quedó maravillado.

—Dime, tirador, con toda sinceridad, ¿de dónde has sacado este tapiz? —preguntó.

—Lo ha bordado mi esposa.

—¿Y cuánto quieres por él?

—Yo de precios no entiendo. Mi mujer me ha dicho que no regatee, y que acepte lo que me ofrezcan.

—Bueno pues aquí tienes diez mil rublos.

El tirador tomó el dinero, y el tapiz pasó a manos del comandante, un hombre muy próximo a la persona del rey, que comía y bebía en su propia mesa. De manera que cuando fue a almorzar con el rey, se llevó el tapiz.

—¿Tendría a bien su majestad contemplar una cosa muy bella que he comprado hoy? —preguntó.

El rey posó la mirada en el tapiz, vio su reino entero como sobre la palma de la mano, y se quedó sin habla.

—¡Qué tapiz! Nunca había visto nada tan fino en mi vida. Tú dirás lo que quieras, comandante, pero no te lo devuelvo.

En seguida sacó veinticinco mil rublos, se los puso en la mano al comandante, y colgó el tapiz en su palacio.

«No importa —pensó el comandante—. Encargaré otro mejor todavía».

Salió al galope en busca del tirador, dio con la casita donde vivía, entró, y nada más ver a la mujer, se olvidó de quién era, del asunto que le traía y de lo que buscaba. Se hallaba ante una mujer tan hermosa que se habría pasado la vida entera contemplándola, sin apartar de ella la mirada. A todo esto, pensaba febrilmente:

«¿Dónde se ha visto ni se ha oído que un simple soldado posea semejante tesoro? Yo mismo, que sirvo cerca del rey, que tengo el rango de general, no he visto en ninguna parte una belleza igual».

A duras penas, se arrancó el comandante a su contemplación y se marchó a casa. Desde entonces, desde aquel momento, anduvo como alelado, sin poder pensar, ni de día ni de noche, más que en la bella esposa del tirador. No le aprovechaba lo que comía ni lo que bebía, porque siempre la tenía en la mente.

Extrañado de aquella actitud suya, el rey le preguntó:

—¿Te ocurre algo? ¿Tienes algún pesar?

—¡Ah, majestad! He visto a la esposa del tirador, una mujer de belleza sin igual en el mundo, y no puedo pensar más que en ella. No me apetece comer, ni beber, ni encuentro remedio para este maleficio.

Con todo esto, también al rey le entraron deseos de conocer a aquella mujer. Ordenó que engancharan su carroza, y fue al barrio donde vivían los tiradores. Entró en la casa, contempló aquella belleza indescriptible y comprendió que todo el que la viera, ya fuese joven o viejo, perdiera la cabeza por ella. Algo le abrasó el corazón.

«¿Por qué sigo soltero? —se preguntó para sus adentros—. Podría casarme con esa bella mujer. No le cuadra a ella pertenecer a un tirador: lleva escrito en la frente que ha nacido para reina».

De regreso a palacio, el rey le dijo al comandante:

—Escucha: ya que me has hecho ver a la mujer del tirador, esa beldad inimitable, arréglatelas ahora para acabar con su marido. Quiero casarme con ella... Y si no acabas con él, pobre de ti, porque, aunque seas un fiel servidor, terminarás en la horca.

Salió de allí el comandante, más apesadumbrado todavía, preguntándose de qué medios se valdría para terminar con el tirador.

Caminaba por callejas tortuosas y eriales, cuando vio venir a la bruja Yagá.

—¡Alto, servidor del rey! Estoy leyendo todos tus pensamientos. ¿Quieres que te ayude a evitar una muerte segura?

—Sí, abuela, por favor. Te pagaré lo que pidas.

—El rey te ha ordenado que te deshagas del tirador Fedot. La cosa no ofrecería dificultad si solo se tratara de él, que es un simplote. Pero su mujer es listísima. Por eso, hay que encomendarle algo que exija mucho tiempo. Vuelve a ver al rey y dile lo siguiente. Allá en los confines de la tierra, en el más lejano de los países, hay una isla, y en esa isla un ciervo con las astas de oro. Que elija el rey medio centenar de marineros, los peores de todos, los más borrachines, como tripulación de un viejo barco carcomido que lleve treinta años varado, y envíe en ese barco al tirador Fedot a cazar al ciervo de las astas de oro. Para llegar hasta la isla se necesitan nada más ni nada menos que tres años, y para volver de la isla otros tres años, que suman seis. Pero el caso es que, cuando el barco se haga a la mar, se mantendrá a flote un mes todo lo más. Luego se irá a pique, y con él se hundirán el tirador y los marineros.

El comandante escuchó con atención, agradeció sus consejos a la bruja Yagá, la recompensó con oro y corrió a ver al rey.

—¡Majestad! —exclamó—. Existe un medio seguro de terminar con el tirador —y se lo explicó todo.

El rey aceptó la idea, cursó a la flota la orden de fletar un viejo barco carcomido, cargar en él provisiones para seis años y dotarlo de una tripulación de cincuenta marineros, los más viciosos y borrachines.

Emisarios reales recorrieron las tabernas y los figones reclutando a una caterva de marineros a cual peor: si a uno le habían saltado un ojo, otro tenía la nariz partida...

Apenas informado de que el barco estaba listo, el rey hizo comparecer al tirador.

—Fedot —le dijo—, tú eres un gran cazador y el mejor tirador. Conque vas a ir, para mi servicio, a los confines de la tierra, al más lejano de los países. Allí encontrarás una isla donde habita un ciervo con las astas de oro. Captúralo vivo y tráemelo.

El tirador se quedó pensativo, sin saber qué contestar.

—Puedes darle todas las vueltas que quieras al asunto. Pero si no cumples mi deseo..., mi sable, de un tajo, te echará la cabeza abajo.

Fedot dio media vuelta y abandonó el palacio. Al atardecer volvió a su casa, muy apesadumbrado y taciturno.

—Te encuentro triste, querido. ¿Hay algo que te preocupe? —le preguntó su mujer.

Él se lo refirió todo.

—¿Y eso te apura? ¡Valiente cosa! Esa orden es fácil de cumplir. Haz tus oraciones y acuéstate, que la noche es buena consejera. Todo se hará.

El tirador se acostó. Cuando se quedó dormido, su mujer abrió su libro mágico y, al instante, aparecieron dos mozos con estas palabras:

—¡Ordena lo que desees!

—Quiero que vayáis a los confines de la tierra, al más lejano de los países, que capturéis en una isla a un ciervo con las astas de oro, y lo traigáis aquí.

—Lo que tú mandes. Al amanecer lo traeremos.

Partieron como una exhalación hacia la isla, capturaron al ciervo de las astas de oro, y lo llevaron a casa del tirador. Una hora antes de que amaneciera habían cumplido su misión, y desaparecieron como por ensalmo.

La bella mujer del tirador despertó a su marido muy tempranito y le dijo:

—Sal, y encontrarás al ciervo de las astas de oro en tu corral. Llévatelo al barco, navega cinco días y, al sexto, emprende el regreso.

El tirador metió al ciervo en una jaula, y lo llevó al barco.

—¿Qué hay aquí dentro? —preguntaron los marineros.

—Provisiones especiales y remedios. El viaje será largo, y pueden hacernos falta muchas cosas.

Llegó el momento de levar anclas. Mucha gente acudió a ver partir a los navegantes. También llegó el rey, que se despidió de Fedot y lo puso al mando de todos los marineros.

Llevaba el barco cinco días navegando por los mares, y no se veía ya tierra por ninguna parte, cuando Fedot ordenó subir a cubierta un barril de vino de cuarenta cubos, y dijo a los marineros:

—¡A beber, muchachos! No hay más tasa que la sed de cada uno...

Encantados, corrieron todos al barril y bebieron hasta que fueron cayendo allí mismo borrachos perdidos, roncando a más y mejor. El tirador empuñó entonces el timón, hizo virar el barco y puso rumbo a la costa. Y para que los marineros no se dieran cuenta, les dejaba beber desde por la mañana hasta por la noche. En cuanto iban recobrándose de una borrachera, ya tenían allí otro barril para quitarse la resaca.

A los once días justos atracó el barco al muelle, izó la bandera y disparó sus cañones. El rey, que oyó la andanada, corrió al muelle para ver lo que ocurría y, furioso al encontrarse con el tirador, le preguntó con toda severidad:

—¿Cómo te atreves a volver tan pronto?

—No sé qué otra cosa podía hacer, majestad. Cualquier estúpido se pasaría diez años por esos mares sin conseguir nada; pero nosotros hemos invertido solamente diez días, en lugar de seis años, para cumplir nuestra misión: cuando lo desee, vuestra majestad puede ver el ciervo de las astas de oro.

En seguida desembarcaron la jaula y soltaron al ciervo de las astas de oro. Viendo que tenía razón el tirador, y que no podía hacerle nada, el rey tuvo que darle permiso para ir a su casa. En cuanto a los marineros que le habían acompañado, también hubo de licenciarlos por seis años, durante los cuales nadie podía obligarlos a volver al servicio, puesto que los habían cumplido ya.

Al día siguiente, llamó el rey al comandante y arremetió contra él.

—¿Te burlas de mí? Se conoce que no le tienes mucho apego a tu cabeza. Tú verás cómo te las arreglas, pero debes encontrar la manera de quitar de en medio a Fedot el tirador.

—Si vuestra majestad me permite pensar, algo se podrá hacer.

Caminaba por callejas tortuosas y eriales, cuando vio venir a la bruja Yagá.

—¡Alto, servidor del rey! Estoy leyendo todos tus pensamientos. ¿Quieres que remedie tus cuitas?

—Sí, abuela, por favor. El tirador ha vuelto y ha traído al ciervo de las astas de oro.

—Ya me he enterado. Él es un simplote y se le puede engañar con toda facilidad, como quien toma un poco de rapé. La que más sabe es su mujer. Pero no importa: se me ha ocurrido una cosa que la va a poner en un apuro. Preséntate al rey, y sugiérele que llame al tirador y le diga: «Ve no sé adónde y tráeme no sé qué cosa». Eso sí que no podrá cumplirlo por los siglos de los siglos: o lo perdemos de vista para siempre, o regresa con las manos vacías.

El comandante recompensó a la bruja Yagá con oro y corrió a palacio. Después de escucharle, el rey mandó llamar al tirador.

—Fedot —le dijo—, tú eres un gran cazador y el mejor tirador. Ya que para mi servicio has capturado al ciervo de las astas de oro, ahora, también para mi servicio, ve no sé adónde y tráeme no sé qué cosa. Y recuerda que si no lo traes..., mi sable, de un tajo, te echará la cabeza abajo.

El tirador dio media vuelta y abandonó el palacio. Llegó a su casa muy apesadumbrado y taciturno.

—Te encuentro triste, querido. ¿Hay algo más que te preocupe? —le preguntó su mujer.

—¡Ay! —suspiró—. He salido de un apuro para caer en otro. El rey acaba de decirme: «Ve no sé adónde y tráeme no sé qué cosa». Y pensar que todo esto lo acarrea tu hermosura...

—Ese servicio es más difícil de cumplir. Para llegar hasta allí se necesitan nueve años y nueve para volver, que suman dieciocho. Además, Dios sabe si el resultado será bueno.

—Entonces, ¿qué hacer? ¿Cómo nos las vamos a arreglar?

—Haz tus oraciones y acuéstate, que la noche es buena consejera. Mañana lo sabrás todo.

El tirador se acostó a dormir, mientras su mujer esperaba a que fuese noche cerrada para abrir su libro mágico. Al instante, aparecieron dos mozos con estas palabras:

—¡Ordena lo que desees!

—¿Sabéis cómo se puede cumplir la orden de «ve no sé adónde y tráeme no sé qué cosa»?

—No, no lo sabemos.

La mujer del tirador cerró su libro mágico, y los mozos desaparecieron. A la mañana siguiente, despertó a su marido y le dijo:

—Ve y pídele al rey dinero para el camino, ya que debes viajar durante dieciocho años. Cuando tengas el dinero, ven a despedirte de mí.

El tirador se presentó al rey, recibió en la tesorería una gran bolsa de oro, y volvió a despedirse de su mujer. Ella le dio una toalla y una pelota.

—Cuando salgas de la ciudad —le explicó—, lanza esta pelota delante de ti y sigue el camino que ella te señale al rodar. Toma también esta toalla bordada por mí: dondequiera que estés, sécate siempre el rostro con ella después de lavarte.

El tirador se despidió de su mujer y de sus amigos, hizo un reverente saludo a cada uno de los cuatro puntos cardinales, y salió de la ciudad. Entonces lanzó la pelota delante de él y siguió el camino por donde fue rodando.

Había transcurrido cosa de un mes, cuando el rey llamó al comandante.

—El tirador se ha marchado a rodar dieciocho años por esos mundos, y lo más probable es que se muera por ahí. Dieciocho años representan mucho tiempo. Además, pueden ocurrir tantas cosas por los caminos... Lleva mucho dinero, y quizá muera a manos de algunos bandoleros que le asalten. Creo que ha llegado la hora de ocuparse de su mujer. Toma mi carroza, ve al suburbio donde viven los tiradores, y tráela a palacio.

El comandante fue al suburbio donde vivían los tiradores, se presentó a la bella esposa de Fedot y le dijo:

—Hola, preciosa. El rey me ha ordenado llevarte a palacio.

Llegó la mujer de Fedot a palacio, donde el rey la acogió con alegría, haciéndola entrar en los aposentos llenos de dorados con estas palabras:

—¿Quieres ser reina? Me voy a casar contigo.

—¿Dónde se ha visto, dónde se ha oído que nadie se case con una mujer cuyo marido está vivo? Tal y como es, sin pasar de simple tirador, es mi único esposo.

—Si no aceptas por las buenas, te obligaré por las malas.

La bella esposa de Fedot sonrió con burla, pegó contra el suelo y, convertida en tórtola, escapó volando por la ventana.

El tirador había recorrido ya muchos reinos y muchas tierras detrás de la pelota, que continuaba rodando. Cuando se encontraban con un río, la pelota se convertía en puente. Cuando el tirador sentía el deseo de descansar, la pelota se convertía en lecho de plumas. Al cabo de un tiempo —no sé si mucho o poco, porque los cuentos se cuentan aprisa pero las cosas se hacen despacio—, se encontró el tirador ante un gran palacio fastuoso. La pelota llegó rodando hasta el portón y desapareció.

«Voy a entrar», se dijo Fedot después de pensarlo un poco. Subió la escalinata y penetró en unos aposentos, donde le acogieron tres doncellas de belleza sin igual.

—Hola, buen mozo. ¿De dónde vienes y a qué?

—Hermosas doncellas, ¿cómo me hacéis tantas preguntas sin dejarme descansar después de un largo viaje? Bueno sería que empezarais por ofrecerme comida, bebida y un lecho. Luego vendrían las preguntas.

Las doncellas sirvieron inmediatamente una mesa. Le ofrecieron comida, bebida y un lecho. Cuando el tirador se levantó, ya descansado, las hermosas doncellas le presentaron un aguamanil y una toalla bordada. El tirador se lavó con agua fresca, pero rechazó la toalla.

—Tengo la mía —dijo— para secarme la cara.

Nada más ver aquella toalla, preguntaron las hermosas doncellas:

—Dinos, buen mozo, cómo ha llegado a tus manos.

—Me la ha dado mi mujer.

—Entonces, estás casado con nuestra hermana.

Llamaron a su madre, que también reconoció la toalla en cuanto la vio.

—Esto lo ha bordado mi hija —afirmó.

Empezó a hacerle preguntas al tirador, y este le refirió cómo se había casado con su hija y cómo le había ordenado el zar: «Ve no sé adónde y tráeme no sé qué cosa».

—¡Ay, querido yerno! Nunca he oído una cosa tan extraña. Espera. Quizá sepan algo mis servidores.

La anciana salió al porche, lanzó un grito y, de repente, acudieron desde todas partes animales corriendo y aves volando.

—¡Eh, eh! Animales del bosque y aves de los aires, vosotros que husmeáis por todas partes y voláis por donde queréis, ¿sabéis cómo se puede cumplir la orden de «ve no sé adónde y tráeme no sé qué cosa»?

Y todos a una, los animales y las aves, contestaron:

—No. Nunca hemos oído hablar de eso.

La anciana los dejó dispersarse por los matorrales, los bosques y los sotos. Luego volvió ella a la sala, tomó su libro mágico, lo abrió y, al momento, surgieron dos gigantes delante de ella.

—¡Ordena lo que desees!

—Deseo, fieles servidores míos, que nos llevéis a mi yerno y a mí al inmenso mar océano, y os detengáis precisamente en el centro, sobre la más profunda de las simas.

Arrebataron inmediatamente al tirador y a la anciana, y los llevaron como un vendaval hasta el inmenso mar océano. Se detuvieron precisamente en el centro, sobre la más profunda de las simas, como dos columnas, sosteniendo a Fedot y a la anciana en sus brazos. La anciana lanzó un grito, y acudieron nadando hacia ella todos los animales y los peces marinos. Eran tantos, que no dejaban ver el mar azul.

—¡Eh, eh! Animales y peces del mar, vosotros que nadáis por todas partes y llegáis a todas las islas, ¿sabéis cómo se puede cumplir la orden de «ve no sé adónde y tráeme no sé qué cosa»?

—¡No! —contestaron a una todos los animales y los peces marinos—. Nunca hemos oído hablar de eso.

Pero, en esto, se adelantó una vieja rana cojitranca que llevaba jubilada ya lo menos treinta años.

—Croa, croa —dijo—: yo sé cómo se puede hacer.

—Pues a ti te necesito, querida mía —exclamó la vieja, que tomó a la rana en sus manos y ordenó a los gigantes que los llevaran de regreso a su casa.

En un abrir y cerrar de ojos, se encontraron en el palacio. En seguida preguntó la anciana:

—¿Qué camino debe seguir mi yerno?

—El lugar adonde tiene que ir está muy lejos, en el fin del mundo —contestó la rana—. Yo le acompañaría, pero estoy demasiado vieja, apenas me sostienen las patas. Tardaría cincuenta años en llegar hasta allí.

La anciana trajo entonces un gran tarro de cristal, lo llenó de leche y metió a la rana dentro.

—Lleva tú este tarro en las manos —le dijo luego a su yerno, entregándoselo—, y la rana irá indicándote el camino.

El tirador tomó el tarro con la rana, se despidió de su suegra y sus cuñadas, y se puso en camino, guiado por la rana.

Anda que te anda —no sé si poco o mucho—, llegaron hasta un río de fuego. Detrás del río se alzaba una montaña muy alta que tenía una puerta.

—Croa, croa —dijo la rana—: sácame del tarro, porque tenemos que cruzar el río.

El tirador sacó a la rana del tarro y la depositó en el suelo.

—Ahora, buen mozo, súbete encima de mí, y no te preocupes, que no me vas a aplastar.

Fedot obedeció. La rana comenzó a hincharse, y venga a hincharse, hasta que llegó a parecer un almiar. Lo que más le preocupaba al tirador era conservar el equilibrio. «Como me caiga desde aquí arriba, me mato», pensaba. Cuando la rana estuvo ya toda hinchada, de un solo brinco se saltó el río y recobró su tamaño normal.

—Ahora, buen mozo, entra por aquella puerta. Yo me quedo aquí a esperarte. Cuando penetres en la gruta que hay detrás, escóndete bien. Dentro de un rato llegarán dos ancianos: escucha lo que digan, fíjate en lo que hagan para que, cuando se marchen, puedas decir y hacer tú lo mismo que ellos.

El tirador llegó hasta la montaña, abrió la puerta y se encontró en una gruta totalmente a oscuras. Empezó a moverse, tanteando a su alrededor con las manos hasta que palpó un armario vacío. Se metió dentro y cerró la puerta. Poco después llegaron, efectivamente, dos ancianos.

—¡Eh, Chico listo! Danos de comer.

En el mismo momento, como por ensalmo, se encendieron las lámparas, se oyó ruido de platos y fuentes, y la mesa se cubrió de bebidas y manjares. Después de comer y beber a su gusto, los ancianos ordenaron:

—¡Eh, Chico listo! Recógelo todo.

Repentinamente, desapareció todo —la mesa, las bebidas, los manjares— y se apagaron las lámparas. El tirador comprendió que se habían retirado los ancianos. Entonces salió de su escondrijo y gritó:

—¡Eh, Chico listo!

—¿Qué deseas?

—Dame de comer.

De nuevo aparecieron las lámparas encendidas, la mesa puesta y toda clase de bebidas y manjares.

—¡Eh, Chico listo! —volvió a gritar Fedot, acomodándose—. Siéntate conmigo y comamos juntos, que será más entretenido.

—¡Alabado sea Dios, hombre bondadoso! —contestó una voz—. Pronto hará treinta años que sirvo fielmente a los dos ancianos, y en todo ese tiempo no me han invitado ni una sola vez a sentarme con ellos a la mesa.

El tirador estaba asombrado: no se veía a nadie, pero la comida desaparecía de los platos como si alguien arramblase con ella; las botellas se alzaban ellas solas, escanciaban vino en las copas, que se quedaban inmediatamente vacías... Saciados su apetito y su sed, dijo el tirador:

—Oye, Chico listo, ¿quieres servirme a mí? Conmigo ibas a estar bien.

—¿Por qué no voy a querer? Hace tiempo que estoy harto aquí, y tú me pareces una buena persona.

—Bueno, pues recógelo todo y ven conmigo.

Salió el tirador de la cueva, miró hacia atrás, pero no vio a nadie...

—¡Chico listo! ¿Estás aquí?

—Aquí estoy. No temas, que te sigo.

—Está bien —replicó Fedot, montándose encima de la rana.

La rana volvió a hincharse y saltó por encima del río de fuego, recobrando después su forma normal. El tirador la metió en el tarro de cristal y emprendió el regreso.

Llegó a casa de su suegra y les ofreció, a ella y a sus hijas, un festín dispuesto por su nuevo servidor. Fue tan perfecto que la anciana estuvo a punto de bailar de alegría. En cuanto a la rana, la suegra de Fedot prescribió que le fueran servidos tres tarros de leche cada día por sus buenos oficios.

Por fin se despidió el tirador de su suegra y emprendió el regreso a su país. Rendido de tanto andar, se le doblaban las piernas veloces, y llevaba caídos los blancos brazos.

—¡Si supieras lo cansado que estoy, Chico listo! No puedo mover las piernas.

—¿Por qué no me lo has dicho antes? Verás qué pronto te llevo adonde quieras.

En el mismo instante, se sintió el tirador arrebatado como por una vorágine, que lo transportó por los aires a tanta velocidad, que perdió el gorro.

—¡Eh, Chico listo! Espera un momento, que se me ha caído el gorro.

—¡Tarde lo has dicho! ¡Tu gorro ha quedado ya a cinco mil verstas de aquí!

Las ciudades y las aldeas, los ríos y los bosques pasaban sin que apenas pudieran verse... Volaban sobre el mar profundo, cuando dijo el Chico listo:

—¿Quieres que monte en medio de este mar un cenador de oro donde puedas descansar y hacer algún buen negocio?

—Sí, claro —contestó el tirador.

En seguida notó que empezaban a descender sobre el mar. Allí donde poco antes se mecían las olas, surgió una isla y, en la isla, un cenador de oro.

—Entra en el cenador y descansa contemplando el mar —dijo el Chico listo—. Por aquí van a pasar los barcos de tres mercaderes. Atracarán cerca de la isla. Invítalos a bajar, agasájalos y cámbiame a mí por las tres cosas maravillosas que te ofrezcan. No te preocupes, que cuando sea necesario volveré a tu lado.

El tirador vio, en efecto, que llegaban tres barcos por el lado de Poniente. Por su parte, los navegantes vieron la isla y el cenador de oro.

—¡Qué extraño! —dijeron—. Tantas veces como hemos navegado por aquí sin ver nada más que agua, y ahora resulta que hay un cenador de oro... Vamos a echar anclas, muchachos, para verlo de cerca.

Detuvieron la marcha de los barcos, echaron anclas, y los tres mercaderes dueños de las naves se dirigieron hacia la isla en una lancha.

—¡Hola, buen hombre!

—¡Hola, mercaderes forasteros! Bienvenidos. Aquí podéis pasear, divertiros y descansar. Precisamente para los forasteros de paso ha sido construido este cenador.

Los mercaderes entraron en el cenador y tomaron asiento.

—¡Eh, Chico listo! —gritó Fedot—. Sírvenos algo.

Apareció una mesa cubierta de todas las bebidas y todos los manjares imaginables. ¡En un abrir y cerrar de ojos! Los mercaderes estaban pasmados.

—¿Por qué no hacemos un cambio? —propusieron—. Tú nos das a tu servidor, y puedes quedarte con una de las cosas maravillosas que transportamos.

—¿Y qué cosas maravillosas son esas?

—Míralo tú mismo.

Uno de los mercaderes sacó del bolsillo una cajita. En cuanto la abrió, toda la isla quedó cubierta por un precioso jardín con sus flores y sus senderos. Cerró la cajita y desapareció el jardín.

Otro mercader sacó de debajo de su casaca un hacha: pegó unos golpes con ella —¡zas, zas!—, y apareció un barco. ¡Zas, zas! Y otro barco. Cien veces hizo ¡zas, zas!, y cien barcos aparecieron con sus velas, sus cañones y sus marineros. Los barcos maniobraban, los cañones disparaban, los capitanes pedían órdenes a los mercaderes... Cuando le pareció que se habían divertido ya bastante, escondió el hacha, y los barcos se esfumaron como si nunca hubieran existido.

El tercer mercader sacó un cornetín, sopló por un lado y apareció un ejército. Había infantería y caballería con fusiles, con cañones, con banderas... Desde todos los regimientos enviaban informes al mercader, y él les impartía órdenes. Las tropas marcaban el paso, tocaban las bandas, ondeaban las banderas... Después de entretenerse así un rato, el mercader sopló por el otro lado del cornetín y no quedó nada de todas aquellas fuerzas.

—Todas esas maravillas vuestras están muy bien, pero a mí no me sirven —objetó Fedot—. Las tropas y los navíos son cosas de los reyes, y yo soy un simple soldado. Si queréis que lleguemos a un trato, tendréis que darme las tres cosas maravillosas a cambio de mi servidor.

—¿No será mucho?

—¡Allá vosotros! Pero, de otro modo, no hay cambio.

Los mercaderes pensaron para sus adentros: «¿Qué falta nos hacen el jardín, los regimientos ni los navíos de guerra? Más nos conviene el cambio. Por lo menos, nunca tendremos que pensar en la comida ni la bebida». De manera que le dieron a Fedot las tres cosas maravillosas, y luego gritaron:

—¡Eh, Chico listo! Vas a venir con nosotros. ¿Nos servirás fielmente?

—¿Por qué no? A mí, igual me da servir a unos que a otros.

De regreso a sus barcos, los mercaderes se pusieron a agasajar a cuantos iban con ellos. Solo se oía:

—¡A ver, Chico listo! ¡Espabílate!

Todos acabaron borrachos perdidos y roncando.

Fedot, que se había quedado en su cenador de oro, murmuró entonces con pesar:

—¡Qué lástima! ¿Dónde estará ahora mi fiel servidor Chico listo?

—Aquí estoy, señor.

—¿Y no sería hora de que volviésemos a casa? —preguntó encantado.

No había terminado de hablar, cuando se sintió arrebatado como por un vendaval que lo transportó por los aires.

—¡Eh, Chico listo! —gritaron los mercaderes cuando se despertaron después de la borrachera—. Danos unas copas para que se nos quite la resaca.

Pero nadie contestó ni cumplió sus órdenes. Por mucho que gritaron, como si nada.

—Amigos, ese tío ladino nos ha engañado. Y ahora, ni el demonio podría encontrarle. La isla ha desaparecido, y el cenador de oro se ha esfumado.

Mucho se lamentaron los mercaderes. Pero, finalmente, no les quedó más remedio que hacerse a la vela y seguir su rumbo.

Fedot se encontró muy pronto en su país, posándose en un lugar desierto, próximo al mar azul.

—¡Eh, Chico listo! ¿No se podría construir aquí un palacio?

—¿Por qué no? Ahora mismo.

En un instante, se alzó un palacio mucho más fastuoso que el del rey. Fedot abrió su cajita y, en torno al palacio, surgió un jardín con árboles raros y flores. Estaba contemplándolo desde una ventana, cuando entró volando una tórtola, que pegó contra el suelo y recobró la forma de su joven esposa. Se abrazaron y, después de los primeros momentos de alegría, se contaron cuanto les había sucedido.

—Desde el momento en que saliste de casa —le dijo al tirador su esposa—, he sido una tórtola gris que revoloteaba por los bosques y los sotos.

El rey salió a la mañana siguiente al balcón, miró hacia el mar y vio, junto a la orilla, un palacio nuevo rodeado de un verde jardín.

—¿Quién es el insolente que ha tenido la osadía de construir un palacio sobre mis tierras sin pedir permiso?

Partieron emisarios a enterarse, y luego le informaron de que el palacio había sido construido por el tirador Fedot, quien vivía en él en compañía de su esposa. Más indignado todavía, el rey ordenó aprestar un ejército que marchara hacia la costa con orden de talar el jardín, reducir a escombros el palacio, y dar muerte al tirador y a su esposa.

Viendo Fedot que avanzaba el fuerte ejército real, empuñó el hacha y, ¡zas, zas!..., un barco. Cien veces hizo ¡zas, zas!, y cien barcos construyó. Luego, tomó el cornetín, sopló una vez, y aparecieron tropas de infantería por regimientos enteros; sopló otra vez, y fueron escuadrones de caballería...

Los jefes militares se presentaron a recibir órdenes para las tropas de tierra y para los navíos. El tirador dio la señal para comenzar la batalla. En seguida sonó la música de las bandas, redoblaron los tambores, y los regimientos iniciaron su marcha. La infantería puso en fuga a los soldados del rey, y la caballería los persiguió, haciéndolos prisioneros.

El rey en persona quiso detener la retirada de sus tropas, pero le fue imposible. No había transcurrido ni media hora cuando también le mataron a él.

Concluida la batalla, toda la gente se reunió y le pidió al tirador Fedot que se pusiera al frente del Estado. Él aceptó y se coronó rey, haciendo reina a su esposa.

VOCABULARIO

Arshin: Antigua medida rusa igual a 0,71 metros.

Arzón circasiano: Parte delantera o trasera que une los dos brazos longitudinales del fuste de una silla de montar. «Circasiano» hace referencia al origen geográfico, la región rusa de Circasia.

Baño: El baño ruso es un baño de vapor. Para calentarlo, se hace fuego debajo de unas grandes piedras que sostienen los calderos del agua. Esas mismas piedras, muy calientes, producen el vapor cuando les vierten agua encima.

Barin (f. *bárinia*): Señor, en el sentido de amo, dueño de vidas y haciendas.

Bátiushka: Literalmente, padrecito. Se emplea como tratamiento deferente y expresa sumisión, humildad y vasallaje.

Beluga: Uno de los mayores peces de río conocidos. Excepcionalmente han llegado a encontrarse ejemplares de hasta nueve metros de largo y dos toneladas de peso. Es un pez de gran longevidad, que puede llegar a vivir cien años.

Bogatir: Hombre recio, bien plantado, valiente y de fuerza extraordinaria.

Boyardos: Nobles, altos personajes próximos a la corte.

Bujtán Bujtánovich: Nombre y apellido derivados de «bujtar»: tardo, torpote.

Chervónets: Antigua moneda de oro de un rublo.

Chetverik: Literalmente, «cuartillo». Medida de capacidad igual a 26,239 litros.

Cubo: El cubo corriente, de unos 16 litros de capacidad, era utilizado por la gente del pueblo como medida para líquidos y sólidos, así como para patatas, manzanas, etc.

Desiatina: Antigua medida de superficie equivalente a 1,09 hectáreas.

Estufa: La estufa rusa es toda una construcción de ladrillo. Muy ancha de base, con bancos a los lados, fogón y horno para el pan, se escalona hacia arriba formando rellanos destinados a distintos usos, y que también sirven de lecho.

Gitano: Zíngaro, gitano de Europa Central.

Gorelka: Aguardiente de fabricación casera.

Isba: Típica vivienda rusa hecha de troncos.

Kaftán: Especie de levita.

Kopek: Centésima parte de la unidad monetaria rusa, que es el rublo.

Lapti (pl. de *lápot*): Calzado de los campesinos rusos, parecido a las albarcas, hecho de tiras de corteza de abedul entretejidas.

Mátushka: Literalmente, madrecita.

Pope: Sacerdote de la religión ortodoxa rusa.

Pud: Antigua medida de peso igual a 16,3 kilos.

Sal: La sal (sal gema) era monopolio de la Corona. Tenía un precio bastante elevado, con lo cual la gente humilde pasaba más calamidades, puesto que hace falta para conservar las verduras, el pescado, etc., durante el largo invierno ruso.

Sazhena: Antigua medida igual a 2,134 metros.

Silbido: Esta palabra tenía también el sentido de rugido, vozarrón, incluso estrépito. Se utiliza mucho en el folclore ruso.

Sujari: Especie de galletas. No se fabrican especialmente. Son rebanadas de pan corriente de centeno secadas para su conservación.

Troika: Trineo tirado por tres caballos.

Versta: Antigua medida igual a 1,06 kilómetros.

Vodka: Aguardiente de cereales, incoloro y de fuerte graduación alcohólica.

Yáguishna: Nombre cuya raíz «yag» indica su parentesco con la bruja Yagá.

Zar (en ruso se pronuncia *tsar*): Emperador ruso, aquí en el sentido de rey.

Zarevich (*tsarevich*): Hijo del zar, en el sentido de príncipe real.

Zarevna (*tsarevna*): Hija del zar, en el sentido de princesa real.

Zarina (*tsaritsa*): Esposa del zar.

ÍNDICE ALFABÉTICO
DE LOS CUENTOS POPULARES RUSOS
DE A.N. AFANÁSIEV

*Este libro se terminó de imprimir el vier-
nes 14 de septiembre de 2007, coin-
cidiendo con el comienzo
del año litúrgico en la
iglesia ortodoxa
rusa.*